D1266982

HERBERT ROCH

# FONTANE, BERLIN UND DAS 19. JAHRHUNDERT

Von demselben Autor:

IRDENE SCHERBEN

RICHTER IHRER ZEIT

SCHICKSAL AM MONTPARNASSE

MAUPASSANT, EIN LEBEN

HERBERT ROCH

# FONTANE
## BERLIN
## UND DAS 19. JAHRHUNDERT

GEBRÜDER WEISS VERLAG
BERLIN - SCHÖNEBERG

Umschlag- und Einbandentwurf: Bernhard Borchert




Satz und Druck: Otto v. Holten in Berlin
Printed in Germany

*Ich widme dieses Buch*

*der Stadt Berlin, der Stadt Fontanes, Liebermanns, Heinrich Zilles; ich widme dieses Buch meinen toten Berliner Freunden, der Stadt meiner schönsten und schlimmsten Jahre, ihren Eckkneipen und Wochenmärkten, ihren Spreekähnen und Havelschwänen – jedem Spatenstich, der hier getan, jedem Nagel, der hier eingeschlagen wird und, über die Mauer hinweg, ihrer Zukunft und ihrer noch nicht ausgespielten Rolle als pädagogische Provinz Deutschlands.*

INHALT

# RÉFUGIES

Am 29. Oktober 1685 erließ der Große Kurfürst jenes berühmte Potsdamer Edikt, in dem er den verfolgten französischen Hugenotten seine volle Unterstützung zusicherte und ihnen politisches Asyl in seinen Landen anbot. In diesem Erlaß, für Preußen von größerer Tragweite als der Sieg bei Fehrbellin, heißt es: »Wir, Friedrich Wilhelm . . . Thun Kund und geben männiglichen hiermit zu wissen . . ., daß Wir dannenher aus gerechtem Mitleiden, welches Wir mit solchen Unseren, wegen des heiligen Evangelii und dessen reiner Lehre angefochtenen und bedrängten Glaubens-Genossen billig haben müssen, bewogen worden, mittels dieses von Uns eigenhändig unterschriebenen *Edicts* denenselben eine sichere und freye *retraite* in alle Unsere Lande und *Provinzien* in Gnaden zu *offeriren* . . .«

Tausende von Bedrohten und Bedrängten gingen auf dieses großzügige, von politischer Klugheit und politischem Weitblick zeugende Angebot ein. Über Hamburg kamen sie und Frankfurt am Main, über die Niederlande und die Schweiz, einzeln, in

Gruppen und ganzen Trecks, von dem Willen beseelt, in Freiheit eine neue Existenz zu gründen, die meisten mittellos, viele ihrer gesamten Habe beraubt und ausgeplündert, den Häschern Ludwigs XIV. nur mit Mühe entgangen, den Galeeren, die bei Ergreifung ihrer harrten, unter Opfern und auf Umwegen entronnen. Auf fremdem, oft kärglichem und unwirtlichem Boden fanden sie notdürftig Unterkunft, gleichberechtigte Bürger von vornherein, die in kurzer Zeit zur stärksten Stütze des jungen, aufstrebenden preußischen Staates wurden, so daß Friedrich II., nicht ganz hundert Jahre nach dem Eintreffen der ersten Réfugiés, an d'Alembert schreiben konnte: »Erlauben Sie mir über den Widerruf des Ediktes von Nantes anders zu denken als Sie; ich danke Ludwig XIV. sehr dafür und würde es seinem Enkel sehr danken, wenn er es ebenso machte.«

Otto Roquette, ein Freund Fontanes und gleich diesem von französischen Kolonisten abstammend, schrieb später in seinen Lebenserinnerungen: »Kann ich meine Familie nicht eine historische nennen, so ist doch durch ein geschichtliches Ereignis ihr Name aus dem Dunkel geweckt und zuerst genannt worden. Ein historischer Akt war es, der sie von ihrer ursprünglichen Heimat loslöste und sie in die Verbannung trieb. Auf dem neuen Boden wandelte sie sich von Generation zu Generation aus einer französischen zu einer deutschen Familie ... Sie gehörten der reformierten Kirche an, welcher durch die Aufhebung des Ediktes von Nantes in Frankreich keine Duldung mehr zugestanden werden sollte. Wer zur katholischen Kirche nicht zurückkehren wollte, sich aber zur Auswanderung verstand, mochte noch glimpflich das Vaterland verlassen. Wer sich weder zu dem einen noch zum andern entschließen konnte, unterlag der Gewalt. Die alten Hugenottenverfolgungen begannen von neuem. Durch die Dragonerbekehrungen des allerchristlichen Königs wurden viele Tausende friedlicher und fleißiger Menschen in ganz Frankreich ihres Besitzes beraubt; Häuser und Dörfer verschwanden in Flammen, und die Vertriebenen wanderten der Landesgrenze zu, die Mehrzahl nach Deutschland . . .«

Unter diesem Flüchtlingszustrom nahm das kulturelle und wirtschaftliche Leben in Preußen alsbald einen spürbaren Aufschwung. Die einwandernden Handwerker brachten bisher unbekannte Gewerbe ins Land und verhalfen anderen zu einer noch nie dagewesenen Vollkommenheit. Die Kolonisten wurden tonangebend in Bekleidungs- und Modefragen. Die Herstellung von feinem Tuch, Seidenstoffen und Hüten ging fast ausschließlich in ihre Hände über. Für eine Weile genossen sie Steuervergünstigungen und erhielten zum Teil staatliche Subventionen. Aber schon bald standen die meisten auf eigenen Füßen und gelangten zur Selbständigkeit, und unter König Friedrich Wilhelm I. lehnte der Hutfabrikant Jacques Douilhac in Königsberg einen ihm von der Krone angebotenen Kredit mit den Worten ab: »Erhalte ich von Ew. Majestät Geldvorschüsse, so werden mir auch Kommissare ins Haus geschickt, um zu sehen, wie ich diese Gelder verwende. Diese werden dann gewahr, daß ich alle Mittag, wie ich es gewöhnt bin, mein Glas Wein trinke und werden Ew. Majestät berichten, daß ich Ihr Geld versaufe.«

Eine solche Sprache war neu in Preußen. Durch die Kolonisten lernten die Märker französischen Esprit und französische Kochkunst kennen. In Berlin sah man das erste Weißbrot und erlebte die ersten Speisewirtschaften nach französischem Vorbild, wo man für einen annehmbaren Preis ein vorzügliches Essen bekam. Eine allgemeine Verfeinerung des Geschmacks war die Folge. Man lernte Gewürze und Gemüse schätzen, und das anfänglich in herabsetzendem und abgrenzendem Sinne auf die Kolonisten gemünzte Wort »Bohnenfresser« verlor sehr rasch seinen verächtlichen Klang. Bohnengerichte erschienen jetzt auch auf den Tischen der Berliner Bürger, und ein Festmahl ohne Spargel, Blumenkohl oder Artischocken aus den Gärtnereien der Kolonisten war bald nicht mehr denkbar.

Adel und Bürgertum profitierten gleichermaßen durch geschäftliche, dienstliche oder familiäre Bindungen und Verbindungen mit den Zugewanderten, die der Armee einige ihrer tüchtigsten und fähigsten Offiziere stellten, dem Staat eine Reihe von hervorragenden Verwaltungsbeamten und die Vermärkerung des Bürgertums aufhielten. Die Assimilation ging stetig vonstatten. Die Kolonisten faßten Fuß in allen Gesellschaftsschichten, aus Zugewanderten wurden Zugehörige, und als Napoleon I. im Jahre 1806 das Verbannungsdekret aufhob, kehrten nur wenige in die alte Heimat zurück. Was sie den widrigsten Umständen, dem märkischen Sand abgerungen hatten, neue Industrien, blühende Gärten, Kirchen, Schulen, Hospize, machte ihnen die Entscheidung leicht.

In zweiter und dritter Generation waren manche Söhne und Töchter einstiger Franzosen bereits berlinischer als die Berliner.

Obwohl die Muttersprache ihnen nicht verlorengegangen war und ihre Kinder darin unterrichtet wurden, beherrschten sie die Mundart, die zwischen Spittelmarkt und Spandau, Hasenheide und Halensee gesprochen wurde, in einem Maße, daß Fremde darüber staunten und es ergötzlich oder abscheulich fanden, je nachdem. Bei aller Pietät gegenüber dem Hergebrachten und Überlieferten fand ein gegenseitiges Ineinanderaufgehen statt, zu dem, als Ferment, im Laufe der Jahre noch der zunehmende Einfluß des Judentums kam. Damit waren die Voraussetzungen zur Entstehung des Berliner Witzes erfüllt.

Zu den frühesten Vertreterinnen dieses Typus gehört die 1748 geborene, aus Kreisen der französischen Kolonie stammende Madame Du Titre, der eine Unzahl von Anekdoten und Äußerungen zugeschrieben werden, die alle das charakteristische Gepräge des Berliner Witzes tragen. Als ihr Mann im Sterben lag und nach ihr verlangte, ging sie nur bis an die Tür des Krankenzimmers und rief ihrem Gatten von dort aus zu: »Jott, Vater, wat soll denn das? Du weeßt doch, ick kann keene Dodten nich sehn.« Die Furcht, rührselig zu erscheinen, geht hier bis zur Verleugnung des Zartgefühls und jeglicher Ergriffenheit, wie man es heute noch unter Berlinern erleben kann, wenn die Situation Gebiete streift, die zur Preisgabe privatester Gefühle zwingen. Nichts ist dem Berliner mehr zuwider und geht ihm stärker gegen den Strich, wie es heißt, als Pathos, Überschwenglichkeit, Sentimentalität und Zurschaustellung erheuchelter Gefühle. Im allgemeinen reagiert er nüchtern, prosaisch, rationalistisch, ja zynisch und bissig darauf und setzt so die verschobenen Wertakzente richtig. Und hier tun sich die Grenzen zur späteren Welt Fontanes auf.

Der erste Fontane oder Fontaine, wie sich die Familie damals schrieb, kam im Zuge der Emigration bereits 1690 nach Deutschland und ließ sich an der Universität Königsberg als Medizinstudent eintragen. Er gab das Studium jedoch auf und siedelte vier Jahre später ins Brandenburgische über, wo er sich 1697 in Berlin mit der neunzehnjährigen Marie du Quesne verheiratete und wieder in seinem ursprünglichen Beruf als Strumpfwirker arbeitete. Ende des achtzehnten Jahrhunderts findet man einen Peter Fontane im Dienst des preußischen Hofes, zuerst als Zeichenmeister, später als »Sekretär Ihrer Majestät« der Königin Luise. Dieser Peter Fontane, ein vielseitig gebildeter Mann, war der Großvater des Dichters, er starb 1826 als Kastellan des Schlosses Schönhausen in Berlin. Sein Sohn aus erster Ehe – er war dreimal verheiratet – Louis Henri, 1797 geboren, besuchte das Gymnasium zum Grauen Kloster in Berlin, ging zu einem Apotheker in die Lehre und rückte 1813 als Freiwilliger ins Feld. Nach seiner Rückkehr hielt er sich für eine Weile in Danzig auf, legte dann in Berlin sein Staatsexamen ab, wodurch er zum Apotheker zweiter Klasse avancierte, und heiratete kurz vor seinem zweiundzwanzigsten Geburtstag die ein Jahr jüngere, aus wohlhabendem hugenottischem Kaufmannshause stammende Emilie Labry. Kurz darauf siedelte das junge Paar nach Neuruppin über, wo Louis Henri die Löwenapotheke erworben hatte. Und fast genau neun Monate nach der Eheschließung wurde ihnen am 30. Dezember des Jahres 1819 ein Sohn geboren, »zwischen 4 und 5 Uhr

Abends«, wie es im Kirchenbuch heißt, der Ende Januar 1820 auf den Namen *Heinrich Theodor* getauft wurde.

Fünfundsechzig Jahre später schrieb dieser Heinrich Theodor Fontane, der sich inzwischen einen Namen als Balladendichter gemacht und eine Reihe wenig erfolgreicher Bücher veröffentlicht hatte, den Prolog zur zweiten, von der französischen Kolonie veranstalteten Säcularfeier des Edikts von Potsdam, dem die Kolonie ihre Entstehung verdankte.

Die 200jährige Jubelfeier fand am 29. Oktober 1885 im Saale der »Philharmonie« statt. Am nächsten Tage berichtete die »Vossische Zeitung« darüber:

»Auf die verschiedensten Festakte ... folgte am Abend das große weltliche Hauptfest in den Räumen der Philharmonie. Eine gleich bunt und mannigfaltig gemischte Gesellschaft hat dies Lokal schwerlich je zuvor in seinen Sälen und Logen zu einem festlichen Anlaß versammelt gesehen. Allen Angehörigen der französischen Colonie, Reichen und Armen, Vornehmen und Geringen, Großen und Kleinen, waren die Pforten weit aufgethan worden. Und sie kamen in Scharen schon vor 7 Uhr herangeströmt und füllten dicht gedrängt den Raum auf allen Plätzen, eine zweitausendköpfige Versammlung, einer kolossalen durch ein starkes inneres Band unter sich verknüpften Familie ähnlich ... Festtoilette war weder den Herren noch den Damen vorgeschrieben ... Zu Füßen der Bühnenestrade placirt, eröffnete das Orchester das Festkonzert, dessen Programm ausschließlich französische Compositionen aufführte ... Dann erklangen – ein wunderlicher Contrast dazu – die ernsten feierlichen Weisen des protestantischen Kampfchorals ›Ein' feste Burg‹. Als er beendet war, theilte sich der Vorhang in seiner Mitte, und als Prologus trat, in schwarze Gesellschaftstracht gekleidet, der blondbärtige Dr. Béringuier heraus, um mit kräftiger, weithin schallender Stimme in den geist-, poesie- und klangvollen Strophen unseres Théodore (so ist sein Name auf dem Programm gedruckt) Fontane die Versammlung also anzureden:

Zweihundert Jahre, daß wir hier zu Land
Ein Obdach fanden, Freistatt für den Glauben
Und Zuflucht vor Bedrängniß der Gewissen.
Ein hochgemuther Fürst, so frei wie fromm,
Empfing uns hier, und wie der Fürst des Lands
Empfing uns auch sein Volk. Kein Neid ward wach,
Nicht Eifersucht – man öffnete die Tür
Und hieß als Glaubensbrüder uns willkommen.

*Land*-Fremde waren wir, nicht *Herzens*-Fremde.

So ward die Freistatt bald zur Heimathsstätte,
Darin wir Wurzel schlugen, und was je
Durch Gottes Rathschluß dieses Land erfahren,
Wir lebten's mit, sein Leid war unser Leid,
Und was es freute, war auch unsere Freude . . .«

Es war der Dank eines einzelnen, der hier ausgesprochen wurde, und zugleich das Gelöbnis einer ganzen Kolonie, die sich so vollkommen naturalisiert hatte, daß aus ihrer Mitte der Dichter preußischer Balladen, märkischer Wanderungen und Berliner Geschichten, Heinrich Theodor Fontane, hervorgehen konnte.

## RUPPINER BILDERBOGEN

Sie erschienen »bei Gustav Kühn in Neu-Ruppin«, diese Bilderbogen, Vorläufer der illustrierten Blätter, die heute die Welt beherrschen und denen man selbst im Polareis und im Dschungel nicht entgeht. Kühns Bilderbogen waren primitiv dagegen, versuchten jedoch nicht weniger aktuell zu sein und gaben im Bild wieder, was in der Welt geschah und was die Leute interessierte: Kindsmord, Herrschertränen, Feuersbrünste, Hungersnot, Pariser Moden, kurz alles, was der Bürger nicht unmittelbar miterlebte und woran er doch in steigendem Maße Anteil nehmen wollte.

»Lange bevor die erste ›Illustrierte Zeitung‹ in die Welt ging«, schreibt Fontane, »illustrierte der Kühnsche Bilderbogen die Tagesgeschichte, und was die Hauptsache war, diese Illustration hinkte nicht langsam nach, sondern folgte den Ereignissen auf dem Fuße. Kaum, daß die Trancheen vor Antwerpen eröffnet waren, so flogen in den Druck- und Kolorierstuben zu Neu-Ruppin die Bomben und Granaten durch die Luft; kaum war Paskewitsch in Warschau eingezogen, so breitete sich das Schlachtfeld von Ostrolenka mit grünen Uniformen und polnischen Pelzmützen vor dem erstaunten Blick der Menge aus, und tief sind meinem Gedächtnisse die Dänen eingeprägt, die in zinnoberroten Röcken vor dem Danewerk lagen, während die preußischen Garden in Blau auf Schleswig und Schloß Gottorp losrückten. Dinge, die keines Menschen Auge gesehen, die Zeichner und Koloristen zu Neu-Ruppin haben Einblick in sie gehabt, und der ›Birkenhead‹, der in Flammen unterging, der ›Präsident‹, der zwischen Eisbergen zertrümmerte, das Auge der Ruppiner Kunst hat darüber gewacht . . . In jedem Augenblicke zu wissen, was oben aufschwimmt, was das eigentlichste Tagesinteresse bildet, das war unausgesetzt und durch viele Jahrzehnte hin Prinzip und Aufgabe der Ruppiner Offizin. Und diese Aufgabe ist glänzend gelöst worden . . .«

Durch diese Bilderbogen erlangte das märkische Provinzstädtchen Neuruppin, wo Fontane die ersten sieben Jahre seines Lebens verbrachte, internationalen Ruf. »Chamisso«, so berichtet er, »erzählt in seiner ›Reise um die Welt‹, daß er, nach selbst gemachter Erfahrung, Kotzebue für den verbreitetsten Schriftsteller halten müsse, denn er sei demselben, und zwar einem Bande seiner Komödien, 1818 auf der Insel Tahiti begegnet. Aber noch einmal, was will eine solche Verbreitung sagen neben der Verbreitung jener Dreipfennigbogen . . . Gebiete, die Barth und Overweg, die Richardson und Livingstone erst aufgeschlossen, – der Kühnsche Bilderbogen war ihnen vorausgeeilt und hatte längst vor ihnen dem Innersten von Afrika von einer Welt da draußen erzählt. Er flieht die Gegenden, drin der Kupferstich und das Ölbild vorwalten, aber wo die Glaskoralle und der Zahlpfennig ein staunendes Ah und die Begierde nach Besitz wecken, in den engeren und weiteren Bezirken des Königs von Dahomey – da ist er zu Haus. Den Marañon und den Orinoko aufwärts, wo die Kolibris wie Blüten und die Blüten wie Schmetterlinge sich schaukeln, dort, wo alles Glanz und Farbe ist, tritt er kühn und siegreich auf und stellt die Kolorierkunst seiner Schablone – die unbeeinflußt von den neuen Gesetzen der Farbenzusammenstellung ihre ehrwürdigen Traditionen wahrt – siegreich in die Zauber der Tropennatur hinein . . .«

Als der Knabe Fontane noch kaum lesen und schreiben konnte, regten diese Kühnschen Bilderbogen bereits seine Phantasie an und befriedigten seine Schaulust. Sie erzählten von märchenhaften Ländern, wo die Menschen eine schwarze Haut hatten und sich mit bunten Federn schmückten, von merkwürdigen Erfindungen und seltsamen Bräuchen. Sie schufen die Welt noch einmal, und dieser Schöpfungsprozeß ging mitten in dem Städtchen vonstatten, wo die von den Eltern erworbene Löwenapotheke lag und wo der Vater seine Mixturen anfertigte und seine Medikamente verkaufte. Kühns Offizin, wie sie sich, ihrer weltweiten Geltung bewußt, nannte, »ein kleines, nur drei Fenster breites Häuschen, dem ein neu aufgesetztes Stockwerk nur wenig zu gesteigertem Ansehen verhilft«, war von Geheimnis und Exotik umgeben, und es gab nichts Erregenderes für den Knaben, als auf seinen Gängen durch die Stadt einen Blick auf den Hof zu werfen, wo jene bebilderten Blätter entstanden, die so Eigenartiges zu berichten wußten. »Auf dem schmalen Hofe des Häuschens aber«, schrieb

Fontane später, »drängen sich die Hintergebäude und jeder Zollbreit Erde ist benutzt. Hier erinnert die Beschränktheit und zu gleicher Zeit die sorgliche Ausnutzung des Raumes an den Geschäftsbetrieb englischer Zeitungslokalitäten. Aber was sind die Londoner Blätter im Vergleich zu jenen kolorierten Blättern, die aus dieser kleinen Ruppiner Offizin hervorgehen? Was ist der Ruhm der Times gegen die zivilisatorische Aufgabe des Ruppiner Bilderbogens? . . .«

Neben Bilderbogen-Kühn hatte die Stadt noch eine ganze Reihe von Berühmtheiten und Originalen aufzuweisen, die von den Ruppinern nur geduldet wurden, weil sie aus ihrer Mitte hervorgegangen. Waren sie selbst nicht mehr gegenwärtig, so lebte doch ihr Andenken unter den Städtern fort, und von dem Ruhm, den sie in der Welt genossen, fiel auch etwas auf ihre Gemeinde. Da war vor allem die Erinnerung an Karl Friedrich Schinkel, am 13. März 1781 zu Neu-Ruppin geboren, und es mochte vorkommen, daß der Apotheker Louis Henri Fontane mit seinem Erstgeborenen, der selbst ein Neuruppiner Kind war, vor dem Hause »mit dem alten Birnbaum im Hof und einem dahinter gelegenen altmodischen Garten« stehenblieb und ihn darauf hinwies, daß der große Baumeister dort »seine Knabenzeit vom sechsten bis vierzehnten Jahre zugebracht«. Erstaunliche Dinge über die Tätigkeit des Geheimen Oberbaurates Schinkel drangen nach Neuruppin, wo man stolz auf den Erbauer des alten Museums im Berliner Lustgarten war, des Kreuzbergmonuments, des Kavalierhauses auf der Pfaueninsel und des Graf Redernschen Palais.

Dieses Neuruppin, Stadt und Umgebung, war selber ein

Kühnscher Bilderbogen, voll von Erinnerungen an den Kronprinzen Friedrich, der nach der Küstriner Tragödie dort sein Gleichgewicht wiederfand, bis er nach Rheinsberg übersiedelte, wo er sich nicht mehr ganz so streng an die Instruktion des gestrengen Vaters hielt, in der es heißt: »Wenn Er zu Hause speiset, so soll Seine Tafel nicht mehr als von 8 Schüsseln sein, jedesmal 4 und 4, des Abends aber soll weiter nichts als kalter Braten gegeben werden. Insonderheit befehlen S.K.M., daß an seiner, des Kronprinzen Tafel, nichts gesprochen werde, so wider Gott und dessen Allmacht, Weisheit und Gerechtigkeit, noch wider dessen heiliges Wort läuft; desgleichen keine groben Scherze noch schmutzige Zoten gesprochen werden müssen . . .«

Auf diesem historischen Ruppiner Bilderbogen erscheint eine ganze Schar von ausgeprägten Persönlichkeiten und markanten Gestalten aus der Gelehrtengeschichte, dem Soldatenstande und dem Bürgertum: Andreas Fromm, 1615 geboren, der, der dogmatischen Haarspaltereien innerhalb der evangelischen Kirche überdrüssig, zum Katholizismus übertrat; der General von Günther, von dem die *chronique scandaleuse* der damaligen Zeit behauptete, er wäre ein illegitimer Sohn des Kronprinzen Friedrich. Und nicht zuletzt der alte Zieten selber mit Wustrau an der Südspitze des Sees, seinem letzten Wohnsitz, »dazu das schlichte Grab, unter dem er draußen in unmittelbarer Nähe der Kirche schläft . . . Der Zieten aus dem Busch, der Mann der hundert Anekdoten, die samt und sonders im Volksmund leben . . .«, von dem Fontane schon als kleiner Junge hörte und dem er später eine seiner schönsten Balladen widmete.

Daneben Männer aus dem Bürgertum, tüchtige Kaufleute, wie Johann Christian Gentz, der »seinen Reichtum . . . auf etwas spezifisch Ruppinschem« aufbaute: dem Torf; vom »Eisen- und Kurzwarengeschäft zum Bank- und Wechselgeschäft« überging und endlich das Wustrauer Luch erstand und Gentzrode gründete. »Das forderte einen langen und mühevollen Weg«, schreibt Fontane in seinem Gedenkartikel über ihn. »Wie er diesen Weg machte, welche Mittel er ersann, um zu seinem Ziele zu gelangen, ist bezeichnend für den Mann. Um drei Uhr war er auf und begann damit, den Laden selber auszufegen. Dies verriet Kraft und Energie und vor allem jenen Mut, der dem Gerede der Leute Trotz bietet. Eine Art von Genie aber entwickelte er in seinem Verkehr mit dem Publikum. Von einer seiner Meßreisen hatte er eine acht Fuß hohe Spieluhr mitgebracht, die fünf Lieder spielte. Wollte nun eine wohlhabende Bauernfrau, die nach seiner Meinung noch nicht genug gekauft hatte, den Laden wieder verlassen, so zog er an der Uhr, die sofort ›Schöne Minka, du willst scheiden‹ zu spielen begann. Die Frau blieb nun, um weiter zu hören, und fiel als Opfer ihrer Neugier oder ihres musikalischen Sinnes . . .«

Sein ältester Sohn Wilhelm, der spätere Maler, war nur knapp drei Jahre jünger als Fontane und wuchs in ähnlichen Verhältnissen auf wie der Apothekerssohn. »Vater und Mutter, auf den Erwerb bedachte Naturen«, berichtet er in seinen Kindheitserinnerungen, »waren fortwährend in Laden und Küche beschäftigt, was zur Folge hatte, daß wir Kinder einigermaßen verwilderten. Wir streiften vor den Toren der Stadt umher, um Pflanzen, Käfer, Vogeleier und allerhand Naturgegenstände zu sammeln, so daß unser Zimmer bald einem Naturalienkabinett glich. Die Schränke waren gefüllt mit Herbarien, Insekten, Steinen und Muscheln. Auf Pappe aufgezogene Fische hingen an den Wänden, auf den Spinden standen selbsterlegte und ausgestopfte Vögel. Mein Vater hatte mir nämlich eine Flinte gekauft, so daß ich Sonnabendnachmittag auf die Jagd gehen konnte. Dadurch wurde der Sinn geweckt, die Natur zu beobachten. Aber das Lernen in der Schule ward vernachlässigt . . .«

Schinkel ging im Gentzschen Hause ein und aus, und nicht weit entfernt davon lag in der Stadtmitte das Gasthaus Michel Protzen, ein Mittelpunkt des geselligen Lebens, wo die Gutsbesitzer der Grafschaft und die Honoratioren verkehrten und wo durchaus nicht all und jeder mit freundlicher Aufnahme, guter Bewirtung und prompter Bedienung rechnen durfte. Nicht bei Michel Protzen, der seine eigene Auffassung von Gastwirtspflichten und von Bürgertugend hatte. Sein Wesen entsprach seinem Namen. »Rellstab, damals auf der Höhe seines Ruhmes«, erzählt Fontane, »kam nach Ruppin, um seine Schwester zu besuchen. Er erschien zu Fuß und bat in Michel Protzens Gasthaus um ein Zimmer. ›Mein Gasthof ist nicht für Leute mit Ränzel und Regenschirm.‹ Und bei anderer Gelegenheit vor Gericht zitiert und in Gegenwart des Klägers zu zwei Taler Strafe verurteilt, weil er sich an diesem, einem Klempnergesellen, mit einer Ohrfeige vergriffen hatte, applizierte er demselben sofort eine zweite und zahlte vier Taler.«

Das war Michel Protzen, »ebenso populär, wie er derb war«,

um den die Kinder, unter ihnen der Apothekerssohn Fontane, einen großen Bogen machten, wenn sie ihn vor seiner Haustür stehen sahen und hörten, wie er mit seiner Schlittenpeitsche knallte. »Piquet und Whist en deux zählten zu seinen Lieblingsbeschäftigungen, und wenn sein Gegner um den Einsatz verlegen war, ging es, je nach Laune und Zahlungsmöglichkeit, um Klafter Holz und Gänse.«

Der Vater, anstatt sich um das Geschäft zu kümmern, hieß es in der Löwenapotheke oft vorwurfsvoll, sitze wieder bei Michel Protzen und verspiele Geld und Gut. Der Apotheker mit dem südfranzösischen Temperament, der voller Anekdoten steckte, die er mit Chamfortscher Anmut zum besten geben konnte, und der Ruppiner Gastwirt, dessen »Wesen mit Schabernack und Till-Eulenspiegelei durchsetzt war«, fanden Gefallen aneinander. Beide waren Spielernaturen. Louis Henri verspielte, wie sein Sohn später berichtete, »während der sieben Jahre von 1819 bis 26 ein kleines Vermögen«, im ganzen die stattliche Summe von zehntausend Talern. Seine Ehe wurde dadurch nicht glücklicher. »Er war, um einen seiner Lieblingsausdrücke zu gebrauchen, beständig in der ›Bredouille‹.« Hatte er den Vorsatz gefaßt, dem Spieltisch fernzubleiben, so trieben ihn Vorwürfe seitens seiner Frau und seines eigenen Vaters, der zu seinen Hauptgläubigern gehörte, schon bald wieder dahin zurück. Aber eine rechte Freude war nicht mehr damit verbunden; das häusliche Leben litt darunter, das Geschäft auch. Neuruppin, mochte es dreist Schinkel hervorgebracht haben und den alten Zieten zu seinen Nachbarn zählen, war ihm verleidet. Er sah sich nach einem neuen Tätigkeitsfeld um und unternahm zu diesem Zweck eine längere Reise. Nach einem Dreivierteljahr traf in der Löwenapotheke zu Neuruppin ein Brief ein, ganz im Stil Fontane père: »Wir haben nun eine neue Heimat, die Provinz Pommern, Pommern, von dem man vielfach falsche Vorstellungen hat; denn es ist eigentlich eine Prachtprovinz und viel reicher als die Mark. Und wo die Leute reich sind, lebt es sich auch am besten. Swinemünde selbst ist zwar ungepflastert, aber Sand ist besser als schlechtes Pflaster ...«

Bald darauf kehrte er zurück. »Wir wurden«, schreibt Fontane, »verschlafen aus den Betten geholt und mußten uns freuen, daß es nach Swinemünde gehe. Mir klang das Wort bloß befremdlich.«

So gingen die Neuruppiner Tage für die Fontanes vorerst zu Ende. Aber mit den Orten, wo der Mensch seine ersten Kinderjahre verbringt, hat es eine eigene Bewandtnis; sein ganzes Wesen wird, wenn auch nicht im einzelnen nachweisbar, so doch spürbar von den dort vorherrschenden Farben und der spezifischen Atmosphäre durchdrungen, so tief, daß etwas davon bis an das Ende des Lebens nachwirkt. Der Blick des jungen Auges fällt auf Dinge und Menschen, die sich dem Gedächtnis unauslöschlich einprägen; das Ohr hört Worte und Lieder, die es nie vergißt. Noch in hohen Jahren vermögen sich die meisten Menschen in ihre früheste Kindheit zurückzuversetzen; alles steht so deutlich vor ihnen, wie die erwachenden Sinne es dereinst aufgenommen haben: Birke, Birnbaum, Buchsbaumrondell, der scheltende oder freundliche Nachbar, Eltern und Geschwister, wie sie damals waren, Kirche und Marktplatz, See und Wald. In Fontanes Falle der Ruppiner See und Ruppin mit seiner Garnison, den Regimentern Prinz Ferdinand Nr. 34 und Mecklenburg-Schwerin Nr. 24, die nähere und weitere Umgebung, Rheinsberg, die Ruppiner Schweiz mit dem Menzer Forst und dem großen Stechlin – von dem der Knabe gehört haben oder den er vielleicht sogar gesehen haben mochte und der noch dem Greis als ein Symbol für die geheimnisvollen Zusammenhänge alles Irdischen diente.

# FINIS POLONIAE

Im Entwurf zum dritten Teil seiner Lebenserinnerungen schreibt Fontane: »... meine Schicksale lagen sonderbarerweise immer in den großen Staatsvorkommnissen in Krieg und Frieden ...«

Von frühester Kindheit an war es so. Im Jahre seiner Geburt wurde Kotzebue ermordet; durch die Karlsbader Beschlüsse wurden der deutschen Literatur von Staats wegen Handschellen angelegt, ein Literator stand von vornherein im Verdacht, ein Verbrecher zu sein; Schopenhauers »Welt als Wille und Vorstellung«, Goethes »Westöstlicher Divan« waren erschienen. Zwei Jahre später starb Napoleon, und in Preußen trällerte man allerorts den Brautjungfernchor aus dem »Freischütz«. Die Griechen fochten ihren Freiheitskampf aus, der bald ganz Europa erfassen und die Heilige Allianz erschüttern sollte. Wilhelm Müller schrieb seine »Lieder der Griechen«:

> Empor, empor, ihr Schläfer, aus tiefer Todesnacht!
> Der Auferstehungsmorgen ist rosenrot erwacht!

Die Schlacht von Navarino wurde geschlagen, Griechenland ein selbständiger Staat. Das spanische Kolonialreich in Südamerika brach zusammen, und Simon Bolivar konnte mit knappen Worten verkünden: »Die Welt des Kolumbus hat aufgehört, spanisch zu sein.«

Das alles spielte sich im ersten Lebensjahrzehnt Fontanes ab. Durch den Vater drang es anekdotisch einprägsam verkürzt an das Ohr des Knaben, durch Schaubuden und Kühnsche Bilderbogen trat es ihm in primitiver Anschaulichkeit entgegen. Es färbte auf die Spiele der Kinder ab, die es von den Erwachsenen aufschnappten und die Weltgeschichte in den Sandgruben ihrer Phantasie wiederholten. Byron und Bolivar waren ihre Helden, und die Schläge, die sie austeilten, galten den Unterdrückern der Freiheit.

In der Adlerapotheke zu Swinemünde wurden sämtliche Vorfälle gesellschaftlicher und politischer Art bald nach ihrem Bekanntwerden besprochen und mitunter heftig diskutiert, und der Knabe Fontane hörte aufmerksam mit an, was sein Vater und seine jeweiligen Gesprächspartner dazu zu bemerken hatten. Nicht immer waren sie einer Meinung, die Honoratioren des Ostseestädtchens, das unter Friedrich dem Großen angelegt worden war, wo man Schiffahrt, Handel und Fischerei betrieb, bürgerliche Geselligkeit pflegte, starke Getränke bevorzugte und sich mit einer gewissen norddeutschen Behäbigkeit und Schwerfälligkeit allerlei weltliche Genüsse, ins Pommersche abgewandelt, zu Leibe und zu Gemüte führte. Viele erblickten in den Zeitereignissen nichts als Aufruhr und Gefährdung von Thron und Vaterland, und was die einen als Fortschritt priesen, stellte sich den anderen als Bedrohung der sittlichen Weltordnung dar, je nach Temperament und Veranlagung, nach Einkommen und Rang.

Und stets im Mittelpunkt des lokalen Lebens der Vater, Louis Henri Fontane, der neue Apotheker, noch nicht recht dazugehörig, von den Alteingesessenen zuerst mit Mißtrauen betrachtet, ein halber Franzose dieser Mann, immer von Napoleon und seinen Generälen redend, stets mit Beispielen aus Geschichte und Politik zur Hand, aber ein amüsanter Herr, der seine Zeit lieber im Spielkasino verbrachte als hinter dem Rezeptiertisch, bald überall bekannt, von den meisten geschätzt und geachtet, von seinem Sohne geliebt. Ihn zu fürchten als strengen Autokraten, wie andere Kinder ihre Väter fürchteten, kam dem Knaben nicht in den Sinn. Louis Henri war vielleicht kein mustergültiger Familienvater und Gatte, selbst seine Erziehungsmethoden mochten anfechtbar sein, aber der Sohn konnte ohne Angst zu ihm aufschauen. Immer zu einer Auskunft bereit, erzählte er dem Knaben Geschehnisse aus der Geschichte der Provinz Pommern, ihres neuen Wohnsitzes, von den Kassuben und aus der Schwedenzeit, oder führte ihn ans Haff, wo sich gegen Süden die Türme von Stettin erhoben und die Oder sich weiter im Norden ihren Weg zwischen Usedom und Wollin ins Meer bahnte.

So vergingen die Jahre, nie langweilig, weil sich in der Stadt immer etwas zutrug, Grausiges und Erheiterndes, die öffentliche Hinrichtung eines Raubmörderehepaares, das die bewaffnete Bürgerwehr, an ihrer Spitze der Vater, zur Richtstätte geleitete, wo der Henker darauf wartete, die Verurteilten aufs Rad zu flechten

– eine Strophe aus einer düsteren nordischen Ballade, untermalt von gelegentlich auftretenden Fluten mit heulenden Stürmen und bedrohlich ansteigenden Wassern – für immer verhaftet in der Seele des Knaben. Und dann der Hafen selber mit seinen Seglern und Dampfern, die an der Mole anlegten, einen Anhauch von Fremde, Weite und Abenteuerlichkeit mitbringend. Immer etwas Neues, fremde Trachten, Leute aus Dänemark und Schweden, betrunkene Matrosen, Warenballen, die in den Gewölben der Reedereien verschwanden, Kaufherrn in schwarzen, hohen Hüten, die mit verwegen aussehenden Kapitänen durch die Straßen spazierten, unumschränkte Gebieter in ihrem Bereich – für einen Jungen, der die Fähigkeit zur Zusammenschau der Dinge in sich trug, eine Lust und ein Vergnügen. Besonders an der Seite des Vaters, der gern belehrte, aber nie auf pedantisch trockene Art, sondern mit einem leisen Lachen über all das Törichte, das auf der Welt geschah, und dennoch mit wahrer Ehrfurcht vor allem Großen.

Da kamen sie, die täglichen Dampfer aus Stettin, diese Wunder einer neuen Zeit, und glitten aus eigener Kraft über das Wasser, unabhängig von Wetter und Wind, und es mochte geschehen, daß der Vater auf einen dieser Dampfer deutete und auch hier Anlaß fand, über Napoleon zu sprechen und darauf hinzuweisen, wie anders es in Europa wahrscheinlich aussähe, wenn es der Kaiser nicht versäumt hätte, sich die Erfindung Fultons zunutze zu machen. Und vielleicht zitierte er, was Napoleon damals an den Minister Champigny geschrieben hatte: »Sie haben mich viel zu spät darauf aufmerksam gemacht, *daß dieses Projekt imstande ist, das Aussehen der Welt zu verändern . . .«* Aber sie veränderte sich auch so von Tag zu Tag. Nur war es nicht mehr Napoleon, der sie veränderte, sondern die Völker selber griffen zu den Waffen, die Mittelklassen regten sich, und überall kam es zu Aufständen gegen das veraltete Prinzip der Legitimität.

Die erste Erschütterung erfuhr dieses Prinzip durch die französische Julirevolution von 1830. Schon zwei Jahre zuvor hatte der preußische Gesandte in Paris an seine Regierung berichtet: »Jetzt die ultramontane Partei zur Macht berufen, das heißt Frankreich einen unverzeihlichen und ungeheuren Schritt zur Revolution hin machen lassen . . . die Regierung des Königs, die Bourbonen und Frankreich selbst in den Abgrund reißen.«

Dieser »unverzeihliche Schritt« erfolgte jedoch. Das Ministerium Polignac beschränkte das Wahlrecht auf die reichsten Großgrundbesitzer und führte die Pressezensur ein. Das gab Anlaß zur Erhebung des Bürgertums und zu den dreitägigen Straßenkämpfen von Paris, durch die die Mittelklassen von ganz Europa in Bewegung gerieten. Die Welle der Erregung, die von Paris ausging, flutete auch bis Swinemünde, wo ein Knabe namens Theodor Fontane über die Schulter seines Vaters hinweg auf das frische Zeitungsblatt starrte, Namen wie Polignac, Karl X., Herzog Louis Philippe las und mit seinem inneren Auge die königlichen Truppen vor den bewaffneten Pariser Bürgern zurückweichen sah. Was dem Elfjährigen an politischer Einsicht fehlte, ersetzte er durch eine lebhafte Phantasie, und als kurz darauf die Kunde von einer neuen Erhebung in den Niederlanden eintraf, ergriff sie ihn mit balladesker Wucht. Niemand in der pommerschen

Hafenstadt wartete begieriger auf neue Nachrichten aus Belgien als der Sohn des Adlerapothekers. Denn dort in Brüssel hatte die Kunst sichtbar in das Leben einer Nation eingegriffen. Der Chor einer Oper hatte sein Echo im Volke gefunden, die Massenszenen der »Stummen von Portici« hatten Massenaktionen zur Folge gehabt. Das Duett aus dem zweiten Aufzug von Aubers Oper wurde bald überall gesungen:

»Viel lieber Tod, als ein schimpfliches Leben
In Schmach, in Schmach und Sklaverei verbracht!
Weg mit dem Joch, vor dem wir beben,
Weg mit dem Fremdling, der unsres Jammers lacht . . .«

Als Holland das abgefallene Belgien durch den Einsatz von Truppen zurückgewinnen wollte, drohte die französische Regierung den Holländern mit Krieg. Und Metternich, der »Kutscher Europas«, klagte: »Die Räuber weisen die Polizei zurück, die Brandstifter verwehren sich gegen die Feuerwehr.« Es waren ereignisreiche Monate. Was draußen in der Welt geschah, war viel interessanter, als was in der Stadtschule von Swinemünde gelehrt wurde. Es ergriff den Knaben Fontane stärker als alles, was er bisher in Büchern gelesen hatte. Er ging völlig in den gegenwärtigen weltgeschichtlichen Begebenheiten auf.

Auch die Schweizer erhoben sich, beseitigten ihre aristokratischen Regierungen und konstituierten sich auf demokratischer Grundlage. Aus Wut darüber nannte Metternich das Land »eine befestigte Kloake« und riet, »einen moralischen Gesundheitskordon« darum zu ziehen. Und dann griff die revolutionäre Bewegung auch auf Osteuropa über und rückte noch näher an Swinemünde heran. In Warschau stürmte Zaliwski mit seinen Leuten das Zeughaus. Auf den russischen Statthalter, den Großfürsten Konstantin, wurde ein Anschlag verübt, dem er nur mit Mühe entging. Er mußte mit seinen Truppen aus dem Lande weichen. Die Aufständischen wandten sich mit einem Manifest an die Weltöffentlichkeit und legten die Rechtsbrüche dar, die Rußland sich Polen gegenüber hatte zuschulden kommen lassen. Das Dokument fand in der ganzen Welt lebhafte Zustimmung. Und die Sympathie der Völker war von Anfang an auf seiten der Insurgenten.

Nach Adam Czartoryski, der zur Kapitulation riet und damit den Stolz seiner Landsleute tief verletzte, übernahm Fürst Radziwill die Regierungsgewalt. Inzwischen hatten die Russen unter General Diebitsch ein Heer von hundertzwanzigtausend Mann zusammengezogen und rückten mit überlegenen Kräften über die Grenze. Die Tragödie nahm ihren Verlauf, von wenigen tiefer erlitten als von dem zwölfjährigen Fontane, der nachts kaum schlafen konnte und im Traum die Rufe der polnischen Freiheitskämpfer hörte, die anfangs standhielten, bis ihre Reihen unter den Einschlägen russischer Granaten zu wanken begannen.

Auf die unentschiedenen Kämpfe bei Praga, Wawr und Dembi-Wielki folgte die Niederlage von Ostrolenka und nicht viel später, in ganz Europa mit Ingrimm und Trauer zur Kenntnis genommen, der Fall von Warschau. Die alten Mächte hatten gesiegt. Der polnische Aufstand war gescheitert, nicht zuletzt an der Uneinigkeit im polnischen Volke selber. Aber eines hatte der Zusammenbruch nicht vermocht: den Freiheitsgedanken auszulöschen. In unzähligen Liedern und Gesängen, vom Schicksal Polens inspiriert, lebte er auf. Die Dichter nahmen sich der verlorenen Sache der polnischen Freiheit an: im deutschen Sprachraum Lenau, Holtei, Julius Mosen und Platen, der eines seiner Polengedichte an den Kronprinzen Friedrich Wilhelm von Preußen sandte mit der Bitte, sich für die Sache der Polen einzusetzen, und ihm zurief:

».. . Der Mächt'ge darf sich kühn erlauben
Jedwede Tat:
Er wetze hunderttausend Klingen
Und lasse sein Tedeum singen
Vom Volke, das er niedertrat.

*

Nur rühm' er nicht sich und erdichte
Ein göttlich Recht! Es ruft Geschichte
Ihr lautes Nein!
Wie manche, deren Gräber sprechen,
Erlangten Kronen durch Verbrechen!
Kann ein Verbrechen göttlich sein?«

Im Volke fanden diese Polenlieder lauten Widerhall, und der junge Fontane kannte sie alle auswendig. Und als Lafayette die französische Kriegserklärung an Rußland forderte, etwas Demagogisches und Illusionäres zugleich, als die Hoffnung noch einmal stieg, trug Fontane die leidenschaftlichsten dieser Gedichte im Kreise seiner Spielgenossen begeistert vor, der jüngste Polenschwärmer Preußens, und setzte seine verschiedenen Hauslehrer, die Herren Dr. Lau, Knoop und Dr. Philippi, durch seine intime Kenntnis der jüngsten Ereignisse jenseits der Weichsel in Erstaunen. Lenau war seitdem einer seiner Lieblingsdichter, und das gedämpfte Pathos seiner Freiheitsgesänge hallte noch lange und tief im Herzen des Knaben wider.

Ostern 1832 mußte der Zwölfjährige auf Beschluß der Eltern zurück nach Neuruppin und wurde in das dortige Gymnasium aufgenommen, wo er sich, außer in Geschichte, durch nichts auszeichnete. Swinemünde, wo Männer wie Willibald Alexis und Christian Friedrich Scherenberg lebten, lag jenseits des Haffs seiner Sehnsucht. Aber die bewegte Gegenwart half ihm auch hier in Neuruppin über die Trennung hinweg. Als im Mai das Hambacher Fest stattfand, als man auf der Kundgebung demokratische Grundrechte verlangte, für Polenbefreiung und Frauenemanzipation eintrat, unterschrieb auch der Schüler des Neuruppiner Gymnasiums diese Forderungen. Er fühlte sich aber in seiner Geistesfreiheit getroffen, als Metternich daraufhin die Karlsbader Beschlüsse zur Knebelung der Literatur erneuerte. Der Tod Goethes, dessen Bedeutung er erst später erkannte und würdigte, ergriff ihn nicht. Noch lagen Welten zwischen ihm und dem Alten von Weimar.

Und dann taten sich ihm anderthalb Jahre später die Tore jener Stadt auf, die von ihm erst in allen ihren Eigenschaften entdeckt und dargestellt wurde und durch die er vom Balladendichter und Reiseschriftsteller zum skeptischen Realisten und zum Schilderer der modernen bürgerlichen Welt werden sollte – die Tore Berlins. Im Herbst 1833 trat er in die Klödensche Gewerbeschule ein – für drei Reichstaler Einschreibegeld. Die dreieinhalb Jahre in den Klassenzimmern dieser Anstalt, einer Art Realschule, wo sein historisches Interesse kaum Nahrung fand, bedeuteten wenig für seine Entwicklung. Sie vollzog sich außerhalb der Schule, auf den Straßen und Plätzen der Hauptstadt, wo man sich über den stammelnden Friedrich Wilhelm III. lustig machte, in ihren Kaffeehäusern und ihrer näheren Umgebung. Fontane wohnte bei einem Onkel, der seinen Vater, was Leichtsinn anging, noch übertraf, in einem Hause, »wo alles auf Schein, Putz und Bummelei« gegründet war. Und so machte auch er sich diesen bequemen Lebensstil zu eigen, schwänzte und vernachlässigte die Schule und informierte sich an Orten, wo Schüler sonst nichts zu suchen hatten, über die zeitgenössische Literatur, die ihn immer stärker in ihren Bann zog.

Sein erstes Gedicht entstand: Die Schlacht bei Hochkirch. Der ersten Lyrik folgte die erste Liebe, flüchtig, vorübergehend, ein Ferienidyll mit der dreizehnjährigen Tochter des Swinemünder Kommerzienrates Krause. Und bald darauf die erste Begegnung mit Emilie Rouanet, seiner späteren Frau, damals ein Kind von zehn Jahren, wie er von französischen Emigranten abstammend.

Als der leichtfertige Onkel August jedoch so weit ging, Mündelgelder zu veruntreuen, nahm seine Laufbahn ein jähes Ende. Auch Fontanes Schulzeit fand damit ihren Abschluß. Jetzt stand er vor der Entscheidung, einen Beruf zu ergreifen. Gelernt hatte er im schulmäßigen Sinne nicht viel, und die Wahl, die ihm verblieb, war nicht groß. Das Nächstliegende war, in die Fußtapfen des Vaters zu treten. Pillen und Mixturen waren zwar nichts Welterschütterndes, aber immer gefragt. Louis Henri erklärte sich einverstanden. Fontane trat mit der Berechtigung zum einjährig-freiwilligen Heeresdienst aus der Klödenschen Gewerbeschule aus, um Apotheker zu werden.

## STEHELY UND ANDRE CAFÉS

Daß auch in Berlin endlich ein paar Literatencafés entstanden, Lesekonditoreien, Treffpunkte für junge Lyriker, Schauspieler, Journalisten, unzufriedene Bürger und informationshungrige Intellektuelle aller Schattierungen, ist in erster Linie drei Schweizern zu verdanken: Stehely, Josty, Spargnapani.

»Diese freien Schweizer«, heißt es in einem Bericht, »verließen seit Jahrhunderten ihre Berge, ihre Seen, ihre Täler, um der Despotie als Leibwache zu dienen und dem Norddeutschen Baisers zu verkaufen und Kaffee zu schenken. Die Suprematie der Schweizer erstreckt sich über das ganze Konditoreiwesen Norddeutschlands. Die Schweizerconditoreiwaare ist eben so bekannt geworden als früher einmal die Treue der Schweizer, und in der Tat, wer die Alpenwelt durchwandert hat, der wird nicht leugnen können, daß die Schweiz vortreffliches Eis und ausgezeichnetes Gefrorenes liefert. Die schweizer Conditoren in Norddeutschland werden alle reich, und es sind nicht bloß günstige Vorurteile, die für sie sprechen. Die Sauberkeit ihrer Warenbehandlung, ihre

Kunst, sich den Verhältnissen und Zuständen des fremden Landes anzubequemen, muß sie empfehlen; ihre anspruchslose Artigkeit gewinnt für sie und ihre solide Gefälligkeit muß dem Berlinertum vorgezogen werden . . .«

In ihren Lokalitäten erfuhr die Milch märkischer Kühe gleichsam eine Veredelung, und etwas vom schwyzerischen Freiheitswillen strömte mit den Getränken, die man ausschenkte, in die Herzen der Berliner. Was in Paris und Wien schon längst zu den ständigen Einrichtungen des öffentlichen Lebens gehörte, wurde damit auch den Berlinern geboten. Die Zeitungscafés erfreuten sich allseitiger Beliebtheit. In ihren Räumen versammelte sich alles, was zur Opposition in Preußen zählte, was auf Nachrichten aus dem Ausland begierig war und an den herrschenden Zuständen Kritik übte. Aber mit diesen kritischen Äußerungen, ob sie sich auf Maßnahmen der Regierung oder Verordnungen der Berliner Polizei bezogen, mußte man vorsichtig sein. Ein einziges unbedachtes Wort konnte Verhaftung und Gefängnis zur Folge haben. »Ein Gespräch unter Freunden verbot sich, weil es von einer ganzen Anzahl unbeteiligter Personen mit angehört worden wäre.« Was nichts anderes heißt, als daß es von Spitzeln wimmelte. Gutzkow schreibt von ». . . jener Stehelyschen Konditorei, dem Revolutionsherd der vormärzlichen Zeit, wo Baisers, Pasteten, Spritzkuchen und Journale den Geist der Neuerung befördern halfen«.

». . . dies in der Literatur so berühmt gewordene Kaffeehaus«, so schildert es Carl Georg von Maaßen, »befand sich auf dem Gensdarmenmarkt, schräg hinter dem Schauspielhause, und wurde nach den Proben von den Schauspielern gestürmt, die ungeheure Kuchenmassen mit ungeahnter Schnelligkeit zu verschlingen verstanden. ›Wenn Sie ein einziges Mal noch im Rauchzimmer bei Steheli gesessen hätten‹, schreibt noch Ernst v. Wildenbruch, ›in dem dunklen nach dem Hofe gelegenen Raum, der so gemütlich war, wie es eigentlich nur ganz luft- und lichtlose Räume sein können! Denn seitdem die Hygiene in die Welt eingebrochen, ist es ja unstreitig viel heller, luftiger und gesünder in der Welt, aber nicht annähernd mehr so gemütlich wie früher, nicht annähernd! Und dieses ganz unhygienische Rauchzimmer bei Steheli! Ein großer elliptischer, grünbesponnener Tisch in der Mitte, so daß es beinah aussah wie das Sitzungszimmer von Ministerialräten. Um den Tisch herum zeitunglesende Männer wie Senatoren anzusehen, wie Geheimräte! Es machte einen feierlichen Eindruck. Eine einzige große Gaslampe, von einem ungeheuren Schirm überdacht, beleuchtete nur die Tischfläche und ihren nächsten Umkreis. Das einzig hörbare Geräusch machte der Kellner, der aus einer riesigen Porzellankanne hoch von oben herab eine schwarze duftende Kaffeesäule in die Tassen fallen ließ, während er aus der linken Hand den weißen Milchquell nachschießen ließ‹.«

Fontane war ein häufiger Gast dort, wo man sicher sein konnte, irgendeinen Bekannten zu treffen, eine pikante Anekdote zu hören oder einen ins Ohr geflüsterten Kommentar zu einem vertuschten Skandal. Dort zeichnete Theodor Hosemann seine gesellschaftskritischen Blätter, dort saßen die Mitarbeiter des »Kladderadatsch« und sammelten aktuellen Stoff für die nächste Ausgabe ihrer Zeitschrift. Dort wußte man über schikanöse Verordnungen der Polizei noch vor ihrem Inkrafttreten Bescheid. Dort regte sich der Parteigeist, das literarische Cliquenwesen entwickelte sich, verbotene Bücher wurden diskutiert, die neuesten Witze kolportiert, das Privatleben der Schauspielerinnen unter die Lupe genommen. Idee und Wirklichkeit, Illusion und Realität prallten dort zusammen, und wenn auch das meiste, was geredet und gefordert wurde, ohne sichtbare Konsequenzen blieb, so erfuhr das gesamte gesellschaftliche Leben doch starke, mit Ironie und Satire geladene Impulse von dort.

Fontane war sechzehn, als dieses Hauptquartier der Berliner Intelligenz ihn anzuziehen begann und ihn in seinen Bann schlug mit seinem guten Kaffee und seinen Journalen. Er dehnte jedoch seine Entdeckungsfahrten schon bald sehr viel weiter aus als die seßhaften Stammgäste des Cafés Stehely. ». . . An der Ecke der Schönhauser- und Weinmeisterstraße«, erzählt er aus dieser Zeit, »will also sagen an einer Stelle, wohin Direktor Klöden und die gesamte Lehrerschaft nie kommen konnten, lag die Konditorei meines Freundes Anthieny, der der Stehely jener von der Kultur noch unberührten Ost-Nordost-Gegenden war. Da trank ich dann, nachdem ich vorher einen Wall klassisch-zeitgenössischer Literatur: den ›Beobachter an der Spree‹, den ›Freimütigen‹, den ›Gesellschafter‹ und vor allem mein Leib- und Magenblatt, den ›Berliner Figaro‹, um mich her aufgetürmt hatte, meinen Kaffee. Selige Stunden. Ich vertiefte mich in die Theaterkritiken von Ludwig Rellstab, las Novellen und Aufsätze von Gubitz und vor allem die Gedichte jener sechs oder sieben jungen Herren, die damals – vielleicht ohne viel persönliche Fühlung untereinander – eine Berliner Dichterschule bildeten . . .«

Berlin selber nahm den zukünftigen Schilderer und Kenner seiner Gesellschaftsstruktur und seiner Menschen in die Lehre, und wo andere sich zu jener Zeit kaum hingetrauten, Grunewald und Jungfernheide, die Rehberge, Schlachtensee oder Tegel, dort war der junge Fontane häufig anzutreffen, so daß er später behaupten konnte, seine »Wanderungen durch die Mark Brandenburg« – »lange vor ihrem legitimen Beginn *schon damals* begonnen zu haben«.

Neben Stehely war es bei Spargnapani, Unter den Linden Nr. 50, wo der Berliner sein stets waches Neuigkeitsbedürfnis am gründlichsten befriedigen konnte, in der »Konditorei des Alt-Preußentums«, von der es heißt: »Hier ist das lebendigste, intelligenteste Treiben, der mannigfachste Verkehr und doch der stillste, weil das Journalstudium der Hauptzweck ist. Die Vormittagsstunden von 10 bis 12, die Zeit nach der Mittagstafel, die mittleren Abendstunden: Dies ist die Zeit, wo der Besuch dort am zahlreichsten ist . . .«

Noch in England dachte Fontane sehnsüchtig an dieses Zentrum des Berliner Lebens zurück und schrieb: »›Der große Segen alles Reisens ist der, daß man sein Vaterland wieder lernt‹, sagte mal ein Franzos in der guten alten Zeit, und ich glaube – er wußte, was er sprach. Über wie vieles wetterte ich nicht, als ich noch über das schmale Trottoir unserer Straßen trat (z. B. über eben die Schmalheit dieses Trottoirs) und was hab' ich seitdem nicht alles lieben gelernt: Hofjäger und Frühkonzerte, Zeltenbier und Vossische Zeitung, Murmelspiel und Drachensteigen, aber eines mehr als alles, Dich warme Zufluchtsstätte erfrorener Chambregarnisten, Dich freundlichen Mann, wenn alles scheel sieht, Dich barmherzigen Samariter, der, wenn wir ›weiß‹ befehlen, die warme Milch des Lebens in unsre Tassen gießt – Dich *Spargnapani*! Ach, ein süßer Heimwehschauer überläuft mich, so oft ich Deinen Namen spreche, und wenn Dir nicht die Ohren geklungen, so klingen sie keinem mehr. Verschwenderischer fast als König Richard bot ich manchmal in verzweifelten Momenten ›ganz London für Deine kleinste Tasse Kaffee‹!«

Räumlich nicht weit davon entfernt und doch durch eine Welt davon geschieden, lag Kranzler an der Kreuzung der beiden Schlagadern des damaligen Berliner Lebens, Ecke Linden–Friedrichstraße. »Bei Kranzler unter den Linden«, schreibt ein Zeitgenosse, »treten die Offiziere und jungen Fashionabels ein ... die Unterhaltung betrifft nichts anders als Pferde, Hunde und Tänzerinnen. Oft auch sieht man die jungen Herren sich zwecklos auf den kleinen Sesseln vor der Tür niederlassen, die Beine auf das Gitter des eisernen Geländers strecken und die Vorübergehenden mit vornehmer Ungezogenheit lorgnettieren. Ein Leutnant kann sich immer an einem öffentlichen Platz niederlassen, ohne auf den Zweck des Besitzers Rücksicht zu nehmen ... Kranzler sei die Konditorei, wo die Gardeleutnants, nachdem sie ›rechts‹ und ›links‹ kommandiert haben, zur Belohnung für ihre Tapferkeit Eis und Baisers essen dürfen. Das klassische Nichts habe in dieser Konditorei seinen glänzendsten Ausdruck gefunden ... Behorcht man die Gespräche dieser Herren, so wird man sehr bald finden, daß Pferde, Hunde, Ballettnymphen und sonstige Eroberungen, welche einem Gardeleutnant natürlich wie Spreu entgegenkommen, den Hauptinhalt derselben bilden und daß in ihnen von einer ernsten, bestimmten Auffassung des Lebens keine Rede ist, sondern daß sich in ihnen der leichte, anmaßende, ohne Bewußtsein und Begründung aristokratische Ton einer privilegierten Existenz spiegelt . . .«

An diesem strategischen Punkt der Hauptstadt hatte der Leutnant Stellung bezogen und räumte sie erst unter der Weimarer Republik; die Kranzlerecke war für ihn und seinesgleichen reserviert, und wer nicht gerade einen unheilbaren Kult mit dieser fragwürdigen Stütze des preußischen Staates trieb, mied sie lieber und wählte andere Lokale, wo der Ton geistvoller war und das Dasein nicht ausschließlich aus der Hunde- und Pferdeperspektive betrachtet wurde. Komtessen aus der Provinz, für die jeder Gardeleutnant die Verkörperung sämtlicher männlicher Tugenden darstellte, die an der Höhe seiner Schulden gemessen wurden, mochten bei Kranzler verkehren; der Berliner selber aber, sofern er dem Bürgerstande angehörte und etwas auf sich hielt, trank seine Schokolade lieber bei Fuchs, im Josty oder später im Café Bauer.

Eine der hübschesten Kranzler-Geschichten hat Fontane mit Theodor Storm erlebt: ». . . An einem mir lebhaft in Erinnerung gebliebenen Tage machten wir einen Spaziergang in den Tiergarten, natürlich immer im Gespräch über Rückert und Uhland, über Lenau und Mörike und ›wie feine Lyriker eigentlich sein müssen‹. Denn das war sein Lieblingsthema geblieben. Es mochte zwölf Uhr sein, als wir durchs Brandenburger Tor zurückkamen und beide das Verlangen nach einem Frühstück verspürten. Ich schlug ihm meine Wohnung vor, die nicht allzuweit ablag; er entschied sich aber für Kranzler. Ich bekenne, daß ich ein wenig erschrak. Storm war wie geschaffen für einen Tiergartenspaziergang an dichtbelaubten Stellen, aber für Kranzler war er nicht beschaffen. Ich seh' ihn noch deutlich vor mir. Er trug leinene Beinkleider und leinene Weste von jenem sonderbaren Stoff, der wie gelbe Seide glänzt und sehr leicht furchtbare Falten schlägt, darüber ein grünes Röckchen, Reisehut und einen Schal. Nun, ich weiß sehr wohl, daß gerade ich vielleicht derjenige deutsche Schriftsteller bin, der in Sachen gestrickter Wolle zur höchsten Toleranz verpflichtet ist, denn ich trage selber dergleichen. Aber zu soviel Bescheidenheit ich auch verpflichtet sein mag, zwischen Schal und Schal ist doch immer noch ein Unterschied. Wer ein Mitleidender ist, weiß, daß im Leben eines solchen Produkts aus der Textilindustrie zwei Stadien zu beobachten sind: ein Jugendstadium, wo das Gewebe mehr in die Breite geht und noch Elastizität, ich möchte sagen, Leben hat, und ein Altersstadium, wo der Schal nur noch eine endlose Länge darstellt, ohne jede zurückschnellende Federkraft. So war der Stormsche. Storm trug ihn rund um den Hals herum, trotzdem hing er noch in zwei Strippen vorn herunter, in einer kurzen und einer ganz langen. An jeder befand sich eine Puschel, die hin und her pendelte. So marschierten wir die Linden herunter, bis an die berühmte Ecke. Vorne saßen gerade Gardekürassiere, die uns anlächelten, weil wir ihnen ein nicht gewöhnliches Straßenbild gewährten. Ich sah es und kam unter dem Eindruck davon noch einmal auf meinen Vorschlag zurück. ›Könnten wir nicht lieber zu Schilling gehen; da sind wir allein, ganz stille Zimmer.‹ Aber mit der Ruhe des guten Gewissens bestand er auf Kranzler. *En avant* denn, wobei ich immer noch hoffte, durch gute Direktiven einiges ausrichten zu können. Aber Storm machte jede kleinste Hoffnung zuschanden. Er trat zu der brunhildenhaften Kontordame, die selber bei der Garde gedient haben konnte, sofort in ein lyrisches Verhältnis und erkundigte sich nach den Einzelheiten des Büfetts, alle reichlich gestellten Fragen bis ins Detail erschöpfend. Die Dame bewahrte gute Haltung. Aber Storm auch. Er pflanzte sich, dem Verkaufstisch gegenüber, an einem der Vorderfenster auf, in das zwei Stühle tief eingerückt waren. ›Hier wird er Platz nehmen‹, an diesem Anker hielt ich mich. Aber nein, er wies auch hier wieder das sich ihm darbietende Refugium ab, und den schmalen Weg, der zwischen Fenster und Büfett lief, absperrend, nahm er unser Gespräch über Mörike wieder auf, und je lebhafter es wurde, je mächtiger pendelte der Schal mit den zwei Puscheln hin und her. Ich war froh, als wir nach einer halben Stunde wieder heil heraus waren . . .«

Fontane hat all die Wandlungen, die die Berliner Kaffeehäuser im Verlauf des Jahrhunderts durchmachten, miterlebt, er war nicht nur der Wanderer durch die Mark, sondern auch ein Wanderer durch die Berliner Cafés, angefangen beim vormärzlichen Café Stehely am Gendarmenmarkt bis zum Josty der neunziger Jahre am Potsdamer Platz, wo auch Menzel seinen Stammplatz hatte, der das vorüberflutende Leben, Dienstmänner, Pferdedroschken, Blumenfrauen, mit genialem Stift festhielt.

## AQUA FONTANA

Das hübscheste Erlebnis, das Fontane in seiner Apothekerlaufbahn hatte, war beim Vater in Letschin, wo sich Louis Henri, immer auf der Suche nach der Glücksapotheke, 1838 niedergelassen hatte. Fünf Jahre später trat der Sohn dort als Defektar ein. Eines Tages hörte der Vater, daß man in einem Nachbarorte bei Bauarbeiten einen artesischen Brunnen entdeckt habe. Er begab sich nach Gusow, um die Quelle in Augenschein zu nehmen, und verfiel dabei auf die Idee, daß man dieses Wasser bei etwas Geschick und wirksamer Reklame zu Geld machen und Kapital daraus schlagen könne. Einmal im Leben zeigte auch er sich geschäftstüchtig und trat an den Schloßherrn mit der Bitte heran, ihm die Ausbeutung des Brunnens zu medizinischen Zwecken zu überlassen. Er erhielt die Erlaubnis, und so fuhr man mit dem Fuhrwerk allwöchentlich einmal nach Gusow und holte eine Tonne Brunnenwasser.

In der Letschiner Apotheke wurde dieses Wasser dann, leicht parfümiert, in Flaschen abgefüllt, mit einem Etikett versehen, das die Aufschrift *Aqua Fontana* trug, und so in den Handel gebracht.

Die Frauen und Mädchen aus der Umgebung fanden dieses neue Produkt ihres »Afthekers«, das ein unfehlbares Schönheitsmittel sein sollte, höchst begehrenswert, und wenn es auch nicht aus Paris stammte, so schien es doch seine Wirkung zu tun und fand reißend Absatz. Der Sohn, gerade erst aus Leipzig zurückgekehrt, machte den harmlosen Betrug ohne Gewissensbisse mit und freute sich über den Spaß, den der Alte daran hatte. Er, Theodor, hatte als Apothekergehilfe schon ganz andere Dinge erlebt, und wenn er zurückdachte an seine Lehrzeit in der Schwanenapotheke auf der Spandauer Straße zu Berlin, an den Queckenextrakt, den er dort hatte kochen müssen und der als Exportartikel bis nach England gegangen war, fand er den Einfall seines Vaters geradezu genial.

Eine lange Spanne Zeit lag zwischen diesem Queckenextrakt und Aqua Fontana. Nach dem Abgang von der Gewerbeschule hatte ihm der Königliche Stadtphysikus bescheinigt, »daß der Fontane sehr gute Kenntnisse der Latinität und anderer Schuldisziplinen besitze, auch eine sehr gute Handschrift schreibe, daß sonach seiner Annahme als Lehrling der Apothekerkunst gesetzlich nichts entgegen stehe«.

Wie lange das her war und wie komisch sich der Passus über »gute Kenntnisse der Latinität und anderer Schuldisziplinen« anhörte! Auch das mit der Handschrift war eine glatte Lüge. Zeugnisse mochten ihre Berechtigung haben, aber man sollte nicht zuviel auf sie geben.

So fing es an, beim alten Wilhelm Rose, mit der Herstellung von Queckenextrakt und Liedern. Eine Reihe von Erstlingsgedichten über Sterne, Tod, Bach, Mond – Pubertätslyrik, und schon bald darauf auch ein epischer Versuch: Heinrichs IV. erste Liebe. Aber das alles war keine romantische Flucht in die Vergangenheit, sondern Suche nach Ausdruck, und der Lehrling blieb auch, während er vor dem großen Zinnkessel im Gewölbe der Rosenschen Apotheke saß, in enger Fühlung mit seiner Zeit und ihren nicht abreißenden Wirren. Noch war das Sturmläuten kaum verhallt, das den Frankfurter Wachensturm begleitet hatte, die erste deutsche Studentenrevolte mit dem Ziel, »den Bundestag bei voller Sitzung aufzuheben«, noch klangen die zündenden Worte nach, die der junge Georg Büchner in seinem »Hessischen Landboten« als Losung ins Volk geschleudert hatte: »Friede den Hütten! Krieg den Palästen!«, noch lag den Bürgern der Schrekken über die neununddreißig Todesurteile in den Gliedern, die das Berliner Kammergericht gegen Burschenschaftler ausgesprochen hatte – Urteile, die zwar nicht vollstreckt, sondern in dreißigjährige Festungshaft umgewandelt wurden –, da kam es in Hannover zum Verfassungsstreit zwischen dem König und einer Reihe namhafter Gelehrter. Sieben deutsche Professoren, der Historiker Dahlmann, der Jurist Albrecht, die Germanisten Jacob und Wilhelm Grimm, der Literarhistoriker Gervinus, der Orientalist Ewald und der Physiker Weber, hatten den Mut, gegen die Willkür eines königlichen Potentaten zu protestieren, reife Männer, keine jugendlichen Hitzköpfe mehr, für Fontane ein Erlebnis, das ihn sofort wieder mitten in die Gegenwart hineinriß, so daß er die Rosenhecken vergaß, die er noch kurz zuvor besungen hatte, und selber einen Versprotest an den König von Hannover richtete.

Im »Berliner Figaro« erschienen seine ersten Balladen – »Pizarros Tod« oder »Simson im Tempel der Philister«. Und an dem Tage, da seine Lehrzeit zu Ende ging und er seine Gehilfenprüfung ablegte, brachte dasselbe Blatt seine erste Prosaarbeit, die Novelle »Geschwisterliebe«, mit vielen eingestreuten Versen, der damaligen Mode entsprechend.

Derselbe Stadtphysikus, der ihm seine Eignung zum Apothekerlehrling bestätigt hatte, stellte ihm jetzt das Zeugnis aus, »daß der Fontane sehr gute Kenntnisse der Chemie Pharmacie Botanik und Latinität besitze, daß sonach seiner Ernennung zum Apotheker Gehilfen, auch mit Erlaß des letzten Vierteljahres der Lehrzeit gesetzlich nichts entgegen stehe.«

Das war am 9. Januar 1840.

Sechs Monate danach gelangte Friedrich Wilhelm IV. an die Regierung, und schon eine seiner ersten Amtshandlungen, die Verkündung einer umfassenden Amnestie für die eingekerkerten sogenannten Demagogen, schien auf eine Persönlichkeit hinzudeuten, von der man ein besseres Verständnis für den Geist der Zeit erwarten durfte als von seinem Vater. Diese Illusion war zwar nur von kurzer Dauer, aber solange sie währte, nährte man in Preußen neue kühne Hoffnungen.

Im Herbst nahm Fontane seine erste Gehilfenstelle an und ging nach Burg bei Magdeburg, »unendlich beglückt, an dem erwachenden politischen Leben teilnehmen zu können«. Aber davon war in dem Städtchen Burg nichts zu spüren. Dort befand er sich ganz am Rande der Zeit, unter Leuten, »die vor kleinen Konventionen das Leben nicht sahen«. Er kündigte seinem Chef, einem Dr. Kannenberg, bei der ersten Gelegenheit und war schon zu seinem Geburtstag wieder in Berlin.

Die Zufallsbekanntschaft mit einem Apothekenbesitzer aus Leipzig veranlaßte ihn, sich um eine Stellung in der Messestadt zu bewerben. Er wurde engagiert, konnte aber seinen Posten erst ein paar Monate später antreten. Der Typhus warf ihn aufs Krankenlager. Mehrere Wochen mußte er fest zu Bett liegen. Nach seiner Genesung fuhr er sofort nach Leipzig. Am 31. März 1841 traf er, »noch ein ziemlich schmalbäckig aussehender Rekonvaleszent«, dort ein.

»Zwei Drittel der Reise hatte ich per Bahn zurückgelegt, das letzte Drittel per Post.« Trotz seiner angegriffenen Gesundheit benützte er die Eisenbahn, diese neue Schlagader des Jahrhunderts, die der Zeit einen kräftigeren Puls zu verleihen begann. Noch fürchteten sich viele Leute davor, ihren Leib und ihre Seele diesem fauchenden Ungeheuer anzuvertrauen, das Städte und Provinzen miteinander verband, und während Fontane, stets für alles Neue und Zukünftige aufgeschlossen, im Abteil saß und über die Schienen seinem neuen Wirkungskreis entgegenrollte, mochte er an Friedrich List denken, den Mann, der die Bedeutung der Eisenbahn zuerst in vollem Umfang erkannt und sich schon 1834 mit einem Aufruf an die Bürger Sachsens gewandt und geschrieben hatte:

»Die Erfahrung anderer Nationen lehrt, daß *ein* gelungenes Unternehmen dieser Art eine Menge anderer ins Leben ruft; es wird dies hier um so mehr der Fall sein, als über hunderttausend Fremde im Jahre die Vorteile unseres Unternehmens in Augenschein nehmen werden und Leipzig im Herzen von Deutschland gelegen ist. Unsere Gewerbestädte im Erzgebirge werden sich uns anschließen. Hamburg, Berlin, Magdeburg, Frankfurt und Nürnberg werden sich mit uns in Verbindung setzen. Die dadurch entstehende Vermehrung des Handels und der Industrie, die größere Zufuhr an Materialien und Produkten, das größere Zusammenströmen von Waren und Menschen auf unseren Messen wird auf alle Geschäfte wohltätig wirken; unsere Industrie, unser Einkommen und unsere Bevölkerung wird sich in kurzer Zeit verdoppeln ... Ganz Sachsen wird teilnehmen an dem Aufschwung ...«

Anders klang das Urteil, das ein Gremium bayerischer Ärzte in einem Gutachten über das neue Verkehrsmittel gefällt hatte: »Ortsveränderungen mittels irgendeiner Art von Dampfmaschinen sollten im Interesse der öffentlichen Gesundheit verboten sein. Die raschen Bewegungen können nicht verfehlen, bei den Passagieren die geistige Unruhe, ›delirium furiosum‹ genannt, hervorzurufen. Selbst zugegeben, daß Reisende sich freiwillig der Gefahr aussetzen, muß der Staat wenigstens die Zuschauer beschützen, denn der Anblick einer Lokomotive, die in voller Schnelligkeit dahinrast, genügt, diese schreckliche Krankheit zu erzeugen. Es ist dabei unumgänglich nötig, daß eine Schranke, wenigstens 6 Fuß hoch, auf beiden Seiten der Bahn errichtet werde.«

Das prophezeite »delirium furiosum« blieb bei Fontane aus, trotz seiner angegriffenen Konstitution, und er fand es höchst ergötzlich, als er erfuhr, daß ein Müller gegen die Bahn, die auf Betreiben Friedrich Lists seit 1837 zwischen Leipzig und Dresden verkehrte, einen Prozeß geführt habe, weil sie ihm den Wind abfange.

Am 1. August 1841 trat er seinen Dienst in der Neubertschen Hofapotheke in Leipzig an. Die Stadt gefiel ihm von vornherein. Einst das Zentrum der deutschen Aufklärung, beherbergte sie noch immer ein regsames, aufgeschlossenes und bewußtes Bürgertum, und ein Vergleich mit Berlin fiel fast in jeder Hinsicht zugunsten der Stadt an der Pleiße aus. Mit Arbeit war der neue Gehilfe nicht überbürdet, und wenn auch die Wohnverhältnisse für die Angestellten erbärmlich waren – vier Mann in einer Kammer, so daß die Inhaber der beiden hinteren Betten über ihre Kameraden hinwegklettern mußten, um hineinzugelangen – so bot doch die Umgebung genügend Entschädigung für die Enge des Quartiers. Fontane benützte jede freie Stunde zu weiten Spaziergängen und wanderte über die Felder, wo die Völkerschlacht von 1813 stattgefunden hatte. Natürlich machte er auch Verse:

»Auf Leipzigs Schlachtgefilden
Ich heute gewandert bin,
Das fallende Laub der Bäume
Tanzte vor mich hin.

Der Herbst muß von den Bäumen
Die Blätter mähn und wehn,
Wenn wir den neuen Frühling
In Blüten wollen sehn.«

Schlachtfeldbegeisterung und Freiheitssehnsucht – rückblickend hat Fontane über diese Zeit gespottet. Freilich war in den Versen von damals vieles Phrase, klingendes Wort, unverbindliches Schwärmen. Wäre er aber gegen die Freiheit gewesen, so hätte er auch gegen Eisenbahn und Dampfschiff sein müssen, und dazu war er viel zu realistisch.

Im Grunde seines Wesens konnte er, der Apothekergehilfe, dasselbe von sich behaupten wie der junge Schweizer Kunsthistoriker Jacob Burckhardt, der sich zur selben Zeit in Deutschland aufhielt: »Die Geschichte ist und bleibt mir Poesie im größten Maßstabe; wohl verstanden, ich betrachte sie nicht etwa romantisch-phantastisch, was zu nichts taugen würde, sondern als einen wundersamen Prozeß von Verpuppungen und neuen, ewig neuen Enthüllungen des Geistes. An diesem Rande der Welt bleibe ich stehen und strecke meine Arme aus nach dem Urgrund aller Dinge, und darum ist mir die Geschichte lauter Poesie, die durch Anschauung gemeistert werden kann.«

Im Leipziger »Herwegh-Klub«, einem literarischen Verein, wie sie in jenen Jahren fast in jeder größeren Stadt entstanden, empfing Fontane neue Anregungen und lernte durch seinen Freund Wolfsohn die große russische Literatur kennen, von der die wenigsten seiner Zeitgenossen einen Begriff hatten.

»Mit der russischen Sprache war es nichts«, bekannte er später, »in bezug auf russische Literatur jedoch ließ ich nicht wieder los, und vom alten Dershawin an, über Karamsin und Shukowski fort, zogen Puschkin, Lermontow, Gogol an mir vorüber ... Lermontow war mein besonderer Liebling, und so sehr alles nur ein Kosthäppchen war, so bin ich doch auf meinem Lebensweg nur sehr wenigen begegnet, die mehr davon gewußt hätten.«

In Leipzig gab es außerdem einen »Schiller-Verein«. Schon während Fontanes Leipziger Aufenthalt setzte dort jene bis zur Phrasenhaftigkeit hochgetriebene Schillerschwärmerei ein, an der sich große Teile des Bürgertums berauschten. Man war in den Besitz einer Weste des Dichters gelangt und trieb einen wahren Kult damit, wie es in empfindsamer Zeit schwärmerische Damen mit den Locken Jean Pauls gemacht hatten. Fontane wandte sich gegen diese Art von Heroenverehrung und schrieb die satirischen Verse »Shakespeares Strumpf«:

»Laut gesungen, hoch gesprungen,
Ob verschimmelt auch und dumpf,
Seht, wir haben ihn errungen,
William Shakespeares wollnen Strumpf.

*

Seht, wir haben jetzt die Strümpfe,
Dran er putzte, wischte, rieb
Ungezählte Federstümpfe,
Als er seinen Hamlet schrieb.«

Das Gedicht erschien im Druck, und ganz Leipzig lachte über den Strumpf, der die erworbene Schillerweste der Lächerlichkeit preisgab.

Anfang 1842 erkrankte Fontane aufsneue schwer, was wahrscheinlich auf die elenden Wohnverhältnisse in der Hofapotheke zurückzuführen war, wo man für kranke Gehilfen keine Verwendung hatte und froh war, als er ausschied. Dr. Albert Braune,

Professor der Arzneimittellehre, stellte ihm folgendes Attest aus: »Es ist Herrn Fontane zur dringenden Pflicht gemacht worden, um die Neigung zu Rückfällen, die sich bis jetzt bei allen Witterungsveränderungen kund gegeben hat, zu verhüten und um seine sehr geschwächte Gesundheit zu verbessern, sich nach Hause zu begeben und für jetzt sich aller körperlichen Anstrengung zu enthalten« – ein wahrhaftes Musterbeispiel professoralen Stils.

Für ein paar Monate fand Fontane bei einem Verwandten Unterschlupf. Er erholte sich rasch und konnte schon Ostern einen Ausflug in die Sächsische Schweiz unternehmen. Und es ist nicht ausgeschlossen, daß er dort im Elbsandsteingebirge, zwischen Königstein, Bastei und Kuhstall, das Mädchen kennenlernte, das ihn zur Übersiedlung nach Dresden bewog und das die Mutter seines ersten unehelichen Kindes werden sollte. Kurz darauf trat er in die berühmte Salomonis Apotheke des Dr. Gustav Struve ein. Dort übersetzte er in seinen Mußestunden die Gedichte des englischen Sozialisten Robert Nicoll. Nach dem gescheiterten Versuch, einen Leipziger Verleger zur Herausgabe dieser Gedichte zu gewinnen und sich »als Schriftsteller zu etablieren«, kehrte Fontane nach Letschin ins Haus der Eltern zurück, wo der Vater gerade dabei war, sein *Aqua Fontana* unter die Leute zu bringen. Und vielleicht füllte der Sohn damals selbst insgeheim eine Flasche von dem Schönheitswasser ab und schickte sie nach Dresden an jenes Mädchen, das ein Kind von ihm erwartete und dessen Existenz er seinen Angehörigen aus guten Gründen verheimlichte. Der Vater hätte vielleicht Verständnis für die »Bredouille« gehabt, in die sein Sohn geraten war, die kalvinistisch strengere

Mutter kaum. Er suchte jedoch weder beim Vater Verständnis, noch gab er der Mutter Gelegenheit, ihm Vorwürfe zu machen. Er schwieg. Bald darauf erhielt er seine Einberufung, um die er schon von Leipzig aus nachgesucht hatte, und begab sich nach Berlin, um als Einjähriger in das Kaiser-Franz-Garde-Grenadier-Regiment einzutreten.

# DER TUNNEL

Der literarische »Berliner Sonntagsverein« oder »Tunnel über der Spree«, wie er später hieß, der im kulturellen Leben der Hauptstadt und insbesondere für Fontane eine so bedeutsame Rolle spielen sollte, bestand bereits seit 1827. Begründet durch M. G. Saphir, den Humoristen der Biedermeierzeit, der nach kurzem Zwischenspiel in Wien an der Spree ansässig wurde, wo er zuerst die »Berliner Schnellpost« und danach den »Berliner Kurier« herausgab, war der Sonntagsverein anfänglich nichts als ein Treffpunkt für unbekannte junge Literaten, die dem vielgeschmähten und vielangegriffenen M. G. Saphir als billige Mitarbeiter an seinen Blättern willkommen waren. Der Verein war gewissermaßen eine Privatangelegenheit seines Begründers, der darin seine literarische Leibgarde sammelte. Über die bloße lokale Bedeutung hinaus gelangte er erst, als Saphir 1830 über München nach Paris ging, als sein Einfluß nachließ und neue Leute dem Verein eine breitere Basis gaben – mit Statuten, festen Zusammenkünften und eigenem Vermögen.

So machte der einstige »Sonntagsverein« seine Wandlung zum »Tunnel über der Spree« durch, und wie in London Verkehr und Handel durch den Tunnel unter der Themse dahinflossen, so sollte in Berlin der Geist durch den Tunnel über der Spree ins Breite wirken. Wenn auch nicht frei von Vereinsmeierei und Dilettantismus, nahm der »Tunnel« in den folgenden Jahren einen beachtlichen Aufschwung und umfaßte eine Reihe von Männern, die auf ihren Gebieten Hervorragendes leisteten und bereit waren, jüngere Kollegen zu beraten und zu fördern. Dort Anklang oder Beifall zu finden, sei es mit einem Gedicht, einer Ballade oder einem Prosastück, bedeutete etwas, und als Mitglied aufgenommen zu werden, kam einer Auszeichnung gleich.

Im Juli 1843 wurde Fontane durch seinen Freund Bernhard von Lepel als Gast in den Verein eingeführt. Er las den dort versammelten Kennern einige seiner Gedichte vor und wies sich damit als Literat aus. In den folgenden Wochen machte er die Bekanntschaft jener Männer, die das Rückgrat des »Tunnels« bildeten, und lernte Scherenberg, Wilhelm von Merckel, den Grafen Moritz von Strachwitz und den einstigen Schauspieler und derzeitigen Vorleser des Königs, Louis Schneider, kennen. Er versuchte sich an einer Hamlet-Übertragung und wurde bald nach seiner ersten England-Reise im Herbst 1844 unter dem Beinamen Lafontaine als Mitglied in den »Tunnel« aufgenommen.

Zu jener Zeit bestand der »Tunnel« hauptsächlich aus jungen Adligen, Assessoren und Offizieren und war ein reiner Männerverein, mit einer Unzahl von Tunnelbrüdern, jedoch ohne Tunnelschwestern. Obwohl es in Berlin damals bereits eine ganze

Schar bekannter Schriftstellerinnen gab, fehlte das weibliche Element im »Tunnel«. Eine konservativ-gemäßigte Richtung herrschte vor. Die Statuten verboten jegliche politische Debatte, und da das Politische ausgeschlossen war, blieb nur das Preußisch-Patriotische, das Nordische und Schottische, aus dem man, ohne Gegenwartsfragen direkt zu berühren, die Stoffe zu den mehr oder weniger dilettantischen Versuchen schöpfen konnte, die bei den regelmäßigen Zusammenkünften vorgetragen und kritisiert wurden.

Von der eigentlichen Literatur der Zeit, den vormärzlichen Ideen, den Bestrebungen des Jungen Deutschland drang so gut wie nichts in die »von Tabaksqualm durchzogenen Kaffeelokale«, wo der »Tunnel« tagte. Die sogenannte »Bewegungsliteratur«, die ihre Kraft aus der Opposition gegen den offiziellen Regierungskurs bezog, war geradezu verpönt. Keiner von den Männern, die als leidenschaftliche Fürsprecher der bürgerlichen Freiheitssehnsucht einen Ruf hatten, fand Aufnahme in den »Tunnel«, weder Gottfried Kinkel, Anastasius Grün, Herwegh, Freiligrath, Georg Weerth, Dingelstedt, Robert Prutz, Hoffmann von Fallersleben, Karl Beck, Moritz Hartmann noch Alfred Meißner. Im »Tunnel« galten andere Werte und andere Namen. Strachwitz gab mit seinen konservativen Balladen den Ton an. Zukünftige preußische Kultusminister, wie der damalige Assessor Heinrich von Mühler, dichteten: »Grad aus dem Wirtshaus komm ich heraus«, und der Geheimrat Franz Kugler besang die Burgen an der Saale hellem Strande. Die Tunnelbrüder, die entweder sämtlich bereits im Staatsdienst standen oder eine Stellung innerhalb der preußischen Beamtenhierarchie anstrebten, hüteten sich, oppositionelle Äußerungen von sich zu geben. Schon ihre Satzungen schützten sie davor. Ohne reaktionär zu sein, unterstützten sie die Sache der Reaktion.

Anfangs fühlte Fontane sich nicht recht behaglich in dieser Runde, wo das Freiheitliche und das »Herweghsche«, dem er noch in Leipzig gehuldigt hatte, auf ein Mindestmaß herabgesetzt waren und seine einjährig-freiwillige Königstreue höher bewertet wurde als seine noch vor kurzem verfaßten Verse von der Sklavenseele, die sich zu Ehren bettelt. Aber da ihm viele Tunnelbrüder, trotz abweichender politischer Anschauungen, menschlich nahestanden und es ihm an Umgang mit literarisch interessierten Männern fehlte, übte auch er die geforderte politische Enthaltsamkeit, spottete zwar zuweilen darüber, unterwarf sich jedoch schließlich der Vereinsdisziplin. Auf der Suche nach Stoffen, die ihn zu reizen vermochten und im »Tunnel« keinen Anstoß erregten, wandte er sich der preußisch-brandenburgischen Geschichte zu und durchstöberte sie nach Gestalten und Begebenheiten, die literarisch verwendbar waren.

Seit Kleist hatte niemand mehr dem Preußischen etwas Poetisches abzugewinnen vermocht, und vielleicht war es gerade deswegen, daß Fontanes »Preußenlieder« im »Tunnel« einen so großen Beifall und später über Louis Schneiders »Soldatenfreund« und das Cottasche »Morgenblatt« sogar den Weg in die Schulbücher fanden. Sie waren meisterhaft in ihrer Art, hatten jedoch das Verhängnisvolle, daß Fontane noch Jahrzehnte später ausschließlich nach ihnen beurteilt wurde. Dabei waren es reine Tun-

nel-Produkte, reife Kunstwerke allerdings, die jedoch nur eine Seite seines Wesens widerspiegelten, die Fähigkeit, selbst die steifledernen und verzopften Helden aus dem friederizianischen Zeitalter zu vermenschlichen, den Alten Dessauer, Schwerin, Seydlitz und Zieten, den Husarengeneral.

Mit diesen Balladen wurde Fontane mit einem Schlage zu einer der markantesten Figuren des »Tunnels«. Ihr Vortrag führte zu lebhaften und fruchtbaren Diskussionen über literarische Formprobleme, was für ihn und seine Weiterentwicklung noch wichtiger war als die uneingeschränkte Anerkennung, die sie ihm eintrugen. Wie es dabei zuging, hat Fontane selbst geschildert in seinem Roman »Vor dem Sturm«, wo der junge Hansen-Grell, ein unverkennbares Selbstporträt, in der literarischen Gesellschaft »Kastalia« seine erste Ballade vorliest: General Seydlitz.

»In Büchern und auf Bänken,
Da war er nicht zu Haus,
Ein Pferd im Stall zu tränken,
Das sah schon besser aus;
Er trug blanksilberne Sporen
Und einen blaustählernen Dorn, –
Zu *Calcar* war er geboren,
Und Calcar, das ist Sporn.«

»Ein Jubel«, heißt es in dem autobiographischen Passus des Romans, »wie ihn die Kastalia seit langem nicht gehört hatte, brach von allen Seiten los und legte, wie Hansen-Grell, um sich dadurch weiteren Ovationen zu entziehen, scherzhaft bemerkte, ein vollgültiges Zeugnis von der kavalleristischen Zusammensetzung der Dienstagsgesellschaft ab.«

Dann wird das Werk kritisiert:

»Der Reiz des Gedichtes, das wir eben gehört, liegt ausschließlich in seinem Ton und seiner Behandlung; es ist keck gegriffen und keck durchgeführt, aber es hat von dieser Keckheit offenbar zu viel . . . Jedes Kunstwerk . . . muß aus sich selbst heraus verstanden werden können, ohne historische und biographische Notizen. Diesen Anspruch aber seh ich in diesem Gedicht nicht erfüllt. Es ist eminent gelegentlich und auf einen engen oder engsten Kreis berechnet, wie ein Verlobungs- oder Hochzeitstoast. Es hat die Bekanntschaft mit einem halben Dutzend Seydlitz-Anekdoten zur Voraussetzung, und ich glaube kaum zu viel zu sagen, wenn ich behaupte, daß es nur von einem preußischen Zuhörer verstanden werden kann . . .«

Von anderer Seite wird widersprochen und gesagt: »Ich kenne von General Seydlitz nichts als seinen Namen und seinen Ruhm, glaube aber, das Gedicht des Herrn Hansen-Grell vollkommen verstanden zu haben. Ich ersehe aus seinen Strophen, daß Seydlitz zu Calcar geboren wurde, daß er das Lernen nicht liebte, aber desto mehr das Reiten. Dann folgen Anekdoten, die deutlich für sich selber sprechen, zugleich auch seine Reiterschaft glorifizieren, bis er in der letzten Strophe jenem besseren Reiter erliegt, dem wir alle früh oder spät erliegen. Dies Wenige ist genug, weil es ein Ausreichendes ist. Hier steckt das Geheimnis. Ich habe mich in Jahren, die länger zurückliegen, als mir lieb ist, um die Volkslieder meiner Heimat gekümmert, auch vieles davon gesammelt, überall aber hab ich wahrgenommen, daß das sprungweise Vorgehen zu den Kennzeichen und Schönheiten dieser Dichtungsgattung gehört. Die Phantasie muß nur den richtigen Anstoß empfangen; ist dies geglückt, so darf man kühn behaupten: ›Je weniger gesagt, desto besser‹.«

Nicht immer hielt sich die Kritik im »Tunnel« auf dieser Höhe. Querulantentum, Neid, Beckmesserei machten sich breit. Die Schwätzer, die in jedem Verein die Majorität bilden, gewannen die Oberhand, sehr zum Verdruß Otto Roquettes, der darüber berichtet:

»Ich war auch diesmal ohne gesellschaftliche Beziehung nach Berlin gekommen. Friedrich Eggers gab mir die einzige Anknüpfung. Von ihm ließ ich mich eines Tages in den sogenannten ›Tunnel über der Spree‹ mitnehmen, eine Gesellschaft, welche die Mehrzahl der in Berlin lebenden Schriftsteller und Dilettanten, welche gern für Dichter gelten wollten, umfaßte. Man kam sonntags in den Stunden von fünf bis acht zusammen, bei Bier und undurchdringlichem Tabaksqualm, und las Gedichte vor, über welche in parlamentarischer Verhandlung gesprochen, geurteilt und endlich mit einer ›Nummer‹ abgeschlossen wurde. Vorsitzender des Tunnels war damals Franz Kugler. Ich lernte die Dichter Scherenberg, Fontane, von Lepel, Brachvogel kennen . . . Dieses zu Gericht sitzen, oft über ein unbedeutendes, kleines Gedicht kam mir höchst sonderbar vor, ja humoristischer als die Gesellschaft empfand und ich verraten durfte . . . Da ich aber sah, daß der Dilettantismus sich hier sehr wichtig machte . . . blieb ich für immer weg, was mir sehr übel genommen wurde.«

Auch Gottfried Keller, der während seiner Berliner Zeit durch Scherenberg in den »Tunnel« eingeführt wurde, fand keinen Geschmack an den Sitzungen und äußerte sich abfällig darüber. »Obskur wie eine Schärmaus und ungefähr auch von ihrer Gestalt« habe er unter den Versammelten gehockt, schrieb er. »Auf dem Präsidentenstuhl saß Franz Kugler und hieß Lessing; ein Gardeoffizier las eine Ballade vor; bei der Umfrage kam auch ich an die Reihe und grunzte: Wrumb! worauf sofort das Wort dem Nächsten erteilt wurde.«

Fontane hat Gottfried Keller weder als Gast im »Tunnel« noch bei anderer Gelegenheit persönlich kennengelernt. Aber sonst kam er durch seine Tunnelzugehörigkeit mit fast allen Persönlichkeiten aus dem kulturellen und literarischen Leben Berlins in Berührung, Einheimischen, Durchreisenden und Zugereisten. Auch der Kunsthistoriker Wilhelm Lübke gehörte dazu, der später in seinen »Lebenserinnerungen« darüber erzählte:

»Kaum jemals versäumte er (Kugler) die allwöchentlich in den frühen Abendstunden stattfindenden Versammlungen jener dichterischen Genossenschaft, die sich als ›Tunnel‹ bezeichnete und an denen fast Alles Theil nahm, was damals sich für literarisches Wirken und poetisches Schaffen interessierte. Dort las Theodor Fontane seine ergreifenden Balladen vor, Scherenberg trug seine mächtigen Kriegsgesänge, Hesekiel seine Erzählungen und Gedichte, Heinrich Smidt seine Devrientnovellen vor. Dort begrüßte man zuerst Theodor Storm, der durch seine tiefpoetische Erzählung ›Immensee‹ schnell zu allgemeiner Anerkennung gelangt war. Dort war es auch, wo die jugendlich anmutige Gestalt Paul Heyse's zum erstenmal auftauchte und durch die hohe Formvollendung seiner Dichtungen schnell zum Liebling aller poetischen Kreise wurde. Und von München kam Felix Dahn . . . nicht minder gehörten Bernhard von Lepel, Hugo von Blomberg, der feinsinnige Humorist Wilhelm von Merckel und Friedrich Eggers dem Tunnel an.«

Ein ganzes Jahrzehnt hindurch hat Fontane kaum eine Sitzung des Tunnels oder der daraus hervorgegangenen »Ellora« und des »Rütli« verpaßt, »neben Scherenberg, Hesekiel und Heinrich Smidt«, wie er rückblickend zusammenfaßte, »das wohl am meisten beisteuernde Mitglied des Vereins. Die große Mehrzahl meiner aus der preußischen, aber mehr noch aus der englisch-schottischen Geschichte genommenen Balladen entstammt jener Zeit, und manche glückliche Stunde knüpfte sich daran. Die glücklichste war, als ich . . . meinen ›Archibald Douglas‹ vortragen durfte. Der Jubel war groß . . .«

Dann kam die Entfremdung. Das Interesse an literarischen Zusammenkünften, auf denen sich Schriftsteller und Dilettanten ihre Sachen gegenseitig vorlasen, nahm ab, der »Tunnel« hatte aufgehört, Plattform und Forum zu sein.

Als Fontane schon längst in England war, richteten Bernhard von Lepel und der nachmalige Provinzialschulrat Bormann einen gemeinsamen Brief an ihn, der nicht erwähnenswert wäre, wenn er nicht ein paar Zeichnungen Adolph Menzels enthielte, des einzigen kongenialen Tunnelbruders Fontanes, der die Gelegenheit wahrnahm, ihn auf seine Weise zu grüßen. Die Zeichnungen auf den Innenseiten des Briefes stellen Ausschnitte aus einer

Tunnelsitzung dar. Auf der einen sieht man W. v. Merckel, Friedrich Eggers und Franz Kugler um einen Tisch sitzen und der Verlesung eines Gedichtes oder einer Ballade lauschen. Auf der anderen scheint man im Begriff, in die Diskussion einzutreten; Lepel zündet sich an einer hohen Petroleumlampe gerade eine Zigarre an, während Bormann dem zeichnenden Menzel über die Schulter blickt. Beide Zeichnungen ein Stück »Tunnel«, in dem mancher steckenblieb, der aber für Fontane und Menzel nur das war, was der Name besagt: ein Durchgang, notwendig und förderlich, eine Strecke Wegs mit anderen, um am Ende wieder in die Welt und die Weite des Jahrhunderts hinauszutreten.

# 1848 ODER DIE EHRLICHEN FEINDE

Bereits 1832 hatte Johann Georg August Wirth, der demokratische Publizist, auf dem Hambacher Fest die anklagenden Worte gesprochen:

»Das Land, das unsere Sprache spricht, das Land, wo unsere Hoffnung wohnt, wo unsere Liebe schwelgt, wo unsere Freuden blühen, das Land, wo das Geheimnis aller unserer Sympathien und all unserer Sehnsucht ruht, dieses schöne Land wird verwüstet und geplündert, zerrissen und entnervt, geknebelt und entehrt. Reich an allen Hilfsquellen der Natur, sollte es für alle seine Kinder die Wohnung der Freude und der Zufriedenheit sein, allein ausgesogen von 34 Königen, ist es für die Mehrzahl seiner Bewohner der Aufenthalt des Hungers, des Jammers und des Elends. Deutschland, das große, reiche, mächtige Deutschland, sollte die erste Stelle einnehmen in der Gesellschaft der europäischen Staaten, allein, beraubt durch verräterische Aristokratenfamilien, ist es aus der Liste der europäischen Reiche gestrichen und der Verspottung des Auslandes preisgegeben. Berufen von der Natur, um in Europa der Wächter des Lichts, der Freiheit und der völkerrechtlichen Ordnung zu sein, wird die deutsche Kraft gerade umgekehrt zur Unterdrückung der Freiheit aller Völker und zur Gründung eines ewigen Reiches der Finsternis, der Sklaverei und der rohen Gewalt verwendet. So ist denn das Elend unseres Vaterlandes zugleich der Fluch für ganz Europa . . .«

Ihr nachhaltigstes Echo fand diese Rede jedoch erst, als fast zehn Jahre später in der Schweiz ein schmales Bändchen erschien, das den Titel trug: »Gedichte eines Lebendigen«. Darin vereinigten sich Pathos und Phrase gleichsam zu einem neuen deutschen Bund, und der Dichter, der vierundzwanzigjährige Georg Herwegh aus Württemberg, erzielte damit eine ungeheure Wirkung. Das Büchlein war eine Art Legitimitätserklärung der politischen Lyrik, die damit den garstigen Beigeschmack verlor, den ihr noch Goethe nachgesagt hatte.

Im folgenden Herbst unternahm der junge Dichter, überall stürmisch gefeiert als Herold einer neuen Zeit, eine Deutschlandreise, um Mitarbeiter für eine geplante politische Zeitschrift zu werben. Im Oktober traf er in Berlin ein. Und hier in der preußischen Hauptstadt, der Hochburg der Hohenzollern, geschah etwas, was die gesamte Öffentlichkeit aufhorchen ließ, was einerseits mit mißbilligendem Kopfschütteln zur Kenntnis genommen und von anderer Seite begeistert begrüßt wurde. Der musisch veranlagte, an künstlerischen Dingen interessierte Monarch sprach den Wunsch aus, den jungen, kecken Schwaben kennenzulernen. Die Audienz fand am 19. November 1842 statt. Friedrich Wilhelm IV. erklärte: »Nichts verabscheue ich mehr als Charakterlosigkeit; ich achte die Opposition, wenn sie nur gesinnungsvoll ist.« Dann lobte der König Herweghs Gedichte, ihren Schwung, ihre Ausdruckskraft, und entschuldigte ihren radikalen Ton mit der Jugend des Verfassers, als reifer Mann werde er seine Anschauungen bestimmt revidieren und ändern. Und er fügte vielsagend und verschmitzt hinzu, wie es mitunter seine Art war: »Inzwischen wollen wir ehrliche Feinde bleiben.«

Herwegh sollte bald einen Begriff von der ehrlichen Feindschaft des Königs bekommen. Von Berlin aus ging er nach Königsberg, wo er zu seinem Erstaunen erfuhr, daß die geplante Zeitschrift schon vor Erscheinen der ersten Nummer für Preußen verboten war. Er richtete einen Jammerbrief an den König. Die Antwort darauf war ein Ausweisungsbefehl. Sein Kreuzzug für die Freiheit war kläglich gescheitert. Zur Schande kam auch noch der Spott, der ätzende Hohn Heinrich Heines:

»Ich will, wie einst mein Heiland that,
Am Anblick der Kinder mich laben,
Laß zu mir kommen die Kindlein, zumal
Das große Kind aus Schwaben.
So sprach der König, der Kämmerer lief
Und kam zurück und brachte
Herein das große Schwabenkind,
Das seinen Diener machte ...

Erbitte dir eine Gnade, sprach
Der König. Da kniete nieder

Der Schwabe und rief: O geben Sie, Sire!
Dem Volke die Freiheit wieder!
Der König stand erschüttert tief.
Es war eine schöne Szene;

Mit seinem Rockärmel wischte sich
Der Schwab' aus dem Auge die Thräne.
Der König sprach endlich: Ein schöner Traum!
Leb' wohl und werde gescheiter!
Und da Du ein Somnambulerich,
So geb' ich Dir zwei Begleiter.
Zwei sichre Gendarm', die sollen Dich
Bis an die Grenze führen.
Leb wohl, ich muß zur Parade geh'n,
Schon hör' ich die Trommel rühren.«

Der »ehrliche Feind« hatte seine Maske sehr schnell fallen lassen, geriet jedoch durch sein starres Festhalten an den Prinzipien des Absolutismus selbst in immer größere Bedrängnis.

Fontane, trotz forscher preußischer Reiterballaden und Tunnelmitgliedschaft die Hand immer am Puls der Zeit, kennzeichnete die Lage von 1846 in einem Brief an Lepel mit den Worten: ». . . das Volk wird eine Konstitution *fordern*, um den König zu ärgern; erstlich ist es noch nicht so weit, und eh es so weit kommt, vielleicht schon in den nächsten Monaten, wird der König eine Konstitution *geben*. Dann mögen wir uns ärgern! Diese Konstitution liegt schon fix und fertig in seinem Pult und ist nicht aus Furcht vor dem Volke, sondern aus gänzlicher Verachtung des Volkes hervorgegangen. Das Volk nämlich soll darin zu einer Komödie, die statt mit einer Ehe mit einem glücklichen Pump schließt, mißbraucht werden, und es zeugt von Verachtung des Volkes, ihm eine *solche* Rolle anzuweisen. Die Konstitution lautet nämlich: die Stände haben das Recht, *Steuern* und *Anleihen* zu *bewilligen*, nicht etwa zu verweigern. Weil sich Rothschild geweigert hat, ohne Garantie von seiten des Volkes Millionen vorzustrecken, gibt man dem Volke eine Konstitution, damit der König mit Volkserlaubnis – *pumpen* und *besteuern* kann . . .«

Ein Jahr später war es soweit. Berlin und Königsberg sollten durch eine Eisenbahnlinie verbunden werden. Der Bau war beschlossene Sache, nur das Geld fehlte. Irgendeine Instanz mußte die Mittel bewilligen und aufbringen. In dieser Situation entsann man sich im Berliner Schloß eines Edikts aus dem Jahre 1820, wonach größere Staatsanleihen nur unter der Bürgschaft der »Reichsstände« aufgenommen werden durften. Daß es diese »Reichsstände« noch gar nicht gab, schien beim König nicht weiter ins Gewicht zu fallen, er löste die Frage auf seine Art und berief einfach die völlig voneinander getrennten Provinziallandtage zu einer Sitzung nach Berlin ein. Schon die Rede, mit der er diesen Vereinigten Landtag eröffnete, ließ manchen Abgeordneten an seinem Geisteszustand zweifeln.

»Edle Herren und getreue Stände«, sagte der »Butt«, ein Spitzname, den sich der wohlbeleibte Monarch selber verliehen hatte, am 11. April 1847: »Es drängt Mich zu der feierlichen Erklärung, daß es keiner Macht der Erde je gelingen soll, Mich zu bewegen, das natürliche, gerade bei uns durch seine innere Wahrheit so mächtig machende Verhältnis zwischen Fürst und Volk in ein konventionelles, konstitutionelles zu wandeln, und daß Ich es nun und nimmer zugeben werde, daß sich zwischen unseren Herrgott im Himmel und dieses Land ein beschriebenes Blatt gleichsam als zweite Vorsehung eindränge, um uns mit seinen Paragraphen zu regieren und durch sie die alte heilige Treue zu ersetzen. Zwischen uns sei Wahrheit. Von *einer* Schwäche weiß Ich Mich gänzlich frei. Ich strebe *nicht* nach eitler Volksgunst. Ich strebe allein danach, Meine Pflicht nach bestem Wissen und nach Meinem Gewissen zu erfüllen und den Dank Meines Volkes zu verdienen, sollte er Mir auch nimmer zuteil werden . . .«

Das Volk hatte auch kaum Grund, dem König dankbar zu sein. »Der Kampf gegen den Absolutismus begann sogleich, und das Volk folgte ihm mit erregter Teilnahme«, erinnerte sich Karl Schurz. 1847 war ein Hungerjahr, in ganz Europa hatte es Mißernten gegeben, die Wirtschaft geriet in eine tiefe Krise. Besonders in Berlin sah es schlimm aus. Ein zeitgenössischer Chronist stellte eine Statistik zusammen. »Berlin«, schrieb er, »zählt unter anderen 10 000 prostituierte Frauenzimmer, 12 000 Verbrecher, 12 000 latitierende Personen, 18 000 Dienstmädchen, 20 000 Weber (die bei ihrer Arbeit sämtlich ihr Auskommen nicht finden), 6000 Almosenempfänger, 6000 arme Kranke, 3–4000 Bettler, 2000 Bewohner der Arbeitshäuser, 700 Bewohner der Stadtvogtei, 2000 uneheliche Kinder, 2000 Pflegekinder, 1500 Waisenkinder; das ist nahezu der vierte Teil der Einwohner der ganzen Hauptstadt.«

Schon 1843 hatte Bettina von Arnim in ihrem mutigen sozialkritischen Werk »Dies Buch gehört dem König« auf die verheerenden Zustände in Berlin hingewiesen: »Vor dem Hamburger Tor, im sogenannten Vogtland, hat sich eine förmliche Armenkolonie gebildet. Man lauert sonst jeder unschuldigen Verbindung auf. Das aber scheint gleichgültig zu sein, daß die Ärmsten in *eine* große Gesellschaft zusammengedrängt werden, sich immer mehr abgrenzen gegen die übrige Bevölkerung und zu einem furchtbaren Gegengewicht anwachsen. Am leichtesten übersieht man einen Teil der Armengesellschaft in den sogenannten ›Familienhäusern‹. Sie sind in viele kleine Stuben abgeteilt, von welchen jede einer Familie zum Erwerb, zum Schlafen und Küche dient. In vierhundert Gemächern wohnen zweitausendfünfhundert Menschen. Ich besuchte daselbst viele Familien und verschaffte mir Einsicht in ihre Lebensumstände.«

Seitdem war es nicht besser geworden. Der Verdienst war gering, die Arbeitslosigkeit groß. Als im Winter 1847 die Kartoffelpreise plötzlich anstiegen, kam es zu den ersten Unruhen. Am Rosentaler Tor und auf dem Molkenmarkt stürmten Arbeiterfrauen die Stände. Unter den Arbeitern herrschte Hunger und Elend, viele Handwerker sahen keinen Ausweg mehr, selbst wohlhabende Bürger rebellierten. Die Biedermeierzeit ging zu Ende, die Märztage des Jahres 1848 kündigten sich an.

Fontane arbeitete seit Herbst des vergangenen Jahres in der Jungschen Apotheke an der Ecke Königs- und Georgenkirchstraße. Er hielt ein Schriftstück des Ministers »der geistlichen, Unterrichts- und Medicinal-Angelegenheiten« in Händen, worin es hieß, daß ihm »die Approbation als Apotheker erster Klasse und demgemäß die Befugnis zur Verwaltung und zum Besitze einer Apotheke in den Königlichen Landen« erteilt worden sei. Bald nach seinem Eintritt in die Jungsche Apotheke las er im »Tunnel« seinen gesamten Rosamunde-Zyklus vor. »Ich bin jetzt von meinem Recht durchdrungen, ein Gedicht zu machen.« Neben anderen Projekten entstand der Plan zu einer »Lützower Schlacht«. Aber dazu kam es in den anbrechenden tumultuarischen Zeitläuften nicht mehr.

Mit dem neuen Jahr wurde in Frankreich die Republik ausgerufen, die Februarrevolution fegte das Bürgerkönigtum beiseite. Als alter Herwegh-Apostel hätte Fontane das Ergebnis laut begrüßen müssen, das zum offenen Aufruhr in fast allen deutschen Kleinstaaten führte und den Absolutismus wie eine Lawine unter sich zu begraben drohte. Aber mehr denn je befand er sich in einem inneren Zwiespalt und schwankte zwischen den beiden Polen seines Wesens, Ordnungssinn und Freiheitsliebe, hin und her wie so mancher andere Zeitgenosse, der sich vom staatsobrigkeitlichen Denken nicht so leicht lösen und sein Biedermeiertum nicht so ohne weiteres abstreifen konnte. Außerdem war er Tunnelbruder und Vereinsgenosse von Männern wie Wilhelm von Merckel, der ihn eines Tages mit einem Lied überraschte, in dem es hieß: »Gegen Demokraten helfen nur Soldaten«, – war er Mitarbeiter am »Soldatenfreund« Louis Schneiders, der sich alles Heil und die Rettung vor der Revolution von einem bedingungslosen Anschluß Preußens an den zaristischen Despotismus versprach. Es war nicht leicht, einen Weg aus diesen Widersprüchen zu finden, und mitunter mochte der erste Pharmazeut aus der Jungschen Apotheke sich vorkommen wie der Nante Glaßbrenners:

»Ick sitze da und esse Klops,
Uff eenmal kloppt's!
Ick jeh zur Tür und denk: Nanu,
Erst war se uff, jetzt isse zu?
Ick jehe raus und kieke –
Und wer steht draußen? Icke.«

In dieser Verfassung – Tunnel, Zieten, Februarrevolution in Frankreich, Kartoffelunruhen in Berlin – verließ Fontane in den Märztagen oft sein erbärmliches Zimmer in der Jungschen Apotheke, diese »Räuberhöhle«, diesen »Hundestall«, den er »mit noch zwei anderen deutschen Jünglingen« teilen mußte, und wanderte durch den grünenden Tiergarten zu den Zelten, dem beliebtesten Vergnügungszentrum der Hauptstadt, wo die Berliner sommers hinzogen, um zu gondeln, und winters, um Schlittschuh zu laufen. Dort war 1818 das erste Dampfschiff mit einer Maschine aus der Fabrik von James Watt die Spree hinunter nach Potsdam gefahren, hatte den Betrieb aber schon bald wieder einstellen müssen. Jetzt strömte die Berliner Bevölkerung aus anderen Gründen dort zusammen. Seit dem Winter mit seinem Sturm der Hausfrauen auf die Marktstände war es zu keinen größeren Demonstrationen mehr gekommen, aber die Spannung, die Unzufriedenheit waren stetig gestiegen. Je rigoroser die Zensur gehandhabt wurde, je weniger authentische Nachrichten man erhielt, um so größer wurde das Bedürfnis, von irgend jemand eine Bestätigung der vielen umherschwirrenden Gerüchte zu erlangen. Was ging in Wien vor sich, wie sah es in den anderen deutschen Staaten aus? In den Zelten hoffte man eine Antwort darauf zu erhalten.

»Jeden Tag fand sich«, berichtet ein Zeitgenosse, »eine hörbegierige Gemeinde ein, und jeden Tag fand sich auch jemand, den der Geist trieb zu reden. Die kleinen wohlfeilen Zeitungen, die jetzt Tausende von Abonnenten haben, wurden in jenem Jahr nur mit geringem Glück versucht; der kleine Mann hatte es noch nicht gelernt, die Ausgabe für eine Zeitung in sein Jahresbudget einzustellen. Er wollte durch mündliche Mitteilung vernehmen, was sich in der Welt zugetragen, und sein Verlangen wurde gestillt. Nach Rhapsodenart wurde von der Estrade herunter mitgeteilt, was geschehen sei, und die tatsächliche Mitteilung sofort in das rechte Licht gestellt. Wenn Lindenmüller mit seiner heiseren Stimme Mitteilung von der Wahl des Reichsverwesers machte und diesen Akt dahin erläuterte, daß das Deutsche Reich, welches bisher halb verwest gewesen, nun einmal wieder ordentlich verwest werden sollte, wen hätte es wohl gelüstet, sich durch langatmige Leitartikel über die staatsrechtliche Bedeutung dieses Vorganges zu unterrichten. Unter allen Rednern, welche der Estrade unter den Zelten zu ihrer Bedeutung verholfen haben, ist keiner so bekannt geworden als Held, die für die Berliner Geschichte jener Tage charakteristischste Figur . . . Im Jahre 1848 Demokrat vom Wirbel bis zur Zehe, ist er allen einsichtigen Liberalen von Anfang an eine verdächtige und anstößige Erscheinung gewesen und hat diesen Verdacht nachträglich in überreichem Maße gerechtfertigt; aber auf die Massen hat er einen so überwiegenden Einfluß ausgeübt, daß er zweifellos in das Parlament gelangt wäre, wenn wir damals direkte Wahlen gehabt hätten ...«

Wenn Lindenmüller seinen Zuhörern die Demokratie wie ein Schlipsverkäufer anpries, so wußten die meisten Berliner, was sie davon zu halten hatten, und die Regierung wußte es auch. Ernster genommen wurden die Forderungen nach Presse- und Vereinsfreiheit und einer gesetzlichen Regelung aller Dienst- und Arbeitsverhältnisse. Diese Forderungen gingen von Werkstatt zu Werkstatt, von Herberge zu Herberge. Hier regten sich die Keime einer wirklichen Revolution. Das ganze soziale Gefüge des Staates schien bedroht.

Aber noch glaubte die Regierung Herr der Lage zu sein. Von den Ministern Thile, Eichhorn und Bodelschwingh bevollmächtigt, erschien am Abend des 13. März der Berliner Polizeipräsident von Minutoli persönlich in den Zelten, um sich vom Ausmaß der Volksbewegung zu überzeugen. Die Ansammlung von Bürgern, Handwerkern und Arbeitern erschien ihm so bedrohlich, daß er Militär anforderte. Eine Schwadron Ulanen rückte vom Brandenburger Tor heran. Feldmarschmäßig ausgerüstete Infanteriebataillone gingen in Stellung. Es kam zu vereinzelten Zusammenstößen, es gab Verletzte und die ersten Toten. Das provozierende Auftreten der Truppen empörte selbst große Teile des Bürgertums. Der ganze Haß der Bevölkerung richtete sich gegen das Militär, das mit Pulver und Blei gegen den vermeintlichen Pöbel vorging.

Dann trafen aus Österreich die aufwühlenden Nachrichten vom Sturz und der Flucht Metternichs in Berlin ein; man erfuhr von der vorausgegangenen Petition der Wiener Bürgerschaft und den Forderungen der Slawen und Ungarn nach politischem Mitbestimmungsrecht. So kam der 18. März heran, ein Sonnabend. Vor dem Schloß hatte sich in den Mittagsstunden eine beträchtliche Menschenmenge versammelt. Unter dem Druck der Ereignisse sah sich der König zu Zugeständnissen gezwungen, er verfügte die Entlassung einiger reaktionärer Minister und bekannte sich zur konstitutionellen Monarchie. Das Volk jubelte, verlangte jedoch immer lauter und energischer die Zurückziehung des Militärs. Da fielen die beiden umstrittenen Schüsse, die die Gesamtlage mit einem Schlage änderten. »Ein Bursche von sechzehn Jahren in blauer Bluse mit einem Topf voll Anschlagzettelkleister vor der Brust«, erzählt Karl Gutzkow, der sich auf dem Schloßplatz befand, »schrie neben mir mit halb zorniger, halb weinender Stimme: ›Ich bin dem Magistrat sein Zettelankleber! Ich soll die Proklamationen ankleben, und sie schießen auf mir!‹« Der Bürgerkrieg war entfesselt. Die Revolution wurde aus der Furcht vor der Revolution geboren, wie es Gutzkow später formulierte.

Mit einer Flinte aus der Requisitenkammer des Königstädter Theaters in der Hand stand auch der Apotheker Theodor Fontane in der folgenden Nacht hinter einer aufgeworfenen Barrikade. Er hatte zwar Pulver auf der Pfanne, aber keine Kugeln zum Verschießen und kam sich in dieser kläglichen Pose eines Freiheitshelden so komisch vor, daß er auf weitere Teilnahme an den Kämpfen verzichtete. Dadurch gewann er von den Vorgängen ein falsches Bild, das er erst Jahrzehnte später berichtigte. Seine harmlose Theaterflinte wurde ihm zum Symbol für die hoffnungslose Lage der Aufständischen, die sich regulären, von Artillerie unterstützten Truppen gegenüber sahen. Er empfand in dieser Stunde nichts von der Begeisterung, die seinen Altersgenossen Rudolf Virchow beseelte, der noch am Abend des 18. März an seinen Vater schrieb: »Die Berliner selbst sind natürlich voll Siegesstolz . . . Das ist etwas ganz Neues und fast das Wichtigste bei der Sache, daß wir jetzt Selbstgefühl, Selbstachtung, Selbstvertrauen gewonnen haben.« Von diesem moralischen Auftrieb spürte Fontane damals nichts, er war eher vom Gegenteil erfüllt: einem Gefühl der »Gesamtmiserabilität«, das in den kommenden Jahren vorherrschen und Schopenhauers pessimistische Philosophie in Mode bringen sollte.

Als der König dann in einem Aufruf die Vorgänge so darstellte, als habe er die Truppen, die trotz Fontanescher Theaterflinten schon halb demoralisiert waren und zum mindesten keinen vollen Sieg erfochten hatten, nur deshalb zurückgezogen, um seinen »lieben Berlinern« weiteres Blutvergießen zu ersparen, griff dieses »Elendsgefühl« noch weiter um sich. Der Aufruf war ein Meisterstück der Verdrehungskunst und gleichzeitig ein großartiger Appell an die Sentimentalität der Berliner. Darin hieß es: ». . . Noch war der Jubel, mit dem unzählige treue Herzen mich begrüßt hatten, nicht verhallt, so mischte ein Haufen Ruhestörer aufrührerische und freche Forderungen ein und vergrößerte sich in dem Maße, als die Wohlgesinnten sich entfernten. Da ihr ungestümes Vordringen bis ins Portal des Schlosses mit Recht arge

Absichten befürchten ließ und Beleidigungen wider meine tapferen und treuen Soldaten ausgestoßen wurden, mußte der Platz durch Kavallerie im Schritt und mit eingesteckter Waffe gesäubert werden, und zwei Gewehre der Infanterie entluden sich von selbst . . . Meine Truppen haben erst dann von der Waffe Gebrauch gemacht, als sie durch viele Schüsse dazu gezwungen wurden. Das siegreiche Vordringen der Truppen war die notwendige Folge davon.«

Und schon ein paar Tage später, am 21. März, erließ Friedrich Wilhelm IV. eine neue Proklamation, die mit den Worten schloß: ». . . Ich habe heute die alten deutschen Farben angenommen und mich und mein Volk unter das ehrwürdige Banner des Deutschen Reiches gestellt. *Preußen geht fortan in Deutschland auf.*«

Am 8. April verkündete das neue liberale Ministerium Camphausen-Hansemann ein Gesetz, »wonach durch das allgemeine, gleiche, geheime, aber indirekte Wahlrecht eine Versammlung gewählt werden solle, die mit der Krone die künftige Staatsverfassung zu vereinbaren habe«.

Dieses Gesetz hatte für Fontane unerwartete Auswirkungen. Auf einer der ersten Versammlungen, durch das Auftreten eines schwatzhaften Schulvorstehers gereizt und in seinem Gefühl der »Gesamtmiserabilität« bestärkt, ergriff er kurz das Wort und wies sarkastisch darauf hin, daß es hier nicht darum gehe, »für die Hohenzollern oder die Freiheit direkte Sorge zu tragen«, sondern einzig und allein, »als bescheidene Urwähler« einen »bescheidenen Wahlmann« zu wählen. Die versammelten Kleinbürger waren von soviel politischer Weisheit derart hingerissen, daß sie ihn, den Apotheker Theodor Heinrich Fontane, als Wahlmann aufstellten, die hübscheste Szene in diesem für Fontane an Irrungen und Wirrungen reichen Jahr. Es hatte ihn mit einer Theaterflinte auf den Barrikaden und als unfreiwilligen Wahlmann gesehen und sah ihn kurz darauf im pietistischen Krankenhaus »Bethanien«, wo er gegen ein Gehalt von zwanzig Reichstalern und bei freier Wohnung und Station die pharmazeutische Ausbildung zweier Diakonissen übernahm – ein Idyll, das nur dadurch getrübt wurde, daß der Chef des Hauses, ein Pastor Schultz, »von der Anschauung durchdrungen« war, »daß man die Welt mit Bibelkapiteln – unter allen Regierungsformen die furchtbarste – regieren könne«.

Merkwürdigerweise nahm Fontane den Kampf, den er auf den Barrikaden für aussichtslos gehalten hatte, gerade in diesem Hort der Orthodoxie wieder auf. Im September schrieb er an Bernhard von Lepel: »Ich bin nicht in der Stimmung, auf Deinen unendlich friedlichen Brief, der nach Abgeschiedenheit und nach jedem beliebigen Jahrgang – nur nicht nach 1848 schmeckt, einzugehen; die Ereignisse der letzten Tage: der Wrangelsche Armeebefehl und das Ministerium ›Pfuel, Eichmann, Bonin‹ erklären geradezu die Konterrevolution und fordern zum Kampfe heraus.«

Fontanes entschieden demokratische Haltung führte zu heftigen Auseinandersetzungen mit dem konservativen Freund, nicht im »Tunnel«, wo man derartige Debatten vermied, sondern in Briefen, in denen sich Fontane lange vor seinen ersten Romanen als kritischer Schilderer und Analytiker der Gesellschaft seines Jahrhunderts übte. Aber nicht nur in Briefen, auch in politischen Artikeln setzte er sich mit der Zeit und ihren Nöten auseinander, alle aus seiner Bethanien-Zeit, lange vergessen und von dem alten Fontane in seinen Memoiren mit Stillschweigen übergangen. Varnhagen von Ense, der aufmerksamste Chronist der Epoche, vermerkte in seinem Tagebuch: »Ein kleiner, trefflich geschriebener Aufsatz in der Zeitungshalle hier, von Th. Fontane unterschrieben, sagt geradezu, Preußen stirbt, und muß sterben, es soll seinen Tod sogar eigenhändig vollziehen. Das hat mich sehr ergriffen. Es ist viel Wahres darin.«

Und noch im November 1848, kurz vor der Unterdrückung der »Zeitungshalle«, heißt es im letzten dieser Aufsätze: »Unsere Einheit ohne das ganze Maß der Freiheit ist ein Unding . . . Ohne Freiheit gibt es wohl eine Einheit der Kabinette, eine Einheit der Polizei, eine Einheit von allem Möglichen, nur nicht eine Einheit des deutschen Volkes.«

Mit diesen Worten, an die Männer der Paulskirche in Frankfurt gerichtet, ging das Jahr 1848 für Fontane zu Ende. Seitdem »ist der Absolutismus zwar eine äußere Möglichkeit geblieben, aber eine innere Unmöglichkeit geworden«, wie es bei Friedell heißt. Die »deutsche Frage« allerdings blieb offen.

»Die deutsche Frage wird überhaupt nicht in unseren Kammern, sondern in der Diplomatie und im Felde entschieden«, schrieb Otto von Bismarck an seine Braut Johanna von Puttkammer. Fontane sollte auch diese Entscheidung aus nächster Nähe miterleben.

# AMARANTH

Noch bevor General Wrangel, der neuernannte »Oberbefehlshaber in den Marken«, im November 1848 mit seinen Truppen in Berlin einrückte, den Belagerungszustand über die Stadt verhängte, die Bürgerwehr entwaffnete und der Nationalversammlung das provinzielle Brandenburg an der Havel als Tagungsort zuwies, erschien, wie ein Auftakt zu diesen reaktionären Maßnahmen, ein Büchlein, das bald den traurigen Ruhm haben sollte, als Brevier aller Gegenrevolutionäre zu gelten – die »Amaranth« des Freiherrn Oscar von Redwitz. Ihr Verfasser war damals gerade erst fünfundzwanzig Jahre alt, wurde jedoch durch sein Poem, das wie Hohn auf alle echte Romantik wirkte, mit einem Schlage berühmter als Herwegh und Heine zusammen.

In dieser »Amaranth« entdeckte die Reaktion *ihr* Buch; so mißtrauisch und argwöhnisch sie sonst auch gegen Bücher und alles Gedruckte war, hier fand sie sich selbst verherrlicht, gerechtfertigt und als göttliche Fügung gepriesen. Wenn Ruhe als erste Bürgerpflicht galt, so galt die »Amaranth« als Evangelium derer, die von dieser Ruhe profitierten. Das Buch hatte einen geradezu verblüffenden Erfolg. So verschollen es heute ist, so weit verbreitet war es damals. Es war gegen alles gerichtet, was mit den Märzgefallenen unter der Erde des Friedrichshains ruhte, und manch einer, der einst in den Zelten aufwieglerischen Reden gelauscht und vielleicht beifällig dazu genickt hatte, nahm jetzt die »Amaranth« zur Hand und erfuhr, daß er freigesprochen werden könne von den Sünden seiner Jugend, wenn er allen liberalen Ideen abschwöre. Dort las er:

»Ja! Durch der Erde weite Lande
Möcht' ich mit Schwert und Fackelbrande
Ein gottgesandter Rächer schreiten!
Und möcht' die Lügen all' erdolchen,
Und möcht' auf den erschlagnen Molchen
Dem Herrn den Opferbrand bereiten!
Ich möcht' das ries'ge Erdenrad,
Dem Herrn entrollt vom Lügnerschwarm
Mit milliardenfachem Arm
Zurückziehn in des Glaubens Pfad! – «

Es war die Epoche, die der Berliner Volksmund in Anlehnung an das Rossebändigerdenkmal vor dem Schloß als »gehemmten Fortschritt« und »beförderten Rückschritt« bezeichnete. Es war die Zeit des Drei-Klassen-Wahlrechts und der bald darauf folgenden Olmützer Punktation. Alles war matt, platt, philiströs, die Gesichter, die Kleidung, die Gesinnung. Auf diesen Boden fiel die »Amaranth«, eine schmachtende Verserzählung vom Ritter Jung-Walther aus dem Heere Barbarossas und seiner Liebe zu dem Edelfräulein Amaranth, dem Urbild aller kitschigen Schwarzwaldmädel. In Italien wird der forsche Rittersmann seiner Geliebten untreu und gerät in den Bann einer »freigeistigen« Italienerin, die er zu bekehren versucht; als ihm das nicht gelingt, kehrt er reumütig in den Schwarzwald seiner reaktionären Gefühle zurück.

Und die Zeit stellte sich das Armutszeugnis aus und feierte das Werk als Dichtung und als patriotische Tat. »Wie ein vom Himmel urplötzlich in seine Seele gefallenes Saatkorn« sei ihm die Idee zur »Amaranth« gekommen, bekannte der jugendliche Dichter; sie sei unter dem Einfluß der »widerwärtigen Stimmung« entstanden, die die politisch-revolutionäre Tagespresse in ihm geweckt habe. Aus welchem Himmel die Idee auch immer in seinen Schoß gefallen sein mochte, das Saatkorn ging jedenfalls wie Unkraut auf; und während der im selben Jahr begründete »Kladderadatsch« mit der Zensur um seine Existenz ringen mußte und von dem im gleichen Jahr erschienenen »Kommunistischen Manifest« kaum ein paar Exemplare nach Preußen gelangten, erlebte die »Amaranth« Auflage um Auflage, so daß selbst Leute wie Geibel und Kugler, die Gottfried Keller ebenfalls zu den literarischen »Süßwasserfischen« zählte, vor Neid erblassen konnten.

Auf Fontane mußte das Buch besonders abstoßend wirken. Daß es von den Diakonissen im Bethanien-Krankenhaus, wo er arbeitete, verschlungen wurde, war nicht weiter überraschend – kreuzfahrende Ritter mit Schwarzwaldmädel-Vergangenheit waren damals genauso beliebt wie heute filmende Boxer mit mehrfach geschiedener Ehe. Dagegen fanden publizistische Arbeiten von ihm zu Tagesfragen schon nicht mehr den Weg in die Öffentlichkeit, der durch die »Amaranth« blockiert war. Als er ein Jahr darauf in einem Aufsatz die Frage anschnitt, ob Preußen ein Militär- oder Polizeistaat sei, erhielt er das Manuskript von der Dresdner Zeitung zurück. Romanzen wie seine Gedichte »Von der schönen Rosamunde« mochten hingehen, politische Artikel mit einer klar erkennbaren revolutionären Tendenz verfielen der Ablehnung und waren unerwünscht. Ebenso inopportun war es, über die Führer der preußischen Demokraten schreiben zu wollen, wie über den im Mai 1849 verhafteten Benedikt Franz Leo Waldeck. Als man ihn im Dezember freisprechen mußte, begann Fontane eine Monographie über den Mann, dessen Wirken und Bestrebungen von der »Amaranth« indirekt angegriffen und verunglimpft wurden wie alles, was unter derselben Fahne gekämpft hatte und weiter zu kämpfen versuchte.

So konnte Fontane nicht umhin, sich mit dem Erstlingswerk des Freiherrn Oscar von Redwitz auseinanderzusetzen. Auch er fühlte sich dadurch herausgefordert und betroffen. Es war ein Buch, das unter normalen Umständen, in einer fest gefügten Gesellschaft mit entwickeltem Geschmack kaum jemand in die Hand genommen hätte, und wenn, dann nur, um darüber zu lachen. Aber jetzt übte es durch eine Verkettung beklagenswerter Umstände, durch eine Erschütterung der Verhältnisse, eine Verschiebung der Maßstäbe eine ungeheure Wirkung aus. Die Lektüre war eine Qual für Fontane. Alles daran widersprach dem realistischen Grundzug seiner Natur, der Diderotschen Klarheit seines Denkens und künstlerischen Empfindens.

Es mußte schlimm stehen um Deutschland, wenn ein solches erzreaktionäres Werk die Zustimmung und den Beifall weitester Kreise und breitester Schichten erringen konnte. Es war geradezu ein Gradmesser für den Verfall, der eingesetzt hatte. Das Buch schwebte gleichsam in einem geschichtslosen leeren Raum. Es tat, als hätte es keinen Napoleon, keinen »Aufruf an mein Volk«, kein Verfassungsversprechen gegeben. Es tat, als gäbe es keine Dampfmaschinen und Eisenbahnen, keinen Telegraphen, keine magnetische Induktion, als wäre die ganze Naturwissenschaft ein Werk des Teufels, als gäbe es keine soziale Frage, keine Probleme, die aus der ungleichen Verteilung des Besitzes entstanden. Es war das Werk eines Dilettanten in künstlerischen und politischen Dingen. Es war eine substanzlose Reimchronik aus der Zeit der Kreuzzüge, das lächerlichste Klischee dieser blutigen Epoche, ohne Gefühl für Größe, Wahrhaftigkeit, Natur, all das Unwägbare, das ein Kunstwerk ausmacht – schwülstig, frömmelnd, sentimental statt dessen, so ultramontan wie es selbst zu Metternichs Glanzzeiten keiner seiner besoldeten Schreiber zu sein gewagt hatte, kurz, es war ein von Minne, Treue, Glauben triefendes und von hehren deutschen Frauen schwärmendes Gebilde, nur deshalb erstaunlich, weil es eine Unzahl kritik- und kampfmüder und glaubensbedürftiger Gemüter mit unwiderstehlicher Gewalt ergriff.

Fontane war jedoch weder kritikmüde noch glaubensbedürftig, schon gar nicht im Redwitzschen Sinne, und so lehnte er die

»Amaranth« genauso scharf ab, wie er Gerhart Hauptmanns erste Dramen Jahrzehnte später begeistert begrüßte.

Er schrieb: »Die Erfolge der ›Amaranth‹ bilden ein Unikum in unserer Literatur ... wir könnten in den bekannten Ausruf ausbrechen: ›Die Dummheit ist das ewig Siegende!‹, wenn wir uns so recht vergegenwärtigen, daß Jahre vergehen mußten, bevor dem protestantischen Norddeutschland die Schuppen von den Augen fielen und es Einsicht gewann, was eigentlich des Pudels Kern sei. Wir entsinnen uns, die ›Amaranth‹ vielfach bei Landpredigertöchtern vorgefunden und den Herrn Pastor selber in leidlicher Ekstase über ›diese herrliche Dichtung‹ gesehen zu haben, so daß an diesem Beispiele wieder recht klar geworden ist, wie kleine Zahlen das Häuflein derer aufweist, die überhaupt irgendwelches Verständnis für eine Dichtung (gleichviel welche) mitbringen, und daß sich die meisten Menschen, selbst Personen von sogenannter literarischer Bildung, sofort ihres Urteils, ja selbst ihres gesunden Menschenverstandes begeben, sobald sie gereimte Jamben vor sich haben. Der albernste Autoritätsglaube, die geistloseste Nachplapperei tritt sofort an die Stelle der eigenen Kritik, und, zu bequem zum Nachdenken, zu feig zum Widersprechen, faselt sich groß und klein in eine Begeisterung hinein, die natürlich so lange dauert wie die Mode und der Antrieb, der sie gibt.

Die ›Amaranth‹ ist ein *katholisches* Buch, und wir dürfen uns nicht wundern, daß Herr Reichensperger um dieser *Tendenz* der Dichtung willen sie in ultramontanen ... Blättern als die bedeutendste Erscheinung der neueren deutschen Literatur herausgehoben hat . . . Der ›Katholizismus‹ ist's keineswegs, woran wir Anstoß nehmen, ja sogar nicht einmal die katholische Tendenz. Wir wissen sehr wohl, auf wie gutem Fuße Poesie und katholische Kirche stehen, und kennen die Kräfte, die dem gläubigen Dichter aus ihr erwachsen. Aber was uns widerstrebt, das ist der *Amaranthsche* Katholizismus, ein armes, eitles, kokettes Ding, das entweder die Lüge selber ist oder doch mit seinen feinen Füßchen in Vaters großen Stiefeln so lächerlich einherschreitet, daß man das bißchen Verwandtschaft gar nicht merkt und immer wieder nur den Eindruck der Unwahrheit, mindestens völliger Gespreiztheit empfängt. Die einzig gesunde, lebensfähige Gestalt dieser Dichtung ist Ghismonda, *sie* eben, die gegeißelt und in ihrem Unglauben gebrandmarkt werden soll. Ritter Walther ist kein Ritter, sondern der modernste prätentiöseste Geck von der Welt, ein Fant, der durch Jagdhorn und obligaten Falken noch lange nicht zum Jäger und durch etwas Sehnsucht nach dem Heiligen Grabe noch lange nicht zum Kreuzfahrer gestempelt wird. Die Art, wie er Ghismonden seinem Wunsch und Willen gehorsam machen will, ist lächerlich und die eklatante Weise, in der er mit ihr bricht (nachdem er lange weiß, wie es mit ihrem Glauben steht) verächtlich und nichts als Effekthascherei. Der Dichter brauchte dies große Tableau, um den Pomp der Kirche in aller Herrlichkeit entfalten zu können. Und nun Amaranth selbst, dies holde Waldkind? Man lese die Lieder, die sie singt. Wir unserteils haben, ein paar Niedlichkeiten abgerechnet, nie Alberneres gelesen. Das soll naiv, das soll der Ton des Volkslieds sein? Komödianterei und nichts weiter.«

Auch einige andere Zeitgenossen empfanden so. Otto Roquette schreibt: »Die Verschiedenheit der politischen Anschauungen, welche damals alle Verhältnisse beherrschte, mußte mich von vielen Persönlichkeiten . . . unbedingt trennen. In jener Reaktionszeit auf die allgemeinen deutschen Bestrebungen der letzten Jahre machte sich auch unter den Schriftstellern vielfach ein rabiates und wahrhaft borniertes Preußentum breit, welches den erbittertsten Haß gegen politischen und geistigen Fortschritt in sich trug . . . Was von eigentlicher Reaktionsliteratur von auswärts her an uns gelangte, regte uns auch vielfach auf. Zwar so etwas wie das ›Märlein‹ von Oscar von Redwitz, von dem Bächlein, dem von dem Bäumchen ein Kreuzlein auf die Lebensreise nachgeworfen wird, konnten wir als schale Kinderei verlachen, und so auch seine dramatische ›Sieglinde‹, welche sich aus Kinderliebe und Frömmigkeit zu Tode rennt . . .«

Aber so sehr einzelne auch über Redwitz und seine Richtung spotten mochten, die »Amaranth« rannte sich weder aus Frömmigkeit noch aus Liebe zu Tode, sondern thronte weiter auf ihrem »Harfenstein«, und noch im Jahre 1900 konnte der Verlag Franz Kirchheim in Mainz, trotz Kulturkampf und allem, was dazwischen lag, eine dreiundvierzigste Auflage dieses Bandes voller Butzenscheibenlyrik herausbringen. Er stand längst nicht mehr allein. Eine lange Reihe von Verserzählungen war in der zweiten Jahrhunderthälfte in seinem Gefolge erschienen; denn das Schlechte hat immer Folgen, das Gute selten, und das deutsche Bürgertum las noch immer lieber Rudolf Baumbach und Julius Wolf als Gottfried Keller und Fontane.

# EHE

Ende September 1849 war Fontanes Dienstvertrag in »Bethanien« abgelaufen. Wieder stand er vor der Frage, wie es weitergehen sollte. Er durfte kaum damit rechnen und darauf hoffen, eine bessere Stellung zu finden, als er sie dort innegehabt hatte.

»Sonderbarerweise hat es sich für mich immer so getroffen«, schrieb er noch als alter Mann, »daß ich unter Muckern, Orthodoxen und Pietisten, desgleichen auch unter Adligen junkerlicher Observanz meine angenehmsten Tage verlebt habe.«

Für eine Weile spielte er mit dem Gedanken, auszuwandern. Viele Achtundvierziger waren, verbittert oder hoffnungsvoll, je nachdem, nach Amerika gegangen; manche hatten drüben Fuß gefaßt, andere waren enttäuscht zurückgekehrt, wie Nikolaus Lenau, Fontanes besonderer Liebling aus den Swinemünder Tagen der Polenschwärmerei. Auch sein Onkel August hatte Deutschland verlassen. Seit einiger Zeit lebte er in New York und forderte den Neffen auf, nachzukommen und sich drüben eine neue Existenz zu gründen, oder das, was dieser hochstaplerische Onkel darunter verstehen mochte. Er sei »ein so vollendeter Bummler, ein so überreifer Yankee«, schrieb Fontane an einen Freund, »daß ich blitzwenig Lust habe, mit ihm zu verkehren und dadurch gewissermaßen seine Schwindeleien gutzuheißen, mindestens zu tolerieren.«

Und so gab er seine Auswanderungspläne schon bald wieder auf. Noch andere Überlegungen bestimmten ihn dazu. In einem Brieffragment aus jenen Tagen geht er näher darauf ein: »... Ich gedenke auszuhalten: einmal, weil ich noch hoffe, dann aber auch, weil ich, übersiedelnd in die Neue Welt, Bande zerreißen müßte, die mich mit meinem eigentlichen Leben an unsere deutsche Erde fesseln. Wir sind nicht alle gleich in dem, was das Herz begehrt: und die Freiheit und Unabhängigkeit, die der eine draußen in der Welt sucht, findet der andere in dem Freistaat der Kunst und Wissenschaft. Ich liebe die deutsche Kunst, das ist mein eigentliches Vaterland, und es aufgeben, hieße mich selbst aufgeben ...«

Die Literatur, bisher nebenbei betrieben, nahm sein Fühlen und Denken immer mehr in Anspruch und forderte den ganzen Menschen. Und so faßte er den Entschluß, seine Apothekerlaufbahn aufzugeben, dieses unwürdige Sichverdingen an Leute, die ihr Geld mehr oder weniger mit Queckenextrakt und Quacksalberei verdienten, und als freier Schriftsteller zu leben – komme, was wolle. Er bezog ein schäbig möbliertes Zimmer in der Luisenstraße, trat mit einer Dresdner Zeitung in Verbindung, schrieb Artikel und Balladen, sah sich indes schon nach wenigen Wochen zu dem Geständnis gezwungen: »Die ganze

Barschaft ist aufgezehrt, der Kredit erschöpft, und ich bin entschlossen, am 1. Dezember wieder unter die Handarbeiter zu gehen. Ich weiß noch nicht, ob als Apotheker oder als Kutschenschlagaufmacher (allen Ernstes!) bei der Eisenbahn.«

Bemühungen der bekannten Schriftstellerin Fanny Lewald, die er auf einem Ball kennengelernt hatte, ihm eine Anstellung bei der Kriegsministerialbibliothek zu verschaffen, schlugen fehl. Dafür hatte sein Freund Wolfsohn etwas mehr Erfolg in seinen Bemühungen, Fontane zu helfen. Ihm gelang es, einen Dessauer Verleger zur Herausgabe des Romanzenzyklus »Von der schönen Rosamunde« zu bewegen. Das Büchlein erschien zu Weihnachten und brachte seinem Verfasser ganze drei Louisdor ein. Der König ließ sich von Louis Schneider daraus vorlesen, aber zur Gewährung der von Freiligrath abgelehnten Poetenpension an Fontane konnte er sich nicht entschließen. Die Preußenlieder dieses Fontane – gut und schön – markig und kräftig – lobenswert –, aber seine politische Gesinnung gebe doch zu allerlei Bedenken Anlaß. Und diese Gesinnung war in der Tat alles andere als bedingungslos preußisch.

Mit zunehmender Erbitterung hatte Fontane den schmutzigen Krieg in Schleswig-Holstein verfolgt, das hartnäckige Vordringen der Dänen, das Scheineintreten Preußens und des Deutschen Bundes für die unterdrückten Landsleute, den schmählichen Waffenstillstand von Malmö, durch den alle bisher errungenen Vorteile wieder hinfällig wurden, den Bruch dieses Waffenstillstandes durch Dänemark und die zunehmende Dänisierung der beiden Länder.

Als die Bevölkerung der Herzogtümer 1850 einen letzten Versuch unternahm, das dänische Joch abzuschütteln, zur Selbsthilfe griff und Freischaren bildete, ließ man sie von Berlin aus schmählich im Stich – aus Angst, daß bei einem Sieg der bewaffneten Schleswig-Holsteiner die Revolution in ganz Preußen neu aufflackern und daß die für die Regierung glimpflich verlaufenen Märztage sich wiederholen könnten.

Am 25. Juli 1850 kam es zur Schlacht bei Idstedt. Die Dänen siegten, die verratenen Schleswig-Holsteiner unterlagen der Übermacht.

Die Nachricht von der Niederlage bei Idstedt erschütterte Fontane so tief, daß er in der ersten Gefühlsaufwallung aufbrach, um sich den Regimentern unter General Willisen anzuschließen, nicht ahnend, daß dieser General den unglücklichen Ausgang der Schlacht, wenn nicht absichtlich herbeigeführt, so doch nicht mit allen Mitteln verhindert hatte. Ihm schien, als könnten jetzt nur noch Freiwillige aus allen Teilen Deutschlands die Sache der Schleswig-Holsteiner retten. Es kamen indes nur wenige, auch er selber kam nur bis Hamburg, wo ihn ein amtliches Schreiben, unterzeichnet von seinem Tunnelfreund Wilhelm von Merckel, erreichte, der inzwischen zum Chef der Presseabteilung im Preußischen Innenministerium avanciert war und ihm eine Stellung in seinem »Literärischen Bureau« anbot. Für eine Weile schwankte Fontane, dann akzeptierte er »dankbarst« und nahm den Köder an, von dem er wohl wußte, daß es ein verzuckerter Giftbrocken war, darauf berechnet, ihn auf die Seite jener Mächte hinüberzuziehen, die zu bekämpfen er ausgezogen war. Und dann setzte er sich hin und schrieb an Lepel einen der bittersten Briefe seines Lebens, noch einmal völlig durchdrungen von dem Gefühl der »Gesamtmiserabilität«:

»... Ich wollte eigentlich gleich bis Kiel, so daß ich Hamburg nur passiert hätte; auf den letzten Stationen aber überlegte ich mir die Sache anders. Der Zweck meiner Reise ist doch mal der, dem Kriegsschauplatz möglichst nah zu sein, ich bin aber in Kiel ziemlich ebenso weit davon entfernt wie hier. So hab ich denn beschlossen, hier erst auszuhorchen und dann – wenn mir der rechte Augenblick gekommen zu sein scheint – auf die Ereignisse, noch während sie sich machen, loszustürzen ... Die Frage liegt Dir nah, was ich denn eigentlich da will. Leider kann ich sie Dir nicht beantworten, ich weiß es selbst nicht. Könnt ich dem Zuge meines Herzens folgen, so nähme ich ganz einfach den Kuhfuß (Gewehr) zur Hand und träte ein in Reih und Glied. Gerade weil alle Welt jetzt schreit: ›Die Sache ist verloren!‹ und weil sie's vielleicht wirklich ist, geziemte es *deutschen* Männern (wo ist Diogenes mit der Laterne), mit dem guten Recht jenes herrlichen Landes zu stehn oder zu fallen. – Meine Schmähung trifft mich mit; auch ich habe feierlich versprochen, mich bei *Handlungen* nicht zu beteiligen. Denk ich an meine Mutter und Braut, so erscheint mir die bloße Beobachterrolle sogar wie eine Pflicht. *Resultat:* ich werde dies und das hören und sehen, werde das Aufgepickte in ein paar Zeitungsartikeln wieder von mir geben und mit dem koddrigen Bewußtsein heimkommen, für die Schleswig-Holsteiner meine tapfre – Feder gezogen zu haben. Man hat vor den gewöhnlichen Lumpenhunden nur das voraus, daß man wie der wittenberg-studierte Hamlet sich über seine Lumpenschaft vollkommen klar ist.«

Und dann kritzelte er, monatlich vierzig Taler vom Preußischen Innenministerium in Aussicht, noch ein paar Worte auf einen Bogen Papier und richtete ihn an seine Braut: »Schleswig-Holstein aufgegeben. Wenn Dir's paßt, im Oktober Hochzeit.« Konnte er Schleswig-Holstein schon nicht befreien, so wollte er wenigstens seine Emilie heimführen; endete sein Feldzug nicht mit der Freiheit, so mochte er mit der Ehe enden.

Fast fünf Jahre war er mit ihr verlobt, dem Fräulein Georgine Emilie Caroline Rouanet-Kummer, mütterlicherseits von französischen Emigranten abstammend, Tochter eines Kgl. Bataillonsarztes aus Beeskow in der Mark, im Jahre 1824 während der Witwenschaft ihrer Mutter zur Welt gekommen und schon als Dreijährige von dem Rat Karl Wilhelm Kummer in Berlin adoptiert. Dort sah der sechzehnjährige Fontane, der lieber bei Stehely und Anthieny Zeitungen las und durch den Teltow oder die Tegeler Heide streifte, statt die Klödensche Gewerbeschule zu besuchen, sie zum ersten Mal. Damals »trug sie heruntergeklappte nasse Stiefel, einen kleinen Mantel von rotem Merino mit schwarzen Käfern drin und einen sonderbaren, nach hinten sitzenden Strohhut, der ihr bei den Straßenjungen den Beinamen ›das Mädchen mit de Eierkiepe‹ eingetragen hatte ... Das Gesicht, ein blasses Dreieck mit vorspringender Stirn und Stupsnase, war nahezu häßlich, aber die zurückliegenden, etwas unheimlichen Augen glühten wie Kohlen und machten, daß man das Kind bemerken mußte.«

Das seltsame, fremdländische Aussehen des kleinen Mädchens, ihr »Abruzzentum«, wie er es nannte, hinterließ bei dem Sechzehnjährigen einen tiefen Eindruck. Als er sie nach neun Jahren wiedersah, hatte sich das Exotische zwar verflüchtigt, von der melodramatischen Begabung, mit dem sie ihn einst durch die Wiedergabe einer Szene aus »Romeo und Julia« entzückt hatte, war nichts mehr zu merken, sie war jetzt »alles in allem, beweglich und ausgelassen, vergnügungsbedürftig und zugleich arbeitsam«, und als er sie eines Abends nach Hause begleitete, nach Wiederaufnahme des alten Freundschaftsverhältnisses, hatte er, »wenige Schritte vor der Weidendammer Brücke«, den »glücklichsten Gedanken« seines Lebens und verlobte sich mit ihr.

»Doch ob das Glück mir auch ein dürrer Bronnen
Und ob ich auch entbehren mag und leiden,
Ich habe doch das beste Teil gewonnen.

Und sollt' ich diese Stunde noch entscheiden
Mich zwischen Dir und einer Welt voll Wonnen,
Es bliebe doch beim Alten mit uns beiden.«

Auf seinen impulsiven Vorschlag aus Hamburg, so bald wie möglich zu heiraten, antwortete Emilie: »Also Oktober! Alle Verwandten . . . haben lange Gesichter gemacht, aber niemand hat zu widersprechen oder auch nur abzuraten gewagt.«

Am 16. Oktober fand die Trauung in der Französischen Kirche statt. »Mrs.: le Past: Fournier a béni dans le temple de Berlin le mariage de Henri Theodore Fontane, littérateur, . . . avec Georgine Emilie Caroline Rouanet-Kummer . . .«

»Ich habe viele hübsche Hochzeiten mitgemacht, aber keine hübschere als meine eigene«, erklärte Fontane später. Zum Hochzeitsschmaus versammelte sich die Gesellschaft, etwa zwanzig Personen, in einem kleinen Lokal in der Bellevuestraße, in ganz Berlin wegen seiner »Spargel und Kalbskoteletts« bekannt. Der Oberkellner aus dem *Café National*, wo der »Tunnel« tagte, übernahm das Arrangement und sah zu, daß alles klappte. Pastor Schultz aus »Bethanien« ließ das Brautpaar hochleben. Paul Heyse und Friedrich Eggers waren zugegen und »viele französische Rasseköpfe«.

»Das reizendste für mich war«, schrieb Fontane im Rückblick auf diesen Tag, »daß ein Bräutigam nicht zu antworten braucht. Ich beschränkte mich auf Kuß und Händedruck und aß ruhig und ausgiebig weiter«, so daß Pastor Schultz zu der jungen Frau sagte: »Liebe Emilie, wenn *der so* fortfährt, so wird seine Verpflegung Ihnen allerhand Schwierigkeiten machen.«

Das junge Paar war kaum acht Wochen verheiratet, da wurde das »Literärische Bureau« im Innenministerium aufgelöst, und Fontane wurde mit einer Gratifikation von fünfzig Talern entlassen. Das Auswärtige Amt lehnte seine Einstellung ab, Bewerbungen um einen Redaktions- oder Korrespondenzposten hatten keinen Erfolg, und die jungen Eheleute besaßen außer einem zweischläfrigen Bett buchstäblich nichts, was als Existenzgrundlage hätte dienen können. Zu seinem zweiunddreißigsten Geburtstag erhielt Fontane einen Brief von seinem Vater, der ihm schrieb: »Vor allem wünsche ich Dir, daß Dir aus Deinem Streben auch materieller Nutzen erwachsen möge, ohne welchen –

was man dagegen auch immer anführen mag – irdisches Wohlbehagen nun einmal nicht bestehen kann. Die gütige Vorsehung möge Dich nach dieser Richtung hin begünstigen, wenn auch nur zum vierten Teile so wie die Balzac, Scribe, Sue, Victor Hugo und Konsorten.«

Fontane nahm diesen Glückwunsch zum Anlaß, an Lepel über seine Lage zu berichten: »Diese Schicksalsbegünstigung à la Victor Hugo ließ denn auch nicht lange auf sich warten. Am einunddreißigsten v. M., als ich in der Schadowstraße No. 4 erschien, überraschte mich die Silvestergabe, daß das Kabinett aufgelöst und der Literat Th. Fontane an die Luft gesetzt sei. Eilig strich ich noch 40 rth. Diäten für Monat Dezember ein und verschwand für immer aus den heiligen Hallen, in denen ich fünfmal vier Wochen Zeuge der Saucenbereitung gewesen war, mit welchen das Literärische Kabinett das ausgekochte Rindfleisch Manteuffelscher Politik tagtäglich zu übergießen hatte. Gott sei Dank kann ich mir nachträglich das Zeugnis ausstellen, daß von meiner Seite kein Salz-, Senf- oder Pfefferkorn jemals zu der Schandbrühe beigesteuert worden ist. – Meine Frau, als ich ihr erklärte, daß nun jedes Hindernis beseitigt sei und das Hungern losgehn könne, kriegte natürlich einen kleinen Schreck; meine Beredsamkeit indes und der Hinweis auf vorläufig noch vorhandene 40 rth. beruhigten ihr geängstetes Gemüt, und es werden bald nun acht Tage, daß sie das Unverschuldete mit Fassung trägt. Es versteht sich von selbst, daß meinerseits Schritte die Hülle und Fülle geschehn, um den Schaden wieder auszuflicken; bis jetzt – wie sich wiederum von selbst versteht – ohne Erfolg.«

Dieses erste Jahr ihres Verheiratetseins enthielt im Keime schon alles, was in den Jahrzehnten ihrer Ehe immer von neuem zur Ursache bitterer Auseinandersetzungen und heftiger Szenen zwischen den Gatten werden sollte. Schon kurz nach der Hochzeit, und bald darauf zum ersten Mal schwanger, merkte Emilie, was es hieß, mit einem Versemacher und Artikelschreiber verheiratet zu sein, einem Mann, der keine Stellung lange behielt und einfach unfähig schien, im bürgerlichen Leben Fuß zu fassen. Damit es überhaupt weiterging, der Mietzins pünktlich entrichtet und für das Alltägliche gesorgt werden konnte, mußte sie Pensionäre aufnehmen, während er sich um Nachhilfeunterricht bemühte, obwohl er, wie er freimütig eingestand, selbst nichts Rechtes gelernt hatte. Schließlich sah er sich zu einem Schritt gezwungen, den so mancher deutsche Schriftsteller unter dem Druck wirtschaftlicher Verhältnisse tun mußte, um überhaupt weiterexistieren zu können, er teilte Lepel mit: ». . . Ich habe mich heut der Reaktion für monatlich 30 Silberlinge verkauft und bin wiederum angestellter Scriblifax (in Versen und Prosa) . . . Man kann nun mal als anständiger Mensch nicht durchkommen. Ich debütiere mit Ottaven zu Ehren Manteuffels. Inhalt: der Ministerpräsident zertritt den (unvermeidlichen) Drachen der Revolution. Sehr nett!«

Er kam sich erbärmlich vor, judasähnlich, und nur die gleichbleibende Wertschätzung einiger Freunde, die Verständnis für seine Zwangslage hatten, bewahrte ihn vor absoluter Selbstverachtung. In seinen Erinnerungen geht Otto Roquette auf diese Zeit ein. »Fontane«, schreibt er, »hatte eine praktische Tätigkeit verlassen, um ganz der Schriftstellerei zu leben. Wie schwierig er sich den Lebensweg bereitet, mußte er damals schon erkennen, zumal er sich jung verheiratet hatte ... Doch stand er bereits in dichterischem Rufe, und seine Balladendichtung entfaltete sich in dieser Zeit zur Blüte. Auch Fontane war eine großartig zugeschnittene Natur, wie in seiner stattlichen Erscheinung, so in seinem Wesen. Die Gegensätzlichkeit seiner damaligen politischen Gesinnung, mit welcher er zur konservativen Regierungspresse hielt, hinderte uns in unserem Verkehr nicht. Verstand er doch genug Humor, um selbst zuerst zu lachen, wenn wir die Größe und Verhältnisse der ›Konfliktzeit‹ mit grausigen Scherzen verhöhnten und im Gespräch verarbeiteten.«

Dann kamen die Jahre in England, die Trennung, in die Emilie notgedrungen einwilligte, weil sich kein anderer Ausweg zu bieten schien. »Ich sehne mich nach wie vor aus diesen Verhältnissen, ich glaube fast aus diesem Volk und Lande heraus; kommt es mal zum Scheiden, so scheid ich leichten Herzens ...«

Dann die paar Monate an seiner Seite drüben in London, aber auch dabei war nicht viel herausgekommen, sie hatte sich fremd und unglücklich gefühlt, und nach der Heimkehr fing in Berlin das alte Elend von vorn an. Kinder kamen zur Welt, die Wohnungen wechselten, aber sonst änderte sich kaum etwas, der Erfolg blieb aus. »Mein berühmter Schwager, den keiner kennt«, – mit diesen Worten pflegte ihr Bruder von Theodor und seiner Schriftstellerei zu sprechen, wenn unter dritten und vierten die Rede auf ihn kam. Und das Schlimme war, daß das Wort seine Berechtigung hatte. Selbst Theodors eigene Mutter war gegen ihn eingenommen und geizte nicht mit hämischen und gehässigen Bemerkungen über das Hungerleben, das sie führten. Und dann seine immer wiederkehrenden tiefen Depressionen, seine Nervenkrisen, Weinkrämpfe und andere Krankheiten und Absonderlichkeiten, die ihn umwarfen, so daß Emilie bald um seinen Verstand, bald um sein Leben fürchten mußte. Doch das wäre alles zu ertragen gewesen, diesen Dingen war sie gewachsen und führte ihre Wirtschaftsbücher, diese Dokumente ihrer »Sechserwirtschaft«, die er haßte, mit genau derselben Sorgfalt, wie sie die Manuskripte ihres Mannes, unzählige Artikel und später die umfangreichen Wander- und Kriegsbücher sowie seine Romane ins reine schrieb, ohne ihren Haushalt dabei zu vernachlässigen, eine Arbeitsleistung, zu deren Bewältigung ein Schriftsteller heute zwei Sekretärinnen beschäftigen müßte. Was sie jedoch nicht verstand und was jedesmal zu schweren Zerwürfnissen zwischen den Ehegatten führte, war, daß er immer wieder als Frondeur gegen die preußische Beamtenhierarchie auftrat und lieber den Bestand seiner Familie aufs Spiel setzte, als sich irgendwo einzuordnen, wie es andere Männer taten, die dafür mit Pensionen und Auszeichnungen belohnt wurden. Hier versagte sie völlig, genau wie sie sich noch im hohen Alter, als Fontanes Lebenswerk fast abgeschlossen vorlag, dem jungen Gerhart Hauptmann gegenüber darüber mokierte, daß ihr Mann sich auch jetzt noch für einen Dichter halte. Und das sei er doch nun einmal ganz entschieden nicht, lautete ihr Urteil.

Sie war eine gute Mutter, eine tüchtige Hausfrau, die Putzlappen und Staubwedel mitunter sehr zur unrechten Stunde schwang, dabei klug und belesen und sprachenkundig, aber wie weit das Feld war, das ihr Mann bestellte, übersah sie nicht. Für den Weg immer am Abgrund und an der wirtschaftlichen Unsicherheit hin, den er gehen mußte, war sie nicht geschaffen. Mitunter erwog er, ob es nicht besser wäre, wenn sie sich trennten. Auch sein Vater hatte sich noch nach dreißig Ehejahren von seiner Frau getrennt. Oft mußte er an seinen letzten Besuch bei dem Alten in Schiffmühle-Tornow denken und die Gespräche, die sie geführt hatten – über das Leben, die Verhältnisse, die Ehe. »Zuneigung allein ist nicht genug zum Heiraten«, hatte Louis Henri gesagt; »heiraten ist eine Sache für vernünftige Menschen«, und ein solcher vernünftiger Mensch sei er nie gewesen. Ach, der Vater und die Ehe der Eltern! Nicht glücklicher und unglücklicher als seine eigene und die meisten Ehen. Und wenn die Grenze des Erträglichen für ihn durch Emilies Verhalten manchmal erreicht schien, so richtete er sich an einem letzten Wort des Vaters auf, der seiner Frau nach einem Leben voller Kummer und Verdruß nicht einfach die Schuld zugeschoben, sondern ihr das Zeugnis ausgestellt hatte: »Sie hat recht gehabt in allem, in ihren Worten und in ihrem Tun.«

Und als es in seiner, Theodor Fontanes, Ehe wieder einmal ganz schlimm stand, schrieb er an seine Frau: »Sei versichert, daß ich mit allen Kräften, mit Kopf und Beinen bemüht bin, ein bißchen Glück und Unabhängigkeit für uns zu erobern.« Und das gelang, soweit es überhaupt gelingen konnte in einer Welt, in der wenige Dinge von innen und außen so gefährdet und fragwürdig sind wie die Existenz eines verheirateten Schriftstellers.

# MENSCHENGLÜCK UND PUTENBRATEN

»Es ist wunderbar«, schrieb Fontane im April 1854 an Theodor Storm, »in wie nahen Beziehungen Menschenglück und Putenbraten zueinander stehen und welche Püffe das Herz verträgt, wenn man jeden Schlag mit einer Flasche Markobrunner parieren kann . . .«

Der Mann, der also philosophierte, war vierunddreißig Jahre alt, verheiratet, hatte gerade wieder ein Kind begraben und bezog ein Monatsgehalt von fünfunddreißig Talern. Dabei kamen nicht oft Putenbraten und Markobrunner auf den Tisch des Hauses. Viel eher mochte es zugehen wie bei den Poggenpuhls aus dem Roman gleichen Namens. Wenn Fontane spät aus der Redaktion kam – ». . . meine Beschäftigung ist auf der Druckerei und nennt sich ›Revision‹ oder ›letzte Korrektur‹ der ›Preußischen Zeitung‹ . . .« – und noch etwas zu essen haben wollte und sich erkundigte, was noch da sei, hieß es wohl: »Viel is es nich.« – »Na, was denn?« – »Nun, eine Boulette von gestern mittag und ein paar eingelegte Heringe mit Dill und Gurkenscheiben. Und dann noch ein Edamer. Aber von dem Edamer is bloß noch sehr wenig.«

Wenig war es überhaupt immer. Wenig Geld, wenig äußerliches Behagen. Sechserverhältnisse, wie er es nannte. Wenn es hoch kam: eine Weißbiersuppe mit Sago, eine kleine Schüssel Teltower Rüben und manchmal etwas Spickgans. Nicht gerade spartanisch, aber doch äußerst frugal – preußisch-subaltern. Gerade so am Rande der Armut entlang. Für einen Mann wie Fontane mit seinem Sinn und seinem Blick für die Zusammenhänge zwischen Menschenglück und Putenbraten so beschämend und bedrückend wie ausgefranste Hosen oder ein fadenscheiniger Paletot. Dabei kostete der Putenbraten beim Königlichen Hof-Traiteur Jagor, Unter den Linden, nur neun Silbergroschen. Zander mit Butter bekam man dort für sechs und zwölf Austern für zweiundzwanzig, was allerdings schon eine Menge Geld war. Die Flasche Markobrunner kostete in demselben Restaurant 1 Taler 15 Sgr. Aber dafür war es auch 22er, fast so alt wie der vierunddreißigjährige Fontane, der mit billigeren Weinen vorliebnehmen mußte. Wenn es nicht überhaupt bei Tee blieb.

Auch das »Dorado aller Feinschmecker«, das Hotel St. Petersburg, wo »der famose Besitzer Haudtlaß der köstlichen Table d'hôte präsidierte und wo das Kuvert inklusive Moltke, den man dort täglich als Mittagsgast bewundern durfte, 25 Silbergroschen kostete«, ging über die Verhältnisse eines Revisionsredakteurs an der »Kreuzzeitung«, die für Religion und Vaterland eintrat, für Arbeit und Gebet und wo man Umsturz und Revolution witterte, wenn von Menschenglück in Verbindung mit Putenbraten und Markobrunner die Rede war. Ein rechter Preuße hatte sich groß zu hungern, hatte nicht mit wässerigem Munde vor Sala Tarone stehenzubleiben – nur Artisten haben heutzutage noch so suggestive Namen – oder vor Borchardt, Dressel, Hiller und wie sie alle hießen. Erst vom Geheimrat aufwärts ließ man Putenbraten als Grundlage eines gewissen Glücks gelten. Für einen Balladendichter jedoch, der 2 rth. 7½ sgr. für eine seiner besten Balladen bekam und der Korrektur lesen mußte, um sich und die Seinen halbwegs anständig durchs Leben zu bringen, waren diese Dinge nur in Ausnahmefällen vorgesehen. Fontane wußte das sehr genau. »Mache Gedichte zum Geburtstag jedes Prinzen, und wenn er selbst noch in den Windeln liegt, so wirst du dein Schäfchen schon ins trockne bringen. Man muß ein Stück Hesekiel oder Heinrich Smidt oder Max Ring sein, um *Nutzen* von der Sache zu ziehen. Liebe hat nie etwas eingebracht; man sei eine Hure, und man kriegt seine Taler so gut wie alle die Lotten und Rieken, die sich deutsche Schriftsteller nennen.«

Wer nicht zu diesen Lotten und Rieken der offiziell anerkannten preußischen Literatur gehörte, mußte zu Habel oder Huth gehen, wenn er einen Schoppen trinken wollte. Über Habels Weinstuben hat Julius Rodenberg eine anschauliche Schilderung hinterlassen: »Ein trauliches Nest, wo man an jedem Donnerstag Erbsen und Sauerkraut haben kann, und an jedem Tag mit stählernen Gabeln und auf ungedeckten Tischen ißt; wo man nicht Kellner sagt, sondern Küper, wo Trinkgelder nicht üblich sind, und wenn sie gegeben, in eine gemeinsame Büchse geworfen werden. Ein verräuchertes, aber urgemütliches Lokal . . . der Fußboden ausgetreten von den vielen Geschlechtern einander folgender Gäste, die Decke dunkel von allem Tabak, der hier geraucht worden, altmodische Spiegel, altmodische Tische, altmodische Stühle, die Küper in Röcken und die Weinkarte an der Wand. Aber was für eine Weinkarte! Edle Sorten in langen Reihen sind darauf verzeichnet! Und wie viel absonderliche Winkel gibt es hier, am Eingang und mit dem Durchblick auf den Hof, Hinterzimmer, mit dem Geruch vom Keller herauf, dem Herzen des echten Trinkers teuer . . .« Freilich, auch hier verkehrten hauptsächlich Landjunker und Offiziere, die sich auf ein gutes Frühstück verstanden und einen guten Tropfen zu schätzen wußten und denen die Philosophie der nahen Beziehungen zwischen Menschenglück und Putenbraten nicht fremd war. »Das bürgerliche Element ist darum nicht ausgeschlossen«, schreibt Rodenberg, »im Gegenteil; wer sich darauf versteht, der weiß, daß man an einem der Ecktischchen nicht weniger gut und zuweilen sogar etwas bequemer sitzt als an der ritterlichen Tafelrunde und ebenso bedient wird . . . dazwischen immer wieder aufs neue der erfreuliche Ton entkorkter Flaschen . . .«

Eine solche Behaglichkeit war auch nach Fontanes Geschmack, und er litt zeitlebens ein wenig darunter, daß er sie sich nicht häufiger verschaffen konnte; als das Jahrhundert dann jedoch fortschritt und das Deutsche Reich seine Gründerjahre durchmachte und der Grund- und Bodenspekulant Menschenglück und Putenbraten auf seine Weise in Verbindung brachte, rückte Fontane von dieser kommerzienrätlichen Auffassung der Zusammenhänge weit ab und schrieb an seine Tochter: ». . . George erzählte von einem befreundeten Oberstabsarzt, der vor kurzem bei Hiller ein Diner gegeben habe. 15 Personen. Die Rechnung betrug 700 Mk., also die Verpflegung jedes Gastes 50 Mk. . . . Ich sehe in diesen Übertreibungen einen Einfluß des mit dem wachsenden Wohlstande überhandnehmenden Bourgeoistums, gegen das ich jetzt eine mindestens so große Abneigung empfinde wie in früheren Jahrzehnten gegen Professorenweisheit, Professorendünkel und Professorenliberalismus. Wirklicher Reichtum imponiert mir oder erfreut mich wenigstens, seine Erscheinungsformen sind mir im höchsten Maße sympathisch, und ich lebe gern inmitten von Menschen, die 5000 Grubenarbeiter beschäftigen, Fabrikstädte gründen und Expeditionen aussenden zur Kolonisierung von Afrika. Große Schiffsreeder, die Flotten bemannen, Tunnel- und Kanalbauer, die Weltteile verbinden, Zeitungsfürsten und Eisenbahnkönige sind meiner Huldigungen sicher. Ich will nichts von ihnen, aber sie schaffen und wirken zu sehen, tut mir wohl; alles Große hat von Jugend auf einen Zauber für mich gehabt, ich unterwerfe mich neidlos. Aber der ›Bourgeois‹ ist nur die Karikatur davon; er ärgert mich in seiner Kleinstietzigkeit und seinem unausgesetzten Verlangen, auf nichts hin bewundert zu werden. Vater Bourgeois hat sich für tausend Taler malen lassen und verlangt, daß ich das Geschmiere für einen Velázquez halte. Mutter Bourgeoise hat sich eine Spitzenmantille gekauft und behandelt diesen Kauf als Ereignis. Alles, was angeschafft oder wohl gar ›vorgesetzt‹ wird, wird mit einem Blicke begleitet, der etwa ausdrückt: ›Beglückter du, der du von *diesem* Kuchen essen, von diesem Weine trinken durftest‹; alles ist kindische Überschätzung einer Wirtschafts- und Lebensform, die schließlich geradesogut Sechserwirtschaft ist wie meine eigene. Ja, sie ist es mehr, ist es recht eigentlich. Ein Stück Brot ist nie Sechserwirtschaft, ein Stück Brot ist ein Höchstes, ist Leben und Poesie. Ein Gänsebratendiner aber mit Zeltinger und Baisertorte, wenn die Wirtin dabei strahlt und sich einbildet, mich der Alltäglichkeit meines Daseins auf zwei Stunden entrissen zu haben, ist sechserhaft in sich und doppelt durch die Gesinnung, die es begleitet. Der Bourgeois versteht nicht zu geben, weil er von der Nichtigkeit seiner Gabe keine Vorstellung hat. Er ›rettet‹ immer, und man verschreibt sich ihm auf eine Schrippe hin für Zeit und Ewigkeit . . .«

Dieser idealistisch frisierte Materialismus des ausgehenden Jahrhunderts war ihm tief zuwider, die bourgeoise Pute so ungefähr das Abscheulichste, was er sich denken konnte, mochte die Füllung noch so delikat sein. Hier waren die echten Zusammenhänge zwischen Menschenglück und Putenbraten, die Fontane durchaus gelten ließ, aufgehoben, alles war Posse, Schwindel, Angabe – viel Braten und wenig Glück.

## ENGLAND

Fontane war mehrmals in England; zu einem ersten kurzen Besuch in London als fünfundzwanzigjähriger, kaum ins preußische Heer eingetretener Freiwilliger, dem ein humaner Bataillonskommandeur großzügig Sonderurlaub gewährte, als er hörte, daß ein Freund seines Untergebenen für die Reisekosten aufkäme, was die Gefahr beträchtlich verringerte, daß der apothekarische Rekrut dem Herrn von Bunsen, Preußischem Gesandten am Hofe Ihrer Majestät, der jungen Königin Viktoria, Ungelegenheiten bereiten und dem Kaiser-Franz-Garde-Grenadier-Regiment Schande machen könnte.

Die beiden Freunde fuhren mit der Bahn nach Magdeburg und von dort mit einem Elbdampfer bis Hamburg. Es war eine umständliche Reise, aber schon der erste Anblick von London Bridge entschädigte für alles. Fontane nahm »einen unvertilgbaren Eindruck« von der Themsestadt mit. »Es ist das Modell oder die Quintessenz einer ganzen Welt«, schrieb er überschwenglich. In den vierzehn Tagen, die er dort verbrachte, besuchte er den Jahrmarkt von Greenwich, der ihn »halb an Schützenplatz und halb an rheinischen Karneval erinnerte«. Er sah die Wahrzeichen Londons: die St.-Pauls-Kathedrale, Westminster, den Tower und nahm alles mit unverbrauchten Sinnen und einem stetig wachen Interesse auf. War die Vergangenheit, wie sie ihm hier in Bauwerken entgegentrat, schon überwältigend, so war die Gegenwart noch überwältigender: die Anwesenheit des Zaren Nikolaus, den er auf einem Ausflug nach Windsor, von Prinz Albert und dem Herzog von Cambridge eskortiert, über ein Blachfeld preschen und eine Parade abnehmen sah. In Hampton Court war es ein Bildnis Maria Stuarts, von einem unbekannten Meister gemalt, das den Kenner altenglischer Balladen entzückte und zu schwärmerischen Betrachtungen hinriß. Ein nicht minder nachhaltiges Erlebnis für den jungen Apotheker war ein Besuch in den Kellereien der Ostindien-Docks. An preußische Maßstäbe gewöhnt, sah er sich hier in ein Labyrinth unterirdischer Gänge versetzt, wo in riesigen Fässern unübersehbare Mengen von Port und Sherry lagerten – die Lieblingsgetränke bemittelter Briten, die zugleich ein anschauliches Bild von der Warenkonzentration an den Themseufern vermittelten und etwas vom Umfang des englischen Welthandels ahnen ließen – Dinge, von denen man in den Provinzen des preußischen Königs keine Vorstellung hatte. Genauso wenig wie von anderen Erscheinungen, die in englischen Bereichen längst Wirklichkeit waren oder im Begriff standen, verwirklicht zu werden. Während in Preußen das Volk noch immer auf die Einlösung des feierlich abgegebenen Verfassungsversprechens wartete, durch die der Bürger endlich staatsbürgerliche Rechte erhalten sollte, hatten die Engländer schon vor länger als einem Jahrzehnt eine Wahlreform durchgesetzt und das Parlament demokratisiert. Und jetzt, zu der Zeit, da Fontane sich erstmalig in London aufhielt und das Glück hatte, als Ausländer von einer englischen Familie eingeladen zu werden, stand ein anderes Anliegen im Vordergrund des öffentlichen Interesses und erhitzte die Gemüter. Mit der Beredsamkeit des geborenen Agitators, die ihm in Preußen eine hohe Zuchthausstrafe eingetragen hätte, setzte sich Richard Cobden für die Aufhebung der Kornzölle ein, die eine künstliche Teuerung schufen, sowie für die Einführung des Freihandels.

Nicht viel später, im gleichen Jahr, als Friedrich List sich aus Verbitterung über das Unverständnis, auf das seine Ideen in Deutschland stießen, und über die Engstirnigkeit kleinstaatlichen Denkens, die dort herrschte, in der Nähe von Kufstein das Leben nahm, hielt Cobden eine seiner berühmtesten Reden im Parlament und rief dem Hause zu: »Ich bin bereit, zu behaupten, daß Freihandel im Korn vorteilhafter für die Pächter – und ich schließe auch die Arbeiter ein – sein würde als Beschränkung. Ich behaupte, daß Freihandel im Korn und jeder anderen Art von Getreide für sie vorteilhafter sein würde . . . Dies ist eine neue Ära; es ist das Zeitalter der Verbesserung, es ist das Zeitalter des sozialen Fortschritts, nicht das Zeitalter für Krieg; Sie, meine Herren, leben in einem handeltreibenden Zeitalter, in welchem der Reichtum der ganzen Welt in Ihren Schoß geschüttet wird. Sie können nicht den Vorteil der Handelszinsen und der Feudal-Vorrechte zugleich haben . . .« Und schon nach zwölf Monaten

heftiger Debatten und steigender Not und Unruhe im Land
mußte selbst der damalige englische Premierminister, Sir Ro
bert Peel, zugeben, »daß der Beweis zugunsten eines hohe
Schutzzolles oder eines Verbotes auf den Grund hin, daß e
einem besonderen Stande zum Wohle gereiche, unhaltbar sei«.

Damit hatte England einen gewaltigen Schritt vorwärts geta
und war den Festlandstaaten weit voraus. Das Brot auf der Inse
wurde billiger, der Handel ging ungestört weiter, Kaufman
und Kirche schlossen ein lukratives Bündnis, und die Frömmig
keit, auch wenn sie erheuchelt war, wurde zum Schlüssel des Er
folges. In Windsor thronte die Königin und erhob die Tugen
im Häubchen zum obersten Gesetz, und der Bürger warf sich i
moralisches Schwarz und führte der Welt eine neue Abart de
angelsächsischen Puritanismus vor: die viktorianische Prüderie.

Im April 1852 betrat Fontane das viktorianische England zun
zweiten Mal. Diesmal kam er nicht als Vergnügungsreisender,
sondern als Korrespondent konservativer preußischer Zeitungen,
denen er über englische Verhältnisse berichten sollte. Seine damalige Lage kennzeichnete er in einem Brief an seine Frau, die
er in Berlin zurückgelassen hatte und die das zweite Kind erwartete, mit den Worten: »Ich sitze hier und warte auf Glück.« Aber
das Glück kam nicht. Er verfaßte Artikel und trieb Sprach- und
Kulturstudien, ohne jedoch tiefer in Geist und Sitten der Engländer einzudringen. Dazu wurde er von zu vielen privaten
Nöten gequält, Sorgen um seine Frau, die man immer wieder
spüren ließ, daß sie eine gescheiterte Existenz geheiratet habe.
»Und das ist doch am Ende mein ganzes Verbrechen, daß ich auf

Dreiern sitze statt auf Dukaten«, schrieb er ihr mit der Selbstironie, die ihm seine Stellung in der Welt aufzwang. Auch London tat sich ihm diesmal nicht in seiner Vielschichtigkeit und Weiträumigkeit auf. Er, der sich bereits als Englandkenner gefühlt hatte, merkte, daß es mehr als eines flüchtigen Besuches bedurfte, um das Wesen der Engländer zu erfassen, ihre Späße zu begreifen, ihre Leistungen zu würdigen und ihre Schwächen zu erkennen. Wie wenig er in maßgeblichen Kreisen auch als Korrespondent galt, wurde ihm bewußt, als er vom Preußischen Gesandten zum Frühstück und bald darauf zum Lunch eingeladen wurde. Es waren Höflichkeitsgesten, weiter nichts, völlig unverbindlich. »Schöne weite Räume, Livreebediente, exzellente Speisen, freundliche Bewirtung, lebhafte Unterhaltung und Anekdoten in allen Sprachen . . . Man sitzt dabei wie ein Hammel und denkt wahrhaftig manchmal, nun wird man selber tranchiert werden; – selbst fressen kann man nur mit halber Gewandtheit. Zu erwarten habe ich von Bunsen gar nichts.«

Der Freiherr Christian Karl Josias von Bunsen trat für eine evangelische Hochkirche nach anglikanischem Vorbild ein und stand darüber im Briefwechsel mit Friedrich Wilhelm IV., der für alles religiös Verschrobene eine Vorliebe hatte. Fontane erkannte sehr rasch, »daß er (Bunsen) von jeder generösen Unterstützung auf Sonnenlänge entfernt ist«. Trotzdem graute ihm davor, in das nachrevolutionäre Berlin zurückzukehren, wo für ihn alles von der Gnade und der Huld einzelner oder eines Klüngels abhing: »Die Stellung bei der Zeitung, jeder abgedruckte Artikel, jede Audienz (mit Schauder denke ich daran zurück), der ›Tunnel‹ (seit Empfang der 100 Taler), die Freundschaft, die Anerkennung – alles, alles ...«

In dieser Situation spielte er für eine Weile mit dem Gedanken, in London eine Apotheke zu erwerben und Rezepte auszuschreiben, anstatt Artikel zu verfassen, und so auf solider bürgerlicher Grundlage einen anständigen Lebensunterhalt für seine Familie zu verdienen. Doch dazu hätte er tausend preußische Taler gebraucht, und obwohl er beteuerte: ». . . ich will Geld verdienen, und immer wieder und wieder, und wär ich allein, so ging ich nach Australien, um es mit meinen Händen herauszubuddeln«, fand sich niemand, der ihm auch nur die Hälfte dieser Summe vorgestreckt hätte. Bezeichnend für seine Stimmung sind ein paar Verse, die er zum zweiten Geburtstag seines Sohnes George schrieb:

»Mein lieber George! und kann ich auch
Am heutigen Tag nichts schenken,
So will ich doch nach altem Brauch
In Versen Deiner gedenken:

In Versen, worin Dein Dichter-Papa
Sich immerdar ergossen,
Wenn ihm, was just nicht selten geschah,
Die Pfennige spärlich geflossen.«

Bis zum 104. Vers hätte er dieses Reimgeschäft fortsetzen können, schreibt er, wenn er nicht unterbrochen worden wäre. Der Brief stammt aus dem August 1852. Mitte September war Fontane wieder in Berlin. Über seinen zweiten Aufenthalt in

England schrieb er wenige Wochen darauf an seinen Freund, den Pharmazeuten Friedrich Witte: »Es ist lächerlich zu behaupten, daß man irgendeine Sprache in sechs Monaten oder gar in vier Wochen lernen könne. Man lernt freilich sprechen; man versteht alles; man kann selbst Reden halten über Cobden und Lord Derby, aber das ist nicht das, was unsereins unter Innehabung einer Sprache versteht. Wir verstehen darunter die völlige Gewalt über dieselbe, und diese zu haben erfordert Jahre. Ja, ich wage die Behauptung, daß es von Hunderten immer nur einer zu dieser Meisterschaft bringt, auch wenn er dreißig Jahre in Frankreich oder England lebt. Wir Schreiber aber bedürfen dieser Meisterschaft über die Sprache, um uns überhaupt wohl zu fühlen. Wir müssen uns mit Leichtigkeit in Assonanzen und Alliterationen ergehen können. Wir müssen imstande sein, unser Ohr mit dem Wohllaut eines neuen Reimes zu kitzeln – wir müssen mit der rechten Hand sechs Antithesen und mit der linken zwölf Wortspiele ins Publikum schmeißen können, und wo wir das *nicht* können, wo wir's nicht einmal verstehen, wenn's andre tun, da ist nicht unser Boden, da ist nicht unsre Lebenslust, und Heimweh befällt *uns* doppelt . . .«

Bereits 1855 im Herbst reiste Fontane im Auftrage der Preußischen Regierung erneut nach London, um dort eine »Deutsch-Englische Korrespondenz« herauszugeben. Er ahnte nicht, daß sich die Dauer seines Aufenthaltes diesmal über mehrere Jahre erstrecken würde. Beim Fall von Sebastopol traf er in der britischen Hauptstadt ein, wo das öffentliche Interesse den Vorgängen auf dem russischen Kriegsschauplatz galt, durch deren Verlauf Rußlands Vormachtstellung auf dem Kontinent, die es seit den Tagen der Heiligen Allianz innehatte, ins Wanken geriet, da Österreich und Preußen sich zur bewaffneten Neutralität gegenüber dem Zarenreich entschlossen hatten. England gewann neue Absatzgebiete und konnte seine Handelsbeziehungen über ganz Osteuropa ausdehnen, und der alte Grillparzer kommentierte die Ziele der englischen Außenpolitik mit dem bissigen Epigramm:

»Ihr schwärmt entzückt mit begeisterten Blicken
Für die Freiheit der Länder, die ohne Fabriken.«

Das Wort hätte auch von Fontane geprägt sein können; auch er übte mitunter scharfe Kritik an den Engländern und warf ihnen vor, sie redeten von Christus und meinten Kattun. Er fand vieles an England auszusetzen, nicht zuletzt an seiner Küche, und zitierte mit Vorliebe das Wort eines feinschmeckerischen Kardinals: Schreckliches Volk – tausend Sekten und nur eine Soße! Es war, als fehlte vielen Menschen der Mut zum unbefangenen Lebensgenuß. Sie aßen, als wäre es etwas Verbotenes und Verpöntes. Wer Freude daran hatte, wagte es kaum einzugestehen und zu zeigen. Und wem sollten diese farblosen Gerichte, die alle wie eine Predigt über die Nichtigkeit des irdischen Daseins schmeckten, auch Vergnügen machen? Das war nicht ihr Zweck, sie dienten der Sättigung, nicht dem Gaumen. Es waren Strafgerichte in einem abgewandelten Sinne des Wortes, und nur die Namen der Lokale, in denen sie serviert wurden, erinnerten noch an die falstaffsche Vergangenheit der Insel und leuchteten auf hren Schildern weithin durch die in fahlem Gaslicht liegenden Gassen, wie von Shakespeare oder Ben Jonson erfunden.

Und noch etwas anderes war überall spürbar, etwas vom Geiste Miltons und seiner großartigen Freiheitsrede, der »Areopagitica«, und der parlamentarischen Forderung nach Recht. Dazu kam der angelsächsische Humor, dieses diskrete Zugeben menschlicher Schwächen und Torheiten, dieses nachsichtige Darüberhinweggleiten, für einen Mann wie Fontane, der aus dem Lande des kategorischen Imperativs kam, besonders wohltuend. Oft machen die Engländer sich selber lustig über ihre Prüderie und die Zensur, die der Puritaner in ihnen automatisch ausübte. In einem modernen Filmlustspiel, das Fontanes Beifall gefunden hätte, gibt es folgende Szene: Die Heldin der Kriminalkomödie läßt eine Perlenkette in ihrem Kleidausschnitt verschwinden, woraufhin sich der Detektiv, der den Vorgang beobachtet, an das Publikum wendet und sagt: wie komm ich jetzt da hinein, ohne daß der Zensor etwas merkt und mir die Hand abschneidet? Hier setzt die Selbstironie des Puritaners ein. Die Bemerkung löst lautes Gelächter aus. Darsteller und Zuschauer befinden sich im Einverständnis und kritisieren indirekt etwas, was sie nicht direkt anzugreifen wagen, und befreien sich durch ein humoristisches Zwischenspiel von den ihnen angelegten Fesseln.

Mochte das Essen abscheulich sein, aber wo gab es noch etwas mit einer englischen Teestube auch nur entfernt Vergleichbares? Diesen kleinen Räumen mit altmodischem Mobiliar, alten Stichen und Bildern an den Wänden, Stuben, die immer im Zwielicht liegen, der Gegenwart durch ihre gedämpfte Atmosphäre und ihre ganze Einrichtung entrückt, wo in der geheiligten Stunde zwischen vier und sechs, wenn sich draußen der Spätnachmittagnebel zusammenbraut, etwas von jener tiefen Ruhe und Entspannung herrscht, die den Engländer mit dem Orientalen verbindet – vielleicht eben durch den Tee. Nirgends verwendet man soviel Sorgfalt auf seine Zubereitung, trinkt ihn mit solchem Behagen. Man vernimmt nur das Klirren der Tassen, die oft aus feinstem Worcester-Porzellan bestehen und das flüchtige Aroma der einzelnen Teesorten voll zur Geltung bringen. Hier spürt man etwas vom eigentlichen Duft Englands und der Poesie seiner nüchternsten Träume. Wenn die englischen Kirchen einmal leer sein sollten, dürften die Teestuben noch immer voll sein. Sie erfüllen ein metaphysisches Bedürfnis, es sind Inseln des Friedens und der Nachdenklichkeit auf einer Insel, die sich stets im Kampf und in Gefahr befindet.

Draußen dann die Landschaft Englands, die alle Züge vom lyrisch Zarten bis zum heroisch Pathetischen aufweist. Sie steigt und fällt und schwingt und flutet, auf der einen Seite zum Meer hinunter, auf der anderen zum Himmel hinan. Hier leuchten sanfte Hügel in sommerlichem Glanze, dort verdüstern tiefhängende Wolken den Berg. Und schon in der nächsten Sekunde kann es umgekehrt sein. Ein Füllhorn von dunklen und hellen Farben scheint über das Land ausgegossen. Es ist ein ewiger Wechsel von Licht und Schatten, ein zeitweiliges Versinken in wallendem Dunst und brodelnden Nebeln. Weiße Kreideklippen, rote Sandsteinfelsen, düstere Moore, weite Heideflächen, liebliche Wiesen, bunte Hecken, stille Seen – alles auf verhältnismäßig engem Raum dicht beieinander. Gut instand gehaltene Straßen und Wege, von Gehölzen umsäumt, Vogelparadiesen, durchkreuzen die Grafschaften nach allen Richtungen. Die Jahreszeiten haben Haydnschen Charakter, am schönsten vielleicht der Herbst, wenn das Land sich in bunte Fasanenfarben kleidet – eine Ode von Keats. Frühnebel – Morgentraining auf anmutigen Pferden, während die Buchen am rostroten Teppich des späten Jahres weben.

Der Naturschönheit der Insel ebenbürtig die Schönheit ihrer Kulturlandschaft. Hinter Bäumen und Hecken hervorquellend: zerfallene, von Wildnis überwucherte Abteien und ein paar Schritte weiter gepflegte Schlösser und Landhäuser, die sich in die Krümmung eines Flusses schmiegen, einen Hügel als Dekkung benützen oder mit einem Wald zu einer Einheit verschmelzen. Kathedralen und Dome, »halb Gotteshaus, halb Festung«, ragen gewaltig und mächtig über kleinen Städten empor. Auf der Ebene von Salisbury liegt die Bronzezeit in den Stonehenge-Monolithen aufgebahrt. Der Römerwall zieht sich über die Berge und windet sich durch die Täler zwischen South Shields und Solvay Firth. Die spätromanischen und gotischen Wunderwerke von Durham und London. Cambridge und Oxford, Pflegestätten humanistischer Bildung, Schauplätze leidenschaftlicher Auseinandersetzungen, tief ins Leben der Nation eingreifend, puritanisch die eine, royalistisch die andere.

Und dann das Volk, die Engländer selber, vielgehaßt und verspottet, von einem der großen Essayisten des Zeitalters, William Hazlitt, mit den Worten charakterisiert: »Es gibt zwei Dinge, die ein Engländer sofort versteht – grobe Worte und harte Schläge ... Der Schmerz pumpt Leben in ihn, Handlungsbereitschaft, Seele; ansonsten ist er ein bloßer Klotz. Die Engländer sind keine Nation von Weibern. Sie sind nicht dünnhäutig, nervös oder weibisch, sondern schwerfällig und morbide; sie schauen Gefahren und Schwierigkeiten ins Auge und schütteln dem Tode die Hand wie einem Bruder. Sie tragen den Kopf nicht aufrecht, reißen aber auch vor niemand aus. Sie gefallen sich darin, mehr als andere zu leisten und auszuhalten. Wovor andere Menschen aus Faulheit oder Furcht vor Schmerzen zurückschrecken, gerade das übt eine große Anziehungskraft auf sie aus, das bewältigen und meistern sie, und nur deswegen und insofern sind sie ein großes Volk . . .«

Die Meisterleistung dieses Volkes in menschlich-sozialer Hinsicht ist der Gentleman, der Idealtypus des in sich gefestigten Mannes, ursprünglich die Überwindung des Raubritters durch den Ritter. Er muß nicht nur individuell ein Ehrenmann sein, sondern hat darüber hinaus auch noch eine soziale Funktion. Stets und überall ist er der Vertreter des Ganzen, der Gesamtheit, und hat unter allen Umständen darauf zu achten, daß kein Schatten und kein Makel auf dieses Ganze falle. Was er dabei an persönlicher Freiheit verliert, gewinnt die Gesellschaft an Sicherheit. Sie stützt sich auf ihn und verlangt, daß er ihr ungeschriebenes Sittengesetz befolge und dafür sorge, daß es von anderen nicht verletzt werde. Er ist ein moralisches Phänomen. Seiner ganzen Art nach muß er immer am Rande der Heuchelei stehen, und oft glaubt er ethisch zu handeln und befolgt nur die Vorschriften der

Etikette. Er neigt zur Überschätzung von Äußerlichkeiten und legt dem Formalen und Formellen größeren Wert bei, als sie verdienen. Die Welt hat ihm viel zu verzeihen, doch England hat ihm viel zu verdanken. Für England ist er genauso notwendig wie die Königliche Marine. Die Marine schützt England nach außen, der Gentleman soll es vor moralischem Zerfall bewahren. Er ist Beispiel und Vorbild. Wo er sich der Vollkommenheit nähert, schließt sich die Kluft zwischen privatem Interesse und öffentlicher Wohlfahrt. Er ist der goldene Schnitt durch die englische Gesellschaft, die Ebene, auf der sich Ideal und Wirklichkeit begegnen.

Das alles wirkte tief und nachhaltig auf Fontane ein. »Wie wir hören«, schrieb Theodor Storm im Eggerschen »Kunstblatt«, »befindet er sich jetzt wieder in England, um ein Buch über altenglische und schottische Balladenpoesie zum Abschluß zu bringen.« Doch daneben hatte er andere Pflichten, und der Tag mit seinen Forderungen nahm ihn stark in Anspruch. Fast täglich war er zu einer Art Pressekonferenz beim derzeitigen Preußischen Gesandten, dem Grafen Albrecht von Bernstorff, einem Mann von Welt und überlegenen Diplomaten, der Preußen zuvor in Neapel vertreten hatte und später als Außenminister Handelsverträge mit China, Japan und Frankreich zum Abschluß brachte. Seine Tätigkeit führte ihn mit Männern wie Lothar Bucher zusammen, der seit 1850 als Emigrant in England lebte und einen Wandel vom Radikaldemokraten zu einem engen Mitarbeiter Bismarcks durchmachte. Fontanes Bekanntenkreis erweiterte sich ständig und mit ihm seine Anschauungen von Menschen und Dingen, beide in stetigem Wandel begriffen, die englische Presse, die er verfolgen mußte, das englische Theater, dem er mehr Aufmerksamkeit widmete als seiner Korrespondenzarbeit, was ihm eine ministerielle Rüge eintrug.

Seit 1856 hielt sich auch der Begründer des ersten deutschen Freihandelsvereins, Julius Faucher, in London auf, Reporter und Reisender aus Neigung und von Beruf und mehrere Jahre Redakteur am »Morning Star«. Mit ihm, einem gründlichen Kenner englischer Verhältnisse, unternahm Fontane weite Streifzüge durch London, das Hafenviertel, die Slums mit ihren Spelunken und zwielichtigen Existenzen, das versnobte Westend und die City und lernte die Hauptströmungen des viktorianischen Zeitalters in allen Nuancen und Schattierungen kennen. Oxfordbewegung, eine Art verspäteter Gegenreformation mit dem Ziel, die anglikanische Kirche zu katholisieren, Carlyle, der gegen das vergottete Nützlichkeitsprinzip zu Felde zog und seine fortschrittsgläubigen Zeitgenossen höhnisch darauf hinwies, daß »nicht Manchester . . . reich werde, sondern nur einige Mitbürger Manchesters, und nicht gerade die sympathischsten«. Ruskin und die Präraffaeliten. Macaulay, Thackeray, Dickens, vor dessen Hause er in einer Winternacht stand, ohne sich hineinzugetrauen. Penny-Post, Sparkassen, Konsumvereine – Aufstieg der Mittelklassen, Triumph der Mittelmäßigkeit.

Nach Einstellung der »Deutsch-Englischen Korrespondenz« wurde Fontane im April 1856 zum Presse-Agenten der Preußischen Regierung bestellt, was eine noch engere Bindung an die Gesandtschaft zur Folge hatte.

Das hinderte ihn indes nicht, weiter gelegentlich mit Emigranten zu verkehren, die zumeist ein kümmerliches Leben in London fristeten, und sich einen Vortrag Ludwig Kossuths über das Österreichische Konkordat anzuhören. Kossuth lebte seit Niederwerfung des ungarischen Aufstandes durch die von den Österreichern zu Hilfe gerufenen zaristischen Truppen im Exil und setzte von dort seinen Kampf gegen Habsburg fort. Bei seinem Vortrag mochte Fontane an die Berliner Märztage von 1848 denken, an die hohen Hoffnungen, die viele Deutsche daran geknüpft hatten, an den kläglichen Ausgang der Revolution und, mit leichtem Unbehagen, auch an das Ministerium, das seitdem im Amte war und dem er jetzt sogar diente.

Inzwischen war seine Frau für mehrere Monate zu Besuch dagewesen, und er erwog den Plan, seine gesamte Familie im folgenden Jahr nach London kommen zu lassen. Er war jetzt nicht nur Presse-Agent der Preußischen Regierung – am 1. Januar 1857 erneut auf drei Jahre bestätigt – sondern außerdem Mitarbeiter an führenden englischen und deutschen Blättern, unermüdlich tätig, über Theater, Kunst, Kultur, Politik und Geschichte Englands berichtend in mehr oder weniger glänzenden Artikeln, ein Journalist, dessen Name einen guten Klang hatte, ein Meister seines Handwerks. Fast kein Zeitereignis, das er nicht besprach oder über das er nicht zumindest informiert war. Er hielt sogar öffentliche Vorträge in englischer Sprache über »Das Wiederaufleben der deutschen Literatur im vergangenen Jahrhundert« vor einem Publikum, dessen Interesse am deutschen Geistesleben durch Carlyle geweckt worden war.

Doch schon bald trat die Politik wieder stark in den Vordergrund. Seit längerer Zeit ging das Gerücht um, daß Friedrich Wilhelm IV. geistesgestört wäre; am 8. Oktober 1857 erlitt der König einen Schlaganfall, und sein Bruder, Prinz Wilhelm, dem man die wahre Natur der Krankheit des Königs verschwiegen hatte, übernahm die Regentschaft. In allen preußischen Gesandtschaften wartete man gespannt auf das Eintreffen neuer Nachrichten aus Berlin und machte sich auf Veränderungen in der preußischen Politik gefaßt. Graf Bernstorff unterrichtete Fontane weitgehend über die Vorgänge bei Hofe und das Befinden des Königs, von dem feststand, daß er unfähig war, die Regierungsgeschäfte weiter zu führen.

Andere Ereignisse erheischten von Fontane ebenso viel Vorsicht wie Takt. Mitte Januar 1858 begannen die Feierlichkeiten zur Vermählung von Kronprinz Friedrich Wilhelm mit der Prinzessin Viktoria von England, zu denen der preußische Presse-Agent, Theodor Heinrich Fontane, einen Toast schrieb. Schon kurz darauf machten sich die ersten Anzeichen einer Krise im Kabinett Manteuffel bemerkbar, aber es verging fast noch ein Jahr, ehe Fontane seine Abberufung aus London erhielt.

Nicht nur in Preußen bahnten sich entscheidende Veränderungen an, auch für Englands Vormachtstellung in der Welt waren die letzten Monate, die Fontane dort verbrachte, von Bedeutung. Der Sepoy-Aufstand in Indien war niedergeworfen worden, blutige Gemetzel hatten stattgefunden, der Name Nana Sahibs und Orte wie Khanpur, Delhi und Lucknow waren in aller Munde, und so faßte Fontane, der die Vorgänge in Übersee, die das Ende der Ostindienkompanie bedeuteten, aufmerkam verfolgte, den Entschluß, die Biographie des Generals Henry Havelock zu schreiben, der sich in den Kämpfen gegen die meuternden Inder besonders ausgezeichnet hatte und große Popularität genoß. Er kam mit der Arbeit jedoch nicht über die Anfänge hinaus und trat ein paar Monate später nach einer schweren Nervenkrise zusammen mit seinem alten Regimentskameraden und Tunnel-Freund Lepel eine Reise durch Schottland an. Und dort in der schottischen Berg- und Balladenwelt, in der Heimat Sir Walter Scotts, den er hoch verehrte und der sein Land durch seine Dichtungen und Romane in ganz Europa und der Neuen Welt bekannt gemacht hatte, kam ihm die Idee, für die Mark Brandenburg, bisher nur gelegentlich im Zusammenhang mit Bachs Brandenburgischen Konzerten genannt, etwas Ähnliches zu leisten. Später berichtete er in seinem Buche »Aus England und Schottland« darüber:

»Jedes Land und jede Provinz hat ihre *Männer*, aber manchem Fleck Erde wollen die *Götter* besonders wohl, und ihm die Rennbahn näher legend, die Gelegenheit zur Kraftentfaltung ihm beinahe aufzwingend, gönnen sie dem bevorzugten Landesteil eine gesteigerte Bedeutung. Ein solcher Fleck Erde ist das beinah' inselförmige Stück Land, um das die Havel ihr blaues Band zieht. Es ist der gesunde Kern, daraus Preußen erwuchs, jenes Adler-Land, das die linke Schwinge in den Rhein und die rechte in den Niemen taucht. Wohl ist es deutungsreich, daß genau inmitten dieser Havelinsel jenes Fehrbellin liegt, auf dessen Feldern die preußische Monarchie begründet wurde. Und welch historischer Boden diese Insel überhaupt! Entlang an den Ufern des Flusses, der sie bildet, hatten (und haben noch) jene alten Familien ihre Sitze, die, von den Tagen der Quitzows an, mehr auf Charakter als auf Talent hielten und deren Zähigkeit und Selbstgefühl, die doch nur die Typen unseres eigenen Wesens sind, wir uns endlich gewöhnen sollten, mehr mit Respekt als mit Eifersucht anzusehen. Auf dieser Halbinsel und jenem schmalen Streifen Land, das nach außen hin sie umgürtet, liegen die Städte und Schlösser, darin der Stamm der Hohenzollern immer neue Zweige trieb; liegen die Städte, darin drei Reformatoren der Kunst das Licht der Welt erblickten: Winckelmann, Schinkel und Schadow (von denen der zweitgenannte eine Kasernenstadt in eine Stadt der Schönheit umwandelte); liegen die Herrensitze, darin Zieten, Knesebeck und die Humboldts geboren wurden, Zieten, der liebenswürdigste und volkstümlichste aller Preußenhelden, und Knesebeck, der in winterlicher Einsamkeit den Gedanken ausbrütete, ›die Macht Napoleons durch die Macht des Raumes zu besiegen‹.«

Damit gingen die Englandjahre Fontanes zu Ende. Für England brachte das Jahr 1858 die Festigung seiner Herrschaft in Indien. Kurz ehe Fontane nach Berlin zurückkehrte, erließ die Königin ihre berühmte Proklamation, in der es hieß: »Hiermit geben Wir den eingeborenen Fürsten von Indien bekannt, daß alle Verträge und Vereinbarungen, die mit ihnen durch oder unter der Hoheit der Ostindienkompanie abgeschlossen worden sind, von Uns übernommen werden.«

Canning trat sein Amt als erster Vizekönig von Indien an. In

Preußen hoffte man nach dem Rücktritt des Kabinetts Manteuffel (»dessen Pech am Hintern und dessen Polizeiregime mir ein Greuel gewesen ist«, wie Fontane schrieb) auf eine Liberalisierung des politischen Lebens. Und rückblickend auf seine nicht immer leichte Zeit in England faßte Fontane den Gewinn, der ihm als Menschen und Schriftsteller trotzdem daraus erwachsen war, in die Sätze zusammen: »Ich bin nicht zufrieden hier mit meinem Leben und wünschte tausenderlei anders, *das* aber segne ich und stimmt mich zum herzlichsten Dank gegen mein Geschick, daß ich aus dem heraus bin, was ich mit einem Wort das ›Theodor Stormsche‹ nennen möchte, aus dem Wahn, daß Husum oder Heiligenstadt oder meiner Großmutter alter Uhrkasten die Welt sei. Es steckt Poesie darin, aber noch viel mehr Selbstsucht und Beschränktheit. Die Erkenntnis bezahlt man teuer, aber zuletzt doch nie *zu* teuer ...«

## WANDERUNGEN

Kurz nach der Rückkehr aus England unternahm Fontane im Februar 1859 eine neue Reise. Diesmal war München das Ziel, die Residenz Maximilians II., wo Paul Heyse ihn erwartete, um ihn dem König, der einen Privatbibliothekar suchte, vorzustellen. Am 19. März wurde der in der bayerischen Hauptstadt so gut wie völlig unbekannte Märker vom König, diesem entschiedenen Gegner eines preußischen Kaisertums, in Audienz empfangen.

»Mit Hilfe von drei Paar wollenen Strümpfen«, berichtet Fontane ironisch, »hatte ich meine Füße so dick und elastisch gemacht, daß alle Risse und Falten in meinen Lackstiefeln wie ausgeplättet waren.« Aber auch diese Herausstaffierung half nichts; er durfte dem König zwar einige seiner Balladen vorlesen, doch die begehrte Stellung bei Hofe bekam er nicht. »Die Zeitungen und Blätter haben nicht genug von mir gesprochen«, schrieb er an seine Frau und war bald darauf mit leeren Händen wieder bei ihr in Berlin.

Hier begann das Bittstellen und Verhandeln von neuem. Die

Vossische Zeitung brachte eine Artikelserie von ihm über Schottland, und verschiedene Verleger bekundeten Interesse an den Manuskripten seiner England-Bücher – »Londoner Skizzen« – »Studien über Theater, Kunst und Presse« – »Reisebriefe aus Schottland«. Friedrich Eggers setzte sich für seinen alten Tunnelfreund ein und verschaffte ihm bei dem Geheimen Rat Duncker den Posten eines »Vertrauenskorrespondenten«, den Fontane indes nicht lange innehatte, da er dem Prinzregenten verdächtig war und auf seine Anweisung aus diesem Kreise ausgeschlossen wurde. Wenig später erhielt er ein Angebot von der »Kreuzzeitung«, ob er »die Redaktion des englischen Artikels« übernehmen wolle. In seinen Memoiren findet sich die köstliche Schilderung seines ersten Besuches bei dem Chefredakteur des Blattes:

». . . Endlich in der zweiten Etage glücklich angelangt, zog ich die Klingel und sah mich gleich darauf dem Gefürchteten gegenüber. Er war aus seinem Nachmittagsschlaf kaum heraus und rang ersichtlich nach der der Situation entsprechenden Haltung. Ich hatte jedoch verhältnismäßig wenig Auge dafür, weil ich zunächst nicht ihn, sondern nur sein unmittelbares Milieu sah, das links neben ihm aus einem mittelgroßen Sofakissen, rechts über ihm aus einem schwarz eingerahmten Bilde bestand. In das Sofakissen war das eiserne Kreuz eingestickt, während aus dem schwarzen Bilderrahmen ein mit der Dornenkrone geschmückter Christus auf mich niederblickte. Mir wurde ganz himmelangst, und auch das mühsam geführte Gespräch, das anfänglich wie zwischen dem eisernen Kreuz und dem Christus mit der Dornenkrone hin und her pendelte, belebte sich erst, als die Geldfrage zur Verhandlung kam . . .«

Mit der Stellung bei der »Kreuzzeitung« schien eine bescheidene Existenzgrundlage vorerst gesichert, und Fontane konnte an die Verwirklichung seines alten, bereits in England gefaßten Planes gehen und anfangen, Material zu einem Buch über die Mark Brandenburg zu sammeln. Seine Tätigkeit bei der Zeitung ließ ihm eine Menge Zeit, und so zögerte er nicht lange und unternahm noch im selben Sommer zusammen mit Lepel einen Ausflug in seine engere Heimat, das Land Ruppin. Bereits vier Wochen später lag der erste Wanderungsaufsatz fertig vor und erschien unter dem Titel: »Ein Stündchen vorm Potsdamer Tor« in der Vossischen. Damit war der Anfang zu einem Werk gemacht, das ihn mit Unterbrechungen bis zu seinem Tode beschäftigen sollte – den »Wanderungen durch die Mark Brandenburg«.

»Im Herbst 1859«, erzählt Wilhelm Lübke in seinen »Lebenserinnerungen«, »durfte ich meinen lieben Freund Theodor Fontane auf einer seiner ›Wanderungen durch die Mark‹ begleiten. Es wanderte sich mit ihm ganz prächtig. Wir waren beide gut zu Fuß, beide mitteilsam, und so wurde unsere Reise durch die Altmark mir höchst genußreich. Während er in den Kirchen den historischen Erinnerungen nachging, machte ich Jagd auf ihre kunstgeschichtlichen Denkmäler . . .« Man besuchte eine Reihe von Ortschaften und Städten: Havelberg, Werben, Arendsee, Salzwedel, Seehausen, Stendal, Tangermünde, Jerichow und Redekin. Schon vorher hatte Wilhelm Lübke an einer Fahrt in den Spreewald teilgenommen: ». . . zum schönsten gehört aber ein

Ausflug nach dem Spreewald, den ich mit Fontane, Roquette und einigen anderen Freunden unter Führung von Schulrat Bormann machte. Wir fuhren in einer lauen Sommernacht mit der Post nach Lübbenau, dem Hauptort und Eingangspunkt des Spreewaldes, wo wir zeitig Morgens ankamen. Nachdem wir uns durch ein kräftiges Frühstück gestärkt hatten, traten wir in einem auf Bestellung bereit gehaltenen Kahn unsere Wanderung an ... Fontane schöpfte auf dieser Fahrt die Eindrücke zu seiner köstlichen Schilderung des Spreewaldes ...«

Später waren es der Verleger Wilhelm Hertz und dessen Sohn Hans, die Fontane gelegentlich auf seinen Streifzügen durch die märkischen Lande begleiteten. Schon bald hatte sich in Fontanes Mappen soviel Stoff angesammelt, daß er ein zwanzigbändiges Werk über die Mark Brandenburg in Aussicht nahm und beim Kultusministerium um eine jährliche Beihilfe bat. Seine Freundin Mathilde von Rohr unterstützte das Gesuch, und nach langem Warten konnte Fontane in seinem Tagebuch vermerken: »Frl. v. Rohr teilt mit, daß Bethmann die 300 Taler für mein Buch bewilligt habe.« Sie wurden ihm »zur Fortführung von ethnographischen und spezial-historischen Arbeiten« jährlich bis Ostern 1868 ausgezahlt. Es war nur ein kleiner Zuschuß, denn »Reisen in der Mark ist alles andere als billig«, wie Fontane warnte. »Glaub nicht, weil Du die Preise kennst, die Sprache sprichst und sicher bist vor Kellnern und Vetturinen, daß Du sparen kannst; glaube vor allem nicht, daß Du es deshalb kannst, ›weil ja alles so nahe liegt‹ ... Eisenbahnen, wenn Du ›ins Land‹ willst, sind in den wenigsten Fällen nutzbar, also Fuhrwerk.

Fuhrwerk aber ist teuer. Man merkt Dir bald an, daß Du fortwillst oder wohl gar fortmußt, und die märkische Art ist nicht so alles Kaufmännischen bar, daß sie daraus nicht Vorteil ziehen sollte ...«

Was sich der vierzigjährige Fontane damit aufbürdete, kommt in einem Brief von unterwegs an seine Frau zum Ausdruck: »... Es geht mir ganz gut – aber ich bin doch sehr hin, und diese Strapazen, so ungern ich es auch einräume, übersteigen fast meine Kräfte. Es soll eine Erholung sein und ist eigentlich eine riesige Arbeit. Schlösser, Kirchen, Kirchhöfe, Inschriften, Grabschriften, Bilder, Statuen, Parks, Grafen, Kutscher, Haushälterinnen, Vater, poetische Drechslermeister – alles das und hundert anderes dazu – tanzt mir *hurly-burly* im Kopf herum, dazu die Landschaftsbilder, die alle beschrieben werden müssen, dazu gestern die Strapaze des Marschierens und Bergkletterns, und nun schließlich ein verdorbener Magen – das halte aus, wer kann ...«

Nun, schließlich hat er es doch ausgehalten, dieser seltsame Mensch mit einer Konstitution aus Robustheit gepaart mit Anfälligkeit, und das Werk zu Ende geführt. Wenn es auch nicht auf zwanzig Bände gedieh, wie ursprünglich vorgesehen, so ist das eher zu begrüßen als zu bedauern, weil sonst zuviel Nebensächliches und Belangloses hineingeraten wäre. Auch in der vorliegenden Form ist es nicht frei davon, und manche Kapitel sind derart vollgestopft damit, daß man sich wie in einer lokalgeschichtlichen Rumpelkammer vorkommt. Archivluft, Aktenstaub weht einen an. Doch manchmal schon auf der nächsten Seite gehen alle Fenster und Türen auf; die Farben märkischer Jahreszeiten leuchten um die Giebel irgendeines Herrenhauses, im alten Park wittern unter buntem Laub verfallene Gräber, niemals weit von dem Kirchlein entfernt, darin die dort ruhenden Geschlechter getauft, eingesegnet und getraut wurden; Geschichte und Gegenwart werden eines; der Wald tritt an den See, Wasservögel huschen durchs Schilf, grünumgürtet die Ufer, in Feld und Luch übergehend, Birken, Erlen, Eichen und vor allem Kiefern, rotstämmiger Schmuck der Mark, fest verwurzelt in ihrem Sand, die Wipfel winddurchrauscht, manche vom Blitz gespalten, Wälder, sich endlos erstreckend, von einsamen Wegen durchzogen, und überall der Duft von Pilzen und Harz; Dörfer, Flecken, Schlösser, und dazwischen immer wieder das blaue Glänzen eines Sees, still und abseits für sich oder vom trägen Strom der Spree oder der Havel durchflossen – den beiden Armen Brandenburgs, die wendische Vergangenheit der Mark und Geschichte und Geschick Preußens umfassend.

Welch eine Fülle von Bildern, Landschaften, Gestalten in diesen Blättern, die ein Wanderer mit heimbrachte von seinen Gängen durch eine Provinz, die ihm Heimat war. Ein Wanderer mit klarem Blick für ihre verborgenen Schönheiten, einem warmen Gefühl für die Eigenarten ihrer Bewohner, einem ausgeprägten historischen Sinn, der alles einbezog: das Quitzowtum des Adels, den Gewerbefleiß des Bürgertums, Helden, Käuze, Sonderlinge. Das ist kein romantisches Wandern wie bei Eichendorff und seinem Taugenichts, ohne Mandolinenklang und Marmorbilder, die bei Mondschein zum Leben erwachen. In der Mark

erwachen nachts höchstens die Frösche. Bei Fontane geht alle
bürgerlicher und realer zu. Selten kommt ihm auf seinen Fahrte
ein Lied auf die Lippen, desto öfter die Erinnerung an eine
alten General aus der Schwedenzeit oder an eine Episode aus de
Kronprinzentagen Friedrichs II. Und alles lebt: Klosterruine
Küstrin, Oderbruch, Fehrbellin, Königswusterhausen, Potsdam
Paretz, die Pfaueninsel und all die berühmten und entlegene
Stätten und Orte, wo sich Schicksale erfüllten. Kleines und Klein
stes ist mitverschlungen in diese Darstellungen aus dem branden
burgischen Land- und Hofleben, Schmidt von Werneuchen, de
märkische Poet, in seiner biederen Art an Voß erinnernd, un
überall sieht man den zerbrochenen Krug des Preußentums ste
hen, manchmal mit ein paar Feldblumen gefüllt.

Das sind die »Wanderungen« in ihren schönsten und anschau
lichsten Abschnitten, ein Birnbaumbuch, wurzelnd in der Erde
die einen alten Briest und einen Dubslav von Stechlin hervor
gebracht hat. Für die Zeitgenossen Fontanes ein Vademecum
von vielen Seiten gewürdigt, gern gelesen, geschätzt – für un
der Spiegel einer untergegangenen Welt, zuerst schwer verwü
stet durch den Krieg, uns dann durch den Nachkrieg versperr
und verschlossen und in ihrer ganzen Struktur verändert und ver
wandelt. Keine Fahrten mehr für die meisten Deutschen nach
Rheinsberg mit dem entzückend-frechen Tucholsky-Büchlein übe
dieses Städtchen der Liebespaare in der Tasche; keine Boots
ausflüge mehr havelabwärts, nicht einmal mehr an die wald
umsäumten Ufer des Sakrower Sees, geschweige denn bis Pots
dam und Sanssouci oder gar bis Brandenburg. Keine Sommer

nachmittage mehr auf den heißen Nuthewiesen oder die Dahme hinauf, die Müggel entlang auf Fontanes Spuren tief hinein ins alte wendische Herz der Mark. Das kann man nur noch erleben, indem man in den »Wanderungen« blättert und mit Fontane die Pfade von damals entlangschlendert zu Bauten, die es entweder gar nicht mehr gibt oder die heute einem anderen Zweck dienen. Wandel der Dinge – auf der einen Seite als Fortschritt gepriesen, auf der anderen mit Ohnmacht geduldet. Die Mark Fontanes – für viele noch ein Stück Jugend, Erinnerung an erste Frühlingstage, braune Ackerschollen und sprossendes Gehölz rings um Zechlin, an Rhin und Dosse, Dorfwirtshäuser und Feldwege – Vergangenheit – unwiederbringlich dahin – ewig gegenwärtig in Fontanes Buch:

»Linow, Lindow,
Rhinow, Glindow,
Beetz und Gatow,
Dreetz und Flatow,
Bamme, Damme, Kriele, Krielow,
Petzow, Retzow, Ferch am Schwielow,
Zachow, Wachow und Großbähnitz,
Marquardt an der stillen Schlänitz,
Senzke, Lenzke und Marzahne,
Lietzow, Tietzow und Rekahne,
Und zum Schluß in dem leuchtenden Kranz:
Ketzin, Ketzür und Vehlefanz.«

Was Fontane mit seinen »Wanderungen« erreichen wollte, hat er selbst in einem Brief an seinen Verleger ausgesprochen:

»Der Zweck meines Buches ist . . ., die ›Lokalität‹ wie die Prinzessin im Märchen zu erlösen. Abwechselnd bestand meine Aufgabe darin, zu der Unbekannten vorzudringen oder die vor aller Augen Daliegende aus ihrem Bann, ihrem Zauberschlaf nach Möglichkeit zu befreien. So tauchen denn abwechselnd Namen auf, die (engste Kreise abgerechnet) niemandem bekannt waren; daneben bekannte Namen, aber auch nur bekannt als Namen. Detailschilderung behufs besserer Erkenntnis und größerer Liebgewinnung historischer Personen, Belebung des Lokalen und schließlich Charakterisierung märkischer Landschaft und Natur – das sind die Dinge, denen ich vorzugsweise nachgestrebt habe.«

Seine Absicht wurde vielfach mißdeutet; man machte ihm den Vorwurf, »*das Buch im Auftrage* der Kreuzzeitungspartei« geschrieben zu haben – zur plumpen Verherrlichung des märkischen Adels. »Aber es ist Torheit, aus diesen Büchern herauslesen zu wollen, ich hätte eine *Schwärmerei* für Mark und Märker. So dumm war ich nicht«, verteidigte er sich. Und der märkische Adel wußte ihm auch keinerlei Dank für die Darstellung seiner Geschichte, die einen so breiten Raum in den »Wanderungen« einnimmt. Die Junker fühlten sich nicht genügend geschmeichelt, in ihren Ruppigkeiten zu sehr durchschaut. Das Werk stand vielleicht in ihrem Bücherschrank, aber zu ihrer Lektüre – sofern sie außer der »Kreuzzeitung« überhaupt etwas lasen – gehörte es nicht. Als Fontane seinen siebzigsten Geburtstag beging, nahm die märkische Ritterschaft, mit wenigen Ausnahmen, keine Notiz davon. Weder aus der Priegnitz noch dem Barnim trafen Geschenke oder Glückwünsche ein. Und Fontane setzte sich hin und schrieb:

»Ich dachte, von Eitelkeit eingesungen,
Du bist der Mann der ›Wanderungen‹,
Du bist der Mann der märk'schen Gedichte,
Du bist der Mann der märk'schen Geschichte . . .
Du bist der Mann der Jagow und Lochow,
Der Strelow und Bredow, der Quitzow und Rochow . . .
An der Schlachten und meiner Begeisterung Spitze
Marschierten die Pfuels und Itzenplitze,
Marschierten aus Uckermark, Havelland, Barnim,
Die Ribbecks und Kattes, die Bülow und Arnim,
Marschierten die Treskows und Schlieffen und Schlieben –
Und über alle hab' ich geschrieben . . .

Aber die zum Jubeltag kamen,
Das waren doch sehr, sehr andre Namen . . .
Meyers kamen in Bataillonen,
Auch Pollacks und die noch östlicher wohnen;
Abram, Isack, Israel,
Alle Patriarchen sind zur Stell',
Stellen mich freundlich an ihre Spitze,
Was sollen mir da noch die Itzenplitze!«

Am Ende seines Lebens trug sich Fontane mit der Idee, zur Abrundung der »Wanderungen«, die er lieber »Spaziergänge« genannt hätte, noch eine Abhandlung über das Ländchen Friesack – »zwischen Cremmer Damm und Fehrbellin . . . anderthalb

Quadratmeilen« groß – und die dort seit altersher ansässigen Bredows zu schreiben. In diesem Zusammenhang richtete er einen Brief an Julius Rodenberg, den Herausgeber der »Deutschen Rundschau« – die heiteren Schlußworte zu seinem Werk über die Mark Brandenburg, nur mit den »Wanderjahren in Italien« von Gregorovius zu vergleichen:

». . . Übrigens muß ich Ihnen doch noch eine kleine Bredowgeschichte erzählen. Eins der Bredowgüter – dicht bei Görne gelegen, wo Gräfin Adele Bredow–Görne hauste, deren Zusendungen Sie schwerlich entgangen sein werden – heißt Kleeßen, und dies Kleeßen hat einen See, natürlich den Kleeßner See. Der ist nun ein eigentümlich feines Ding. Alle sonstigen Seen des Havellandes sind Sumpf und Moor, und nur der Kleeßner See hat Sand und Kalk (wie der Limfjord), so daß man bis auf den Grund sehen kann. In diesen See senden nun die sumpfigen Nachbargewässer dann und wann etwas von ihrem Fischreichtum: Aale, Schleie, Bleie, sämtlich moorig, weil sie bis dahin unter schmutzigen Moorverhältnissen gelebt haben. Kaum aber in den Kleeßner See getreten, beginnt das Purgatorium, der Reinigungs- und Veredlungsakt all dieser Rowdies und Kommißknüppel, und ehe ein halb Jahr um ist, ist aus dem Mooraal ein Edelaal geworden, der vierfach höher im Preise steht und sein geläutertes Leben, wenn nicht bei Hofe, so doch niedrigstens bei Borchardt oder Dressel beschließt. Ich habe in Kleeßen ein Stück von solchem Aal gegessen, an dem nichts Gemeines mehr war, ausgenommen eine kolossale Dicke. Denn das Edle muß auch immer schlank sein . . .«

# OCEANE VON PARCEVAL

Heinesche Elementargeister durchschwirren diese melusinischen Blätter aus dem Nachlaß Fontanes, eine eigenartige Mischung von Romantik und realistischer Gesellschaftsschilderung. Nirgends tritt sein Spürsinn für das Elfische und Nixenhafte in der weiblichen Natur deutlicher zutage als in dieser frühen Skizze, der interessantesten Vorstudie zu der unendlich verfeinerten und humanisierten Gestalt der Melusine aus dem »Stechlin«. Mit Oceane von Parceval schreibt Fontane die tragische Prosaromanze eines Mädchens, das mit dem grausamsten Makel des nordischen Märchens behaftet ist: der Gefühlsstarre; in einer Welt, in der sich alles, wenn es lebendig bleiben will, einmal in Gefühl auflösen oder durch das Gefühl erlöst werden muß, durch nichts vor ihrem Untergang zu bewahren.

Oceane, ein Wesen »komplizierter Abstammung, aus einer französisch-englischen Ehe hervorgegangen ... in Dänemark geboren ... seit frühester Jugend eine Deutsche. Ja, mehr noch, eine Berlinerin«, steht im Mittelpunkt des Entwurfes. Eine besondere Pikanterie liegt darin, daß auf Berlin hingewiesen wird, wo das Gefühlsmäßige nie sehr hoch im Kurs stand und wo ein Mädchen, dem es schon durch Vererbung daran mangelte, sehr leicht den letzten Rest davon einbüßen konnte. Eine Berlinerin also, aber eine Berlinerin sehr anderer Art als die Witwe Pittelkow aus der Invalidenstraße, die die Elfen von Elfershöh, hätte sie je davon gehört, höchstens mit der Erstürmung der Düppeler Schanzen in Zusammenhang gebracht hätte. Oceane dagegen, feinnerviger und gefährdeter, trägt das verdammte Erbe von Elfershöh im Blut und ist eine ins Großbürgerliche verschlagene Nixe aus den Zeitaltern Trolls, die zuletzt, nach einem vergeblichen Versuch, ganz Mensch und Frau zu werden, freiwillig resignierend in ihr Element, das Oceanische, zurückkehrt.

Die Gestalt und das psychologische Problem müssen eine merkwürdige Anziehungskraft auf Fontane ausgeübt haben, vielleicht weil Erscheinungen wie Oceane keine Seltenheit in der bürgerlichen Gesellschaft seiner Zeit waren. In einem eingestreuten Gespräch wird geäußert: »Eine entzückende Seite in unserer modernen Kunst ist das Hervorkehren des Elementaren. Das Geltendmachen seiner ewig siegreichen Macht über das Individuelle, das Menschliche, das Christliche«, Sätze, die auch Storm geschrieben haben könnte. Oceane dient als lebender Beweis dafür. Alles ist ihr verschlossen, das Beste, was der Mensch hat, die Hingabe, aus einer tiefen Heimtücke der Natur verwehrt. Eine Glaswand, eine Zone der Leere liegt unüberwindbar zwischen ihr und der Welt. Sie streckt die Arme nach dem Leben aus, aber ihre Hände vermögen es nicht zu fassen. Es entzieht sich ihr, verflüchtigt sich und steht ewig, als Abglanz ihrer Sehnsucht danach, am Horizont.

»Es gibt Unglückliche«, schreibt Fontane, »die statt des Gefühls nur die Sehnsucht nach dem Gefühl haben, und diese Sehnsucht macht sie reizend und tragisch. Die Elementargeister sind als solche uns unsympathisch, die Nixe bleibt uns gleichgültig; von dem Augenblick an aber, wo die Durchschnittsnixe zur exzeptionellen Melusine wird, wo sie sich einreihen möchte ins Schön-Menschliche und doch nicht kann, von diesem Augenblick an rührt sie uns. Oceane von Parceval ist eine solche moderne Melusine. Sie hat Liebe, aber keine Trauer, der Schmerz ist ihr fremd, alles, was geschieht, wird ihr zum Bild, und die Sehnsucht nach einer tieferen Herzensteilnahme mit den Schicksalen der Menschen wird ihr selber zum Schicksal. Sie wirft das Leben weg, weil sie fühlt, daß ihr Leben nur ein Scheinleben, aber kein wirkliches Leben ist . . .«

Einen solchen Menschen stellt Fontane mitten hinein in die zum großen Teil auf Schein aufgebaute Gesellschaft des neunzehnten Jahrhunderts und erzeugt damit einen fesselnden Kontrast. Das Jahrhundert, das die Wirklichkeit gepackt zu haben glaubte, als Gegenspieler eines Mädchens, das ein Scheinleben führt – zu einer Oceane von Parceval. Ein seltsam verlockender, elfischer Zauber geht von ihr aus. In dem Ostseebad, wo sie mit ihrer prosaischen Mutter zur Erholung weilt, fällt sie sofort auf. Die Männer wenden die Köpfe nach ihr. Einer sagt: »Es sind interessante Damen, oder man kann sie wenigstens dafür gelten lassen; sehr belesen und wissen alles. Eigentlich, glaube ich, wissen sie nichts, aber es sieht doch so aus, als wüßten sie alles ... Sie haben etwas Kosmopolitisches, und als sie merkten, daß es den Leuten imponierte, waren sie klug genug, sich ein System daraus zu machen«, wie Tausende vermögender Leute ihresgleichen, die die nackte Häßlichkeit des bloßen Reichtums mit dem schönen Schein der Bildung drapierten. Hier fallen huschende Lichtstrahlen in Schächte, die das Jahrhundert vor sich selbst verdeckte, hier werden Oceane und ihre Mama zu Schlüsselfiguren.

Das Unausbleibliche geschieht: ein junger Mann verliebt sich in Oceane, die Leidenschaft trifft auf das vom Bürgertum entwertete und gleichzeitig zum Fetisch erhobene Gefühl. Auf einer Landpartie gesteht Oceane ihrem Liebhaber: »Ich habe keine Träne, kein Gebet, keine Liebe. Ich habe nur die Sehnsucht nach dem allen.« Hier erhebt sie sich über ihr Jahrhundert, eine bürgerliche Nixe, aufrichtig genug, den ihr anhaftenden Fluch zuzugeben. Und so geschieht das Unvermeidliche; Oceane tut, was das Jahrhundert sich nur vorlügt. Die Schlußsätze des Fragments geben es in großartiger Einfachheit wieder: »Es war stille See geworden. Oceane nimmt Abschied von der Mutter in ruhiger Heiterkeit. An den Strand. Sie blickt von dem Badesteg hinaus, einzelne weiße Kämme blitzten auf. Sie hat ein Gespräch mit der Badefrau und ein paar anderen jungen Damen. Diese folgten ihr mit dem Auge. Sie sahen sie, wie sie bis zu dem ersten und zweiten und dritten Raff (Sandbank) schwamm, und dann war es, als ob Wellen tanzten. Waren es Wellen? Wohl, wohl, was sonst? Oder war es ein Delphin? Und sie schwamm weiter, und sie sahen die grüne Kappe, die sie trug. Und nun schwand sie. ›Sie macht eine Biegung.‹ Eine Stunde, und sie war noch nicht zurück. Der Tag ging, ein anderer kam, Oceane war fort.

In ihrer Briefmappe fand sich ein Brief, an den Helden adressiert. ›Ich gehe fort. Es war doch recht, das mit dem Elementaren. Es fehlt mir etwas für die Erde, dessen ich bedarf, um sie zu tragen. Ich hatt' es nur gefühlt; als ich Dich sah, wußte ich es. Ich geh nun unter in dem Reich der Kühle, daraus ich geboren war. Aber auch dort die Deine.‹«

Fouqué, Storm, Heyse – alle haben ähnliche Stoffe angepackt, aber Fontanes realistisches Fragment überragt in seiner tiefen Symbolik alle anderen derartigen Versuche.

Auf die Dauer läßt die Geschichte nichts in der Schwebe; die deutsche Einheit war durch die Revolution von unten nicht erreicht worden, und so mußte sie durch eine Revolution von oben herbeigeführt werden; Deutschland konnte nicht als einziges europäisches Land, aufgeteilt in lauter partikularistische Interessen, zurückbleiben.

Im Januar 1861 starb in geistiger Umnachtung Friedrich Wilhelm IV. von Preußen.

> »Zu scheu, der neuen Zeit ins Aug' zu sehen,
> Zu beifallslüstern, um sie zu verachten,
> Zu hochgeboren, um sie zu verstehen«,

wie es bei Georg Herwegh von ihm heißt. Mit ihm ging ein historisch unhaltbar gewordener Schwebezustand zu Ende. Sein Bruder Wilhelm, der vierundsechzigjährige Regent, als »Kartätschenprinz« von 1848 unrühmlichst in Erinnerung, trat die Nachfolge an. Unter dem neuen Herrscher kam es alsbald zu heftigen Konflikten zwischen Regierung und Volksvertretung. Es ging um die Mittel zu einer umfassenden, kostspieligen Heeresreform. Zehn Millionen Taler jährlich sollte das Parlament zu diesem Zweck bewilligen. Die Abgeordneten lehnten die Vorlage mit großer Mehrheit entschieden ab. Sie wurden nach Haus geschickt, aber im neugewählten Landtag war die Opposition gegen die Regierungsvorlage noch größer; die Abgeordneten »raisonierten nicht nur inwendig«, sondern opponierten offen.

Um seine Forderungen durchzusetzen, beorderte der König seinen Gesandten beim Frankfurter Bundestag, den Junker Otto von Bismarck, nach Berlin und betraute ihn mit der Führung der Regierungsgeschäfte. Er schien der einzige Mann, energisch genug, die widerspenstigen Parlamentarier in ihre Schranken zu weisen und dem Gottesgnadentum der preußischen Könige erneut Geltung zu verschaffen.

Mit Bismarck trat ein neuer Akteur auf die Bühne der europäischen Politik. Von einem König, der mit seinem Landtag nicht fertig wurde, an die Macht berufen, erklärte er schon kurz nach seinem Amtsantritt vor der Budgetkommission, wie er zu regieren gedachte. Er sagte: »Nicht auf Preußens Liberalismus sieht Deutschland, sondern auf seine Macht ... Nicht durch Reden und Majoritätsbeschlüsse werden die großen Fragen der Zeit entschieden ..., sondern durch Eisen und Blut.«

»Die großen Fragen der Zeit« – das war für Bismarck vor allem die Frage Österreich–Preußen, wie er es bereits einige Jahre zuvor in einem Bericht in aller Deutlichkeit formuliert hatte: »Ich will nur meine Überzeugung aussprechen, daß wir in nicht zu langer Zeit für unsere Existenz gegen Österreich werden fechten müssen.«

Um diesen Leitsatz seiner Politik durchzuführen, bedurfte es eines schlagkräftigen Heeres, und er war fest entschlossen, die preußische Armee mit allen gesetzlichen und ungesetzlichen Mitteln auf den Höchststand seit ihrem Bestehen zu bringen und selbst vor einem Bruch der Verfassung nicht zurückzuschrecken.

Im Oktober 1862 hatte er die berühmte Eisenbahnabteil-Unterredung mit dem aus Baden-Baden kommenden König. Wilhelm I. war pessimistisch. »Ich sehe ganz genau voraus, wie das alles enden wird. Da vor dem Opernplatz, unter meinen Fenstern, wird man Ihnen den Kopf abschlagen und etwas später mir«, sagte er zu seinem Ministerpräsidenten.

Der Königsmord auf dem Opernplatz, den sich der Hohenzoller ausmalte, fand jedoch nicht statt. Schließlich befand man sich in Preußen und nicht in England oder Frankreich, wo gesalbte Häupter schon aus ganz anderen Gründen Krone und Kopf verloren hatten.

Als der Landtag in der Frage der Heeresvorlage standhaft ablehnend blieb, setzte Bismarck den Staatshaushalt endlich ohne verfassungsmäßige Genehmigung durch das Parlament in Kraft. Mit ebenso viel Skrupellosigkeit wie Überlegenheit ging er seinen Zielen nach und führte seine Revolution von oben über die drei rasch aufeinanderfolgenden Kriege gegen Dänemark, Österreich und Frankreich bis zur Reichsgründung durch.

1863 lieferten ihm die Dänen in ihrer Kurzsichtigkeit den ersten willkommenen Vorwand zu militärischen Aktionen; sie

rennten Holstein durch Einführung einer neuen Gesamtverfas-
ung von Schleswig und gliederten die beiden Länder zwangs-
veise in ihren Staat ein, ohne zu berücksichtigen, welche Ressen-
iments dieses Vorgehen in den übrigen deutschen Ländern aus-
ösen mußte. Storm schickte »einen Wecker an die Gartenlaube
. . der, das versichere ich Dir, nicht von gestern ist«, wie er an
udwig Pietsch schrieb. ». . . Also paß auf, wenn die ›Schleswig-
Holsteinischen Gräber‹ ans Licht treten. Es wird einschlagen,
oder ich will kein Poet sein.«

Das Gedicht übte die erwartete aufrüttelnde Wirkung aus, die
Dänen jedoch setzten ihre Vergewaltigungspolitik fort und rech-
neten dabei auf das tiefe Zerwürfnis zwischen Österreich und
Preußen. Aber sie unterschätzten Bismarck, auf dessen Betreiben
nan sich in Wien den Forderungen Preußens nach Aufhebung
ler neuen dänischen Verfassung anschloß und vertraglich fest-
egte:

»Für den Fall, daß es zu Feindseligkeiten in Schleswig käme
und also die zwischen den deutschen Mächten und Dänemark bestehenden Verträge hinfällig würden, behalten die Höfe von
Österreich und Preußen sich vor, die künftigen Verhältnisse der
Herzogtümer nur im gegenseitigen Einverständnis festzustel-
len . . .«

Damit war man an der Donau engagiert, genau das, was Bismarck beabsichtigt hatte. Jetzt hatte er nicht nur die Dänen in der
Zange, die den Krieg in der Hoffnung auf englische Unterstützung riskierten, sondern auch die Österreicher in der Hand. Es
war ein Spiel mit hohen Einsätzen und gewagten politischen

Schachzügen – das Endziel: die Ausschaltung Österreichs, mi
dem er soeben einen Bündnisvertrag geschlossen hatte, und di
Niederwerfung des bonapartistischen Frankreichs, das den mi
einem preußischen Sieg verbundenen Prestigeverlust nicht ruhig
hinnehmen würde. Ein Spiel voller Perfidie, wenn man moralische Maßstäbe anlegen will, aber andererseits eine großartig
durchdachte Komödie zum Thema Betrug der Betrüger, in de
alle Beteiligten die ihnen von Bismarck zugedachte Rolle aus-
führten und in die Fallen stolperten, die er ihnen gestellt hatte.
Allen voran die Wiener Diplomatie. Im Vertrauen darauf, nach
Vertreibung der Dänen oben im Norden einen neuen Kleinstaat
im Rücken Preußens errichten zu können, nahm man am dänischen Feldzug teil und ließ sich nachher durch fortgesetzte be-
wußte Provokationen Bismarcks in einen Krieg mit Preußen hin-
einmanövrieren. In Preußen war wenig Verständnis für die Politik Bismarcks und den »Deutschen Krieg« vorhanden. Man be-
fürchtete eine Niederlage. Erst nach Königgrätz atmete man auf,
und der »Kladderadatsch« brachte die Verse:

»Berlin, kannst wieder ruhig sein
Von Kroll bis an den Friedrichshain!
Die Stadt wird nicht sobald verbrannt,
Das Geld ist sicher vorderhand.
Bring, Rieke, nur die Löffel her –
Der Benedek kommt nun nicht mehr.«

Statt dessen kam aus dem Frankreich Napoleons III. die Pa-
role: »Rache für Sadowa«, und ein paar Jahre später kam der
Krieg mit Frankreich, kam 1871 und Sedan.

In diesen von kriegerischen Auseinandersetzungen erfüllten Jahren zwischen 1860 und 70 schrieb Fontane einen großen Teil seiner »Wanderungen durch die Mark Brandenburg« und war bald im Oderland, bald im Spreeland, um Stoff zu sammeln, und dann wieder in Berlin, um das Gesammelte zu sichten und zu verarbeiten. Aus dieser friedlichen Tätigkeit wurde er durch die Ereignisse in Schleswig-Holstein, die Aufmärsche in Böhmen und Frankreich jedoch immer wieder herausgerissen. Nach Ausbruch des Krieges mit Dänemark schickte ihn die »Kreuzzeitung« als Berichterstatter zum Kriegsschauplatz. Er fuhr über Travemünde nach Kopenhagen, besuchte Fredericksborg, Klampenborg, Wiborg, Alsen, Düppel und andere Orte und kehrte auf dem Rückweg bei Storm in Husum ein. »Neulich war Fontane einige Tage bei uns, was mir doch eine große Freude machte; er ist doch trotz seiner Mitredaktionsschaft an der + + + ein netter traitabler Mensch und – ein Poet.«

Wer ihn jedoch nicht näher kannte, hätte ihn nach den Werken, die er im Gefolge der siegreichen preußischen Kriege herausbrachte – seinen drei Kriegsbüchern – nie und nimmer für einen Poeten gehalten. Es sind die umfangreichsten und unpoetischsten Bücher, die er hinterlassen hat, gewaltige Wälzer ohne Gewicht. Reine Lohnschreiberei. Ein Verleger machte ihm das Angebot, die preußischen Feldzüge mit allem Drum und Dran für ein breiteres Publikum zu schildern. Und er nahm an. Leider, möchte man heute sagen. Aber für ihn gehörten auch diese dreieinhalbtausend Seiten Lexikonformat, die kein Mensch mehr liest und kaum jemand kennt, zu den Umwegen, die er machen mußte, um zu seiner eigentlichen Bestimmung zu gelangen. Diese Chroniken haben nichts von der Prägnanz, mit der Thukydides den Peloponnesischen Krieg, nichts von dem Schwung, mit dem Schiller den Dreißigjährigen Krieg beschrieben hat. Sie geben nur das Vordergründige der drei preußischen Kriege wieder, die Bismarck aus sehr hintergründigen Intentionen führte. Es sind Sammlungen eigener Zeitungsberichte mit eingeschobenen behördlichen Proklamationen, Betrachtungen von Militärs und Strategen, Feldpostbriefen und anderen Dokumenten, durch Zwischentexte verbunden, die zwar journalistisches Geschick verraten, sich aber selten darüber erheben, in mühevoller Kleinarbeit zusammengetragen. Beim 66er Buch verweigerte ihm der Preußische Generalstab aus übertriebener militärischer Vorsicht noch dazu jegliche Hilfe, so daß er fast ausschließlich auf sächsische und österreichische Quellen angewiesen war. Wie er die Arbeit an diesen Büchern dennoch bewältigte, bleibt rätselhaft, besonders wenn man die häuslichen Umstände und sein körperliches Befinden bedenkt. »Gegenwärtig«, trug Henriette von Merckel in ihr Tagebuch ein, »haben meine lieben Freunde keine Nahrungssorgen, aber ihre reizbaren Naturen, und namentlich seine Angegriffenheit und Stockungen des Blutes machen ihnen das Leben nicht leicht.«

Von den Kriegsbüchern erlebte nur das Werk über den Preußisch-Dänischen Krieg eine zweite Auflage, die anderen beiden fielen »total in den Brunnen« und gingen »spurlos vorüber«, wie er selbst es ausdrückte. Er erhielt zwar den Preußischen Kronenorden IV. Klasse und später das Ritterkreuz des Wendischen

Kronenordens dafür, aber sonst brachten sie ihm, außer der Anerkennung Moltkes und einer Ehrengabe von achtzig Friedrichsdor, kaum etwas ein – weder Ruhm noch Geld.

Nach den Kriegen, vornehmlich nach 1870, erschienen noch andere Werke dieser Art, halb Tatsachenbericht, halb Glorifizierung preußischer Waffentaten, und standen in Prachtausgaben auf dem Bücherbord irgendeines neuernannten Kommerzienrates der Gründerjahre. In einer Nummer der »Gartenlaube« vom Jahre 1873 ist ein solches Buch angezeigt: »*Ein Riesen-Epos in Prosa.* In jenem denkwürdigen Momente am Abende des 15. Juli 1870, wo König Wilhelm von Ems zurückkehrend ›Unter den Linden‹ von Tausenden und aber Tausenden empfangen wurde, wo der ganze unsägliche Druck, der auf den Gemütern lag, in dem von Thränen opferfreudiger Begeisterung begleiteten Rufe: ›Hoch, hoch unser Feldherr!‹ sich Luft machte, da war es wohl Zeit zu guten patriotischen Vorsätzen, und wie Mancher von Denen, die damals dem Vaterlande Treue gelobten, mag nun in französischer Erde schlummern! An jenem Abende entstand denn auch der Plan zu dem Riesen-Epos in Prosa, das die Thaten des deutschen Volkes in Waffen berichten sollte, und das nunmehr fast vollendet vor uns liegt. Wir meinen das große ›Tagebuch‹ des Krieges von G. *Hirth* und J. von *Gosen* ... ein ebenso einfach als großartig angelegtes Buch, wie weder über diesen Krieg noch über irgend eine andere Geschichtsepoche ein ähnliches existiert ... Der Plan ..., auf dem das ganze Werk beruht, ist einfach der: für jeden Tag in möglichster Vollständigkeit und Ausführlichkeit Alles zu berichten, was sich in rein militärischer, politischer und selbst culturgeschichtlicher Beziehung irgendwie Bemerkenswerthes ereignet hat ... Der große Umfang von etwa dreihundert Bogen mit fünftausend Spalten vollen Druckes macht zwar das ›Tagebuch‹ zu einem kostspieligen Buche – die drei starken Quartbände kosten etwa zehn Thaler im Abonnement ... Wir schließen unsere warme Empfehlung ... mit den Worten Ad. Bacmeister's: ›Wenn man diese scheinbar so trockenen Blätter durchliest, so ist es der fast künstlerische Genuß eines Epos – des schönsten und gewaltigsten, von welchem die heute Lebenden zu sagen wissen, von welchem noch späte Geschlechter singen und sagen werden‹.«

Es singt und sagt niemand mehr davon. Dieses »Riesen-Epos in Prosa« ist genauso verschollen wie die Kriegsbücher Fontanes, nur noch für den Forscher von Wert, den Kulturpsychologen von Interesse.

# DER SPION

Am 27. September 1870, am Tage der Kapitulation von Straßburg, war Fontane im Auftrage des Decker-Verlages nach dem französischen Kriegsschauplatz aufgebrochen, um an Ort und Stelle Material für das geplante Werk über den Feldzug in Frankreich zu sammeln.

Anfang Oktober, eines Nachts zwischen zwei und drei, wurde der Völkerpsychologe und Lehrer an der Berliner Kriegsakademie, Professor Moritz Lazarus, aus dem Schlaf geklingelt. Vor der Tür standen Friedrich Eggers und Bernhard von Lepel, bleich und erregt, und verlangten ihren alten Rütli-Freund zu sprechen, der auch mit Fontane eng befreundet war. Sie hätten soeben die Nachricht erhalten, daß Fontane unter Spionageverdacht gefangengenommen worden sei. Es müsse sofort etwas zu seiner Befreiung unternommen werden. Man wisse, daß er, Lazarus, mit Crémieux, dem französischen Justizminister, bekannt sei und auch sonst über weitreichende Beziehungen verfüge, und so habe man gedacht . . . ja, aber anscheinend vergessen, daß man sich im

Kriege befinde und die Verbindungen nach Frankreich unterbrochen seien. Trotzdem müsse es einen Weg geben. Lazarus, über die Verhaftung Fontanes ebenso erschüttert wie empört, versprach, sein möglichstes zu tun. Schon am nächsten Morgen in aller Frühe sprachen Eggers und Lepel erneut bei dem Professor vor, der ihnen erklärte, daß er versuchen wolle, den Schweizer Bundespräsidenten Dubs, ihm seit seinen Berner Tagen wohlgesonnen, dazu zu bewegen, ein Schreiben an den französischen Justizminister auf diplomatischem Wege weiterzuleiten.

Damit war der erste Schritt zur Rettung Fontanes, der wieder einmal schwer in die Bredouille geraten war, getan, und am 23. Oktober 1870 ging von Berlin aus ein Brief an das eidgenössische Staatsoberhaupt, in dem es hieß:

»... Fontane, der eine Geschichte der Kriege von 64 und 66 geschrieben hat, ist, um Vorstudien für eine etwaige Geschichte des siebziger Krieges zu machen, vor etwa fünf Wochen nach Frankreich gegangen; auf eigene Hand, unabhängig von jedem Hauptquartier, hat er seinen Weg eingeschlagen. Von Toul aus hat er, rein der romantischen Neigung folgend, sich seitwärts begeben, um Domremy und Vaucouleurs, die Stätten der Jungfrau von Orleans, aufzusuchen. Von Franctireurs aufgehoben, ist er nach der Zitadelle von Besançon gebracht worden, wo er sich noch befindet, wie aus den dürftigen brieflichen Meldungen von ihm ersichtlich, mit dem Verdacht der Spionage behaftet. Ich und meine Freunde, die wir seine Verhältnisse, seine Absichten und seinen Charakter genau kennen, wir können mit gutem Gewissen auf unser Ehrenwort versichern: daß er, jeder Aktion durchaus fern, lediglich literarische Zwecke auf seinem Wege verfolgt hat. Wir haben uns deshalb durch gütige Vermittlung Ihres hiesigen Gesandten . . . an Sie und den ganzen Schweizer Bundesrat mit der Bitte gewandt, daß Sie die Güte haben möchten, Ihren hohen Einfluß auf die französische Regierung . . . geltend zu machen, daß Herr Fontane freigegeben resp. gegen andere gleichartige Gefangene ausgetauscht werde –, insbesondere aber dahin, daß bis zu seiner Befreiung mit aller Rücksicht auf seine leider so schwache und zarte Gesundheit mit ihm verfahren werde . . .«

Diesem Brief war ein Schreiben an den höchsten Justizbeamten Frankreichs beigefügt, mit aller Vorsicht und Delikatesse abgefaßt. Lazarus hatte an den Minister geschrieben: ». . . Die hohe Achtung vor den erhabenen Pflichten, welche Ihre Zeit jetzt ausfüllen, verbietet mir, Ihnen ausführlicher zu schreiben. Alle weitere Ausführung könnte auch nur dahin führen, Ihnen die Überzeugung zu geben, daß es sich um einen unschuldigen, selten reinen und edlen Menschen handelt, dessen Rettung ich Ihnen dringend und flehentlich ans Herz lege. – Sie werden meinem Zeugnis den Glauben nicht versagen; Sie werden auf die Stimme der Humanität hören, die Ihrem Herzen ein so gewöhnter Klang ist . . .«

Wenige Tage nach Abgang seines Gesuches erhielt Lazarus vom Schweizer Bundespräsidenten eine Depesche: »Habe entsprechendes Telegramm an Fontane abgesandt, werde Crémieux Ihr Schreiben zustellen und ihm Gegenstand der Petition bestens empfehlen.«

Inzwischen waren weitere besorgniserregende Nachrichten über Fontane in Berlin eingetroffen. Der Felddiakon Lüdicke, der beim 90. Regiment in Toul stand, schrieb an Friedrich Eggers und legte seinem Brief einen vertraulichen Zettel bei mit den Worten: »Im Vertrauen zu Ihnen, bereiten Sie Frau Fontane allgemach auf ein Unglück vor. Erst vor acht Tagen sind in der Gegend von Vaucouleurs zwei Gendarmen getötet worden. Die Bevölkerung dort, enragiert französisch, soll furchtbar frech auftreten. Der Pöbel überfällt bei hellem Tage in Rotten zu Hunderten die Häuser der Wohlhabenden, ja sogar bis vor Toul schwärmen sie heran. Ich bin mit der Situation nicht ganz vertraut, das Flußtal soll nach den Vogesen sich hinziehen, mit diesen zusammenhängen und so *quasi* eine Ausfallspforte für dort sein. Nach *meinem* Gefühl ist ein Unglück passiert. Doch läßt sich den Moment nichts weiter tun, als erst den Bericht des Maire abwarten.«

Bei den Partisanenkämpfen, in die sich die preußischen Truppen nach der Kapitulation von Sedan und der Ausrufung der Republik verstrickt sahen, mußte man auf alles gefaßt sein, und so wurde Lepel, als alter Offizier, beim Kriegsminister von Roon vorstellig und forderte ihn auf, Vergeltungsmaßnahmen zu ergreifen, worauf der Minister drei französische Gelehrte festnehmen ließ. Die Angelegenheit zog weitere Kreise und wurde Bismarck vorgetragen, der sich Fontanes entsann, an den er 1867 aus Varzin ein paar Zeilen gerichtet hatte: »Euer Wohlgeboren danke ich verbindlich für die Übersendung Ihrer neuesten Arbeit, der deutsche Krieg von 1866, von der ich mir in der Erinnerung an das Interesse, mit dem ich Ihre Wanderungen durch die Mark gelesen habe . . . eine besonders anziehende Lektüre verspreche.«

Obwohl seither von Fontane selber die beruhigende Mitteilung an seine Frau gelangt war, daß, wo die Obrigkeit sich durchzusetzen vermöge, die Gefahr gering für ihn sei – »Die Leidenschaft ist vorüber, und die Gerechtigkeit beginnt« – mit dem humorvollen Zusatz: »O Jeanne d'Arc, ich muß teuer für dich bezahlen!«, nahm Bismarck den Vorfall zum Anlaß einer diplomatischen Intervention und ließ durch den Gesandten der Vereinigten Staaten in Paris, Washburn, energischen Protest bei der französischen Regierung einlegen und die sofortige Freilassung Fontanes fordern. Auch Crémieux war nicht müßig und telegrafierte am 20. November an Lazarus: »Je pense qu'en ce moment M. Fontane, votre recommandé et celui de vos savants collègues, est libre. Je n'ai perdu un instant, mais il avait été envoyé à l'île d'Oléron, ce qui a retardé sa délivrance. Hélas, mon cher monsieur, ce n'est pas à notre chère France qu'il faut recommander l'humanité dans cette guerre barbare qu'on lui livre. Dieu jugera . . .«

Am 26. November ließ der Vizekommandant von Oléron Fontane zu sich kommen und erklärte ihm: »Monsieur le Ministre de la Guerre a ordonné votre libération. Monsieur Fontane, vous êtes libre.«

In Deutschland wußte man schon einige Tage vorher, daß die französischen Behörden dem Drängen der deutschen Regierung nachgeben würden. Paul Heyse schrieb am 24. November an

Lazarus: »Fontanes endliche Freilassung hat uns gestern die Zeitung gemeldet. Es wird großer Jubel im Rütli sein, und Du hast Dir kein kleines Anrecht auf eine oberste Stelle im goldenen Buch der Freundschaft erworben.«

Am 5. Dezember traf Fontane wohlbehalten wieder in Berlin ein, das fast fertige Manuskript seines Büchleins »Kriegsgefangen« in der Tasche, mit dessen Vorabdruck die Vossische Zeitung in ihrer Weihnachtsausgabe begann.

Darin schildert er seine Erlebnisse: wie es zu seiner Verhaftung kam, wie das vorherrschende Mißtrauen Mißverständnisse begünstigte, das erste Verhör durch einen besoffenen Bürgermeister, »der, gedunsen und kurzhalsig, seiner apoplektischen Anlage durch 6 Liter Wein täglich zu Hilfe zu kommen schien«, seinen Abtransport, »rechts der Kutscher, links ein Franktireur, ich eingeklemmt zwischen beiden«. Ohne Haß auf Frankreich und die Franzosen, ohne Verbitterung, mit der ihm eigentümlichen humorvollen Sachlichkeit, die ihn selbst in Momenten akuter Gefahr nicht verläßt und ihn befähigt, alles aufzunehmen, was rings um ihn vorgeht, besonders possierliche oder komische Nebensächlichkeiten, berichtet er von den einzelnen Etappen seines Weges, von seinen jeweiligen Wärtern und Mitgefangenen, flicht Anekdoten und Geschichten in seine Erzählung ein und bringt so ein Buch zustande, das genau der Aufforderung entspricht, die sein Freund, der Geheime Regierungsrat von Wangenheim, an ihn in die Gefangenschaft gerichtet hatte: ». . . nutzen Sie Ihre unfreiwillige Mußezeit, indem Sie eine Theodoriade schreiben, deren Held Sie selbst sein werden . . .«

Zu einer solchen »Theodoriade« schließen sich die einzelnen Kapitel dieses liebenswürdigen Buches zusammen. Es ist frei von Ressentiments, ein Stück Lebens- und Zeitgeschichte, ohne Affekte aus dem Augenblick heraus aufgezeichnet, und an keiner Stelle mit der furchtbaren Auffassung belastet, die einem die landläufigen Kriegsberichte von damals vergällen, daß es im Leben nichts Höheres gebe, als ein Preuße zu sein. Es ist eine der heitersten Arien aus dem großen Gefangenenchor der Welt.

Freilich, er, Theodor Fontane, war, wie wir heute sagen würden, noch einmal davongekommen. Der Fünfzigjährige, der sein eigentliches Lebenswerk erst noch leisten sollte, entging der Verurteilung als Spion und der Erschießung. Das Schicksal duldete es nicht. Aber wie stand es mit den tausend anderen, die auf den bloßen Verdacht hin an die Wand gestellt und füsiliert worden waren – hüben und drüben – wie die beiden Pariser Kleinbürger, von denen Maupassant in einer Novelle erzählt, die beim Angeln in der Seine von den Preußen aufgegriffen werden und dem Standrecht verfallen? Oder dem jungen Alexander Andersen, Fähnrich im 4. Ulanenregiment, der am 29. Oktober 1870, zur selben Zeit, da Fontane, des gleichen Verbrechens angeklagt, in der Zitadelle von Besançon saß, in Thionville unter den Kugeln eines Exekutionskommandos gestorben war, dreiundzwanzig Jahre alt?

Dieser junge Mensch war genauso wenig ein Spion und genauso unschuldig gewesen wie er, Theodor Fontane, und hatte dennoch sterben müssen, und in Erinnerung an die durchgestandenen eigenen Gefahren, die bei der allgemeinen Verhetzung und im Fieber der aufgewühlten politischen Leidenschaften sehr leicht auch mit seinem Tode hätten enden können, widmete er dem Gedenken dieses Jünglings Jahre später einige der schönsten, schlichtesten und ergreifendsten Seiten, die er je geschrieben hat, und fügte sie seinem »Spreeland«-Buch ein.

Der Fähnrich war mit dem Bürgermeister des Ortes, wo er im Quartier lag – unvorsichtigerweise in Zivil – nach Thionville gefahren; dort hatte man im Café Luxembourg gefrühstückt, sich lebhaft mit den anwesenden Gästen unterhalten, die den Fähnrich trotz seiner bäuerlichen Tracht erkannten und ihn gewarnt haben sollen, ohne indes irgend etwas gegen ihn zu unternehmen oder ihn in seiner Bewegungsfreiheit zu behindern. Erst als man auf der Rückfahrt noch vor einem Wirtshaus am Stadtrand zu einem Abschiedstrunk anhielt, kam es zu der Katastrophe. Irgend jemand ließ das Wort Spion fallen, und schon schlug die Stimmung der Arbeiter und Kleinbürger um, ihre Angst vor den Preußen, ihr Haß auf die Eindringlinge, die den Kaiser gefangengenommen und Frankreich auf das tiefste gedemütigt hatten, kam zum Ausbruch, und der Bürgermeister und sein junger Begleiter, der eben noch fröhlich gescherzt hatte, sahen sich plötzlich von einer erregten, feindseligen Menge umgeben und festgenommen. Ein Kriegsgericht verurteilte beide zum Tode.

»Ich bedaure, daß meine überaus schwierige Lage und die Macht der Umstände mir nicht gestattet haben, den Gang dieser furchtbaren Angelegenheit aufzuhalten«, schrieb der französische Stadtkommandant, Oberst Turnier, noch am Tage der Hinrichtung an den Kommandeur des 4. Ulanenregiments.

»Ich bedaure . . .« Es fröstelte Fontane, wenn er bedachte, daß auch seine Familie nahe daran gewesen war, ein Schreiben zu erhalten, das mit diesen Worten begann. »Bei uns wären Sie erschossen worden«, erklärten ihm später alle preußischen Offiziere, mit denen er sprach.

Aber nun war er wieder daheim, und Henriette von Merckel konnte in ihr Tagebuch vermerken: »Am Weihnachtsabend konnte Fontane den Weihnachtsbaum für seine Kinder wie sonst anstecken; als ich herüberkam, sagte ich aus tiefster Seele: Gott sei gedankt, daß er Sie wieder zurückgeführt hat! Und ich weiß, daß diese glückliche Errettung einen tiefen Eindruck auf ihn gemacht hat.«

# BAYREUTHER ZWISCHENSPIEL

Kurz nach dem Deutsch-Französischen Kriege, im Jahre 1872, hatte man in Bayreuth mit dem Bau des Festspielhauses begonnen. Ein paar Monate später brachte die »Gartenlaube«, die repräsentative Zeitschrift des liberalen deutschen Bürgertums, einen Bericht über »Das Wagnertheater in Bayreuth«.

»Noch stolzer als auf seinen toten Jean Paul«, heißt es darin, »ist gegenwärtig Bayreuth auf seinen lebenden Richard Wagner. Es erblickt in ihm die Gewähr einer glänzenden Zukunft, erwartet von ihm gewaltige Thaten, welche mit einem bunten, festlichen Getümmel froher Gäste von nah und fern die stille, dem Weltverkehr entrückte Stadt erfüllen sollen. Für diese hat, was er in ihrer Mitte ins Werk zu setzen gedenkt, nicht nur künstlerische, sondern auch erhebliche materielle Bedeutung. Welche einflußreiche Rolle der Dichtercomponist unter seinen getreuen Bayreuthern spielt, daß er ihnen der licht- und wärmespendende Mittelpunkt ist, es macht sich dem Fremden gleich in den ersten Stunden bemerklich. An den Schaufenstern begegnet man auf

Schritt und Tritt seinem Bilde, überall seinem Namen in den Spalten der Localpresse . . .«

Das Vorspiel zu dem größten Rummel aller Zeiten hatte begonnen, von einem genialen Regisseur in Szene gesetzt und mit allen Mitteln vorangetrieben. »Die Kosten für das Bayreuther Theater«, teilte die »Gartenlaube« ihren Lesern mit, »sind vorläufig auf dreihunderttausend Thaler angeschlagen, und eigenthümlich ist die Art, wie sie zusammengebracht werden sollen. Es hat sich zu dem Zweck eine Actiengesellschaft gebildet, die den Betheiligten statt fetter Dividenden lediglich künstlerische Genüsse verheißt. Für dreihundert Thaler kann man einen sogenannten Patronatsschein erwerben und durch ihn das Recht, den ersten drei Vorstellungen der Nibelungen-Tetralogie beizuwohnen. Um den Ankauf zu erleichtern, sind diese Scheine in drei Serien getheilt, die auch einzeln abgegeben werden. Weil nun aber ein Preis von hundert Thalern für ein auf vier Tage gültiges Theaterbillet doch immer noch an die Zahlungsfähigkeit der Enthusiasten gewaltige Ansprüche macht, sind an vielen Orten Wagner-Vereine in's Leben getreten, welche durch die Veranstaltung von Lotterien und musikalischen Aufführungen das Vorhaben ihres Herrn und Meisters zu fördern suchen . . . Höchst sinnreich ist, wie man sieht, dieser ganze Apparat ausgedacht und in Szene gesetzt. Durch die geräuschvolle Art, in der er seine Arbeit verrichtet, muß er immer wieder die Blicke des Publicums auf die Angelegenheit lenken . . .« Wäre es anders gewesen, hätte man den Plan, dessen Verwirklichung gewaltige Geldsummen erforderte, von vornherein aufgeben können. Aber gerade wo es sich um »publicity« handelte, war Wagner in seinem Element, sowohl in seinem Leben als auch in seiner Kunst. In beiden war er durchaus Unternehmer, Kapitalist. Was Friedrich Albert Lange als den »vorherrschenden Charakter« jener Jahre bezeichnete, trifft in vollem Umfang auch auf Wagner und seine Absichten zu. »Das große Interesse dieser Periode«, schreibt der Verfasser der »Geschichte des Materialismus und Kritik seiner Bedeutung in der Gegenwart«, »ist nicht mehr, wie im Altertum, der unmittelbare Genuß, sondern die *Kapitalbildung* . . . die Mittel zum Genuß zusammenraffen und dann diese Mittel nicht auf den Genuß, sondern größtenteils wieder auf den Erwerb zu verwenden . . .« Oder anders ausgedrückt: der Wagnerische Nibelungenhort als Symbol für das kulturpsychologische Phänomen des Kapitalismus mit Bayreuth als Börse.

Selbst die »Gartenlaube« meldete Bedenken an: »Der heilspendende Kunsttempel, das große ruhmreiche Nationalwerk, zu dem es sich aufbauschen möchte«, heißt es von Wagners Gründung, »hat mit dem eigentlichen Volk auch nicht das mindeste zu schaffen. Ihm bleiben seine Pforten geschlossen; den Einlaß finden nur wenige Auserwählte.«

Im August 1876 war es endlich soweit: das Haus konnte mit einer Aufführung des vollständigen Ringes der Nibelungen eröffnet werden, jenes Opernzyklus' vom Fluch des Goldes, die eigentliche Begleitmusik zu den Gründerjahren. In die folgenden Jahre fällt auch Fontanes Auseinandersetzung mit Wagner als einer säkulären Gestalt. Er, Wagner, war alles das, was Fontane nicht war: pathetisch, theatralisch, von schwülstiger Erotik, voller gierender Mystik und einem ausgeprägten Sinn für Reklame und Geschäft, um den ihn jeder Spekulant der Gründerjahre hätte beneiden können. Bei ihm war alles auf Zirkus, Manege, Schau im amerikanischen Sinne gestellt, auf Massenwirkung berechnet, die Effekte grob, die Leidenschaften ins Überdimensionale gesteigert, genau das Gegenteil von Fontane, der sein Lebenswerk mit dem »Stechlin« abschloß, einem Werk, das sich zum »Parsifal« verhält wie ein blühendes Tal zu einer mit Weihrauch durchtränkten künstlichen Grotte.

»Ich bin absolut *einsam* durchs Leben gegangen«, schreibt Fontane in jener Zeit von sich, »ohne Klüngel, Partei, Clique, Koterie, Klub, Weinkneipe, Kegelbahn, Skat und Freimaurerschaft, ohne rechts und links, ohne Sitzungen und Vereine«, alles Dinge, die bei Wagner eine enorme Rolle spielen und ihn förmlich zum Antipoden des Verfassers der »Effi Briest« machen. Wagner sei ganz Wotan, sagt Fontane von ihm, ein Wotan, »der Geld und Macht haben, aber auf ›Lübe‹ nicht verzichten will und zu diesem Zweck beständig mogelt«. Nachdem er ein paar Wagnersche Textbücher gelesen hatte, schrieb Fontane an Karl Zöllner: ». . . Über die furchtbare Menge der Quasseleien, Albernheiten, Unverständlichkeiten und Geschmacksverirrungen geh ich hin, ebenso über den totalen Mangel an Witz und Humor, trotzdem sich dieser letztere Mangel dadurch so fühlbar macht, daß Wagner beständig Anläufe nimmt, witzig und humoristisch sein zu wollen . . . Überall zappeln die niedrigsten Triebe, die kommissesten Gemeinheiten, wie sie nur ›Götter‹ leisten können, um mich herum, allerniedrigste Triebe, die dadurch so widerwärtig wirken, daß man Richard Wagner immer persönlich mitzappeln sieht. Der Sansparail in dieser Genossenschaft ist immer *er*, und so wird das objektiv schon Häßliche durch das subjektive Mitengagiertsein des Dichters noch viel, viel häßlicher . . .«

Im Juni 1889 befand sich Fontane zur Kur in Kissingen und unternahm von dort einen Ausflug nach Bayreuth, dem Mekka aller Wagnerianer, eines Menschenschlages, der plötzlich überall in Europa, ja sogar in Amerika und Asien auftauchte, eines *fin-de-siècle*-Produktes, das sich durch Wagners Musik mit Wollust entnerven, entmannen und entweiben ließ. Von Bayreuth aus, wo dieses internationale Publikum zusammenströmte, schrieb Fontane an seine Frau: »Die Stadt und das Leben hier sind hochinteressant: vergorene Residenz, malerisches Drecknest und dazwischen das denkbar feinste und intelligenteste Publikum. Engländer aller Arten und Grade, sehr vornehme und daneben kolossale Karikaturen. Bierkneipen und Hotels I. Ranges, in deren einem, ›Zum Reichsadler‹ (mit einem alten malerischen Brunnen in Front), ich eben gegessen habe. Nach den Anstrengungen des heutigen Tages mußte ich mir etwas gönnen, und die Gerüche hier verlangen Balancierung, sonst werde ich krank.

Ich freue mich, daß ich hier bin, sehe aber ein, daß die ganze Geschichte doch nur für Lords und Bankiers inszeniert ist. So daß man eigentlich nicht hineingehört. Wer mit keinem Tonnengewölbekoffer ankommt, ist von vornherein unten durch . . .«

Und einen Tag später: »Ich mache mir den Spaß, noch mal zu schreiben . . . Es ist jetzt 9 Uhr, und wenn ich bedenke, daß frühestens nach abermals einer Stunde ›Parsifal‹ zu Ende ist, so weiß ich nicht, wie ich diese Äonen innerhalb des Theaters hätte erleben wollen. Die Ouvertüre habe ich gehört und im Hinausgehen noch einen Glimpse von der ersten Szene gehabt; dann bin ich langsam nach Hause geschlendert . . .«

Einen Monat später schrieb er an Friedlaender resümierend: »Das große Ereignis für mich in K. war . . . eine Reise nach Bayreuth: strapaziös und sehr theuer (jedes Theater-Billet 20 Mark) und das alles – um nichts zu sehen und zu hören. Ich konnte es in dem geschlossenen, mit 1500 nassen Menschen (vorher Wolkenbruch) angefüllten Raume nicht aushalten, wartete nicht einmal den Schluß der Parsifal-Ouvertüre ab und machte, daß ich wieder 'raus kam, froh, daß ich überhaupt heraus kommen konnte. Ich bedarf durchaus des Gefühls einer gesicherten Rückzugslinie, – in dem geschlossenen Scheunen-Tempel aber saß ich wie als Kind in einer zugeschlagenen Apfelkiste. Hundert Mark waren futsch. Trotzdem thut mir die Reise nicht leid; die Beobachtung dieses Welttreibens – es war ein Hochgenuß die Fremdenliste zu lesen – hat mich aufs Höchste interessiert; aus New York oder Boston war gar nichts; Siam, Shanghai, Bombay, Colorado, Nebraska, Minnesota, *das* waren die Namen . . .«

Fontane ist nie wieder nach Bayreuth zurückgekehrt; ob auch er den »Parsifal«, wie Nietzsche, als ein »Attentat auf die Sittlichkeit« empfand, mag dahingestellt bleiben; fest steht, daß dieser große Verächter alles Brimboriums, wie er es ausgedrückt haben würde, frei war von dem Zug der Dekadenz, der durch das ausklingende Jahrhundert ging, und trotz seiner Jahre bereits auf dem anderen Ufer des Stromes stand.

# SOMMERFRISCHEN

Sommerfrische und Schrebergarten gehören einer bestimmten Entwicklungsphase des bürgerlichen Lebens an; auf Sommerfrische zu fahren, kam erst in der zweiten Jahrhunderthälfte in Mode und wurde in den Gründerjahren geradezu zur Manie. Mit dem Aufkommen der Eisenbahnen, der Ausbreitung des Schienennetzes bis in die Gebirge und an die See und der daneben einhergehenden Demokratisierung der Gesellschaft kam auch der Begriff Sommerfrische auf. Der erholungsbedürftige Bürger kehrte, sofern seine Mittel es ihm gestatteten, der ungesunden Stadt während seiner Ferien den Rücken, um sich unter seinesgleichen, Geheimräten, höheren Militärs a. D., Staatsanwälten und Fabrikantengattinnen mit heiratsfähigen Töchtern, am Strand oder auf der Promenade eines Kurortes zu ergehen. Es waren umständliche, mit viel Verdruß, Ärger und Entbehrungen gepaarte Unternehmungen, die oft das Ridiküle streiften. Mit einer Droschke zum Bahnhof begann es, mit viel Gepäck, hauptsächlich Damengarderobe, und wenn dann die lange Bahnfahrt, zwischendurch mit einem Kognak für die Herren und unter reichlichem Verbrauch von Eau de Cologne seitens der Damen, glücklich überstanden war und man sich seinem Ziel abgespannt und gereizt näherte, erwarteten die Sommerfrischler gewöhnlich andere Abenteuer: miese Unterkünfte, schoflige Wirtsleute, Preise, die inzwischen gestiegen waren, und, wenn der Himmel es ganz schlimm mit einem meinte, auch noch schlechtes Wetter und schlechtes Essen, gefolgt von Magenverstimmungen und tiefen Depressionen. Brauchte man schon eine gewisse Zivilcourage, um eine solche Reise überhaupt anzutreten, die von allen Seiten kritisch und mißgünstig unter die Lupe genommen wurde, ob auch alles standesgemäß verlief und ob man auf der Vierklassen-Eisenbahn etwa gar Dritter gefahren sei, so gehörte oft ein wahrer Heldenmut dazu, vierzehn Tage oder vier Wochen an dem betreffenden Ort auszuharren – mit einem schnarchenden Assessor als Zimmernachbarn und einer den Verfall preußischer Sitten beklagenden Generalswitwe als Tischnachbarin. Unweigerlich wurde auch der preußische Standesdünkel mit auf Sommerfrische genommen, und es kostete die Frau Rechnungsrätin aus Potsdam Überwindung, sich zu einem Gespräch mit einer bloßen Frau Steuersekretärin aus Charlottenburg herabzulassen. Sommerfrischen erfrischten nur selten richtig, und es bedurfte schon eines Fontaneschen Humors und seines Sinnes für die kleinen und großen Lächerlichkeiten des Daseins, um sie auszuhalten, ihnen etwas abzugewinnen und sich mit den herrschenden Zuständen abzufinden. Trotzdem konnte sogar Fontane zu diesem Thema gelegentlich bitter und gallig werden, gerade weil es ihm soviel bedeutete und die Sache für ihn aus gesundheitlichen und arbeitstechnischen Gründen zur Notwendigkeit geworden war.

So klagte er in einem Brief an Stephany: ». . . Ein Berliner Sommer, trotz Hobrecht und Kanalisation, ist und bleibt etwas Schreckliches. Freilich, wo wäre es im Sommer nicht schrecklich! Es könnte schön sein, wenn die Welt und besonders der Teil derselben, der auf den Namen ›Bad‹ oder ›klimatischer Kurort‹ getauft ist, nicht aus lauter Gesindel bestünde, das in erster Reihe dem Grundsatz huldigt: ›Für den Berliner ist alles gut genug‹. Mit Genugtuung habe ich die verschiedenen Schmerzensschreie gelesen, die die geschindluderte Menschheit in den Spalten der Vossin losgelassen hat. Ich würde mit einstimmen, wenn ich nicht längst resigniert wäre. Wie man Bismarck oder seiner Frau gegenüber jeden Widerstand aufgibt, weil es einem doch nichts hilft, so klage ich auch über die sogenannten Kurörter und Sommerfrischen nicht mehr, aber daß es so ist, wie es ist, ist schrecklich . . .«

Und an anderer Stelle über eines der heikelsten Kapitel des ganzen Sommerfrischenwesens, das so manchem Reisenden das Vergnügen daran restlos verdarb: ». . . Wäre ich jünger und frischer und machte mir überhaupt noch was Spaß, so würd ich ein Feuilleton schreiben, ›Das Örtchen‹, und den vollkommen richtigen, durchaus nicht übertriebenen Satz durchführen: ›Jeder Ort in Deutschland scheitert am Örtchen.‹ Dobbertin, Dahren (beim alten Schierstädt), Liebenberg, Lützburg (Knyphausen), Wernigerode (Kagelmann), Potsdam (Windel), Norderney, Thale und viele andre noch – alle werden wertlos und unbesuchbar durch das Örtchen. Das klingt scherzhaft, ist aber eine ganz ernsthafte Kalamität. Mein erster Gang heute war in den Wald, in dem ich mir auch für die Zukunft einige verschwiegene Lauben ausgesucht habe. Wenn man will: ›Sommerfrische bis ins letzte‹ . . .«

Die sanitären Unzulänglichkeiten in den meisten damaligen Privatquartieren, Gaststätten und sogar Hotels brachten manchen wohlsituierten, an das WC gewöhnten Berliner Bürger zur Verzweiflung. In Erdmannsdorf im Riesengebirge endlich fand Fontane etwas, was ihn noch besser dünkte als ein Spülklosett und berichtete seiner Frau: ». . . Ich erkundigte mich nach jener bekannten Lokalität, nach der einzelne ängstliche Gemüter, wenn sie in einen Gasthof treten, immer zuerst fragen. Herr Brey trat mit mir an das Fenster und sagte: ›Dort unter den Bäumen.‹ Im ersten Augenblick erschrak ich und dachte: ›Sollten die idyllischen Zustände hier so weit gehen?‹ Bald aber bemerkte ich zwischen zwei Apfelbäumen einen primitiven Holzbau, den man, seinem Stil nach, vielleicht als einen Vorläufer des Schilderhauses bezeichnen könnte. Wie hatt ich dies alles aber unterschätzt. Die ganze Örtlichkeit, bei näherer Bekanntschaft, erwies sich als ein Ideal. Weiß gescheuert, die Tür offen, alles, wie das Schloß im Märchen, von Bäumen umstellt, von Schlingpflanzen überwachsen. Kurz, es war hier eine Art Buen Retiro geschaffen, wie es die große Stadt mit all ihrem Erfindungsplunder, mit Ventilation und Wasserwerk nicht leisten kann . . .«

Und so suchte er trotz aller Bedenken immer wieder eine Sommerfrische auf, allein oder in Begleitung seiner Frau, vorzugsweise aber allein, war bald im Harz, bald im Riesengebirge, in der näheren Umgebung Berlins oder an der See und wurde so zum erfahrensten Sommerfrischler seiner Zeit, ein Schriftsteller, der für sich sein und ungestört arbeiten wollte, ein Mann, der alle Nachteile kannte, die ein Aufenthalt in ländlicher Umgebung unter veränderten atmosphärischen Bedingungen mit sich brachte und der all die kleinen Vorzüge dankbar genoß, die ihm daraus erwuchsen: die Trennung von Berlin und der Familie, die Bekanntschaft mit anderen Menschen, ein flüchtiges Gespräch über einen Zaun hinweg, fremde Gegenden, Sitten und Bräuche. Selten kehrte er, der unermüdliche Beobachter der Realität, der mehr von den Dingen wahrnahm als andere, ohne Ausbeute von diesen Ausflügen in die verschiedenen Provinzen des neuen Deutschen Reiches zurück. Und oft waren es neben depressiven höchst produktive Wochen, die er in Thale, am Fuß der Schneekoppe oder in Hankels Ablage an der wendischen Spree verlebte. Mit seinem ausgeprägten Sinn für Proportionen, hier im sozialen Sinne, wählte er stets den Ort, wo er sich frei, seinen Verhältnissen und Neigungen entsprechend bewegen konnte, und mied alle Plätze, die der protzige Bourgeois der Gründerjahre bevorzugte.

»Wie so vieles ist auch das lediglich eine Geldfrage; Bleichröder gehört nach Tréport oder Biarritz, ich gehöre nach Seebad Rüdersdorf. Und wenn ich es an solchem Platze nur nicht zu tief unter den märkisch-landesüblichen Ansprüchen finde, so bin ich zufrieden. Ich übe diese Sorte von Anspruchslosigkeit nicht aus Bescheidenheit, sondern aus künstlerischem Sinn, ganz so, wie unsre kleine Schneiderwohnung für unser Mobiliar und unsern ganzen Lebenszuschnitt das einzig Richtige ist.«

So blieb er sich auch auf Sommerfrische immer gleich, ein Vorhaben, das viele andre dazu verführte, aus ihrer gesellschaftlichen Sphäre herauszutreten und ihren sozialen Kredit zu überziehen, was, wenn nicht tragisch, so doch meistens kläglich endete, wie er es in seinen Erzählungen und Geschichten immer wieder schilderte und darstellte – eines seiner Hauptmotive.

Viele dieser Geschichten spielen an Orten, die er als Sommerfrischen gern aufsuchte. Nur ein so intimer Kenner des Harzes wie Fontane konnte es wagen, einen ganzen Roman dorthin zu verlegen: »Cécile«, und die Landschaft um die Roßtrappe und das Treiben in den Pensionen und Lokalen so dicht in die Handlung zu verweben. Nur wer die schlesische Mundart so liebte wie er, wer so tief in das Wesen des schlesischen Menschen eingedrungen war und besonderes Gefallen am Umgang mit Schlesiern fand, durfte einen Stoff wie »Quitt« aufgreifen und diese Wilderergeschichte aus dem Riesengebirge schreiben, das ihm aus vielen Aufenthalten dort so vertraut war, daß er um die Echtheit des Lokalkolorits nicht besorgt zu sein brauchte, oder die prächtige Kurzgeschichte vom Koppenwirt Pohl erzählen, dessen Leiche man nachts, ohne daß die Gäste etwas davon merken, zu Tale befördert.

Ein anderer ihm lieber Ort war Hankels Ablage an der Oberspree, in der Nähe von Schmöckwitz, früher ein Stapelplatz für alle möglichen Dinge und Waren, zu Fontanes Zeiten ein beliebtes Ausflugslokal, das er zum Hintergrund der schönsten Kapitel aus »Irrungen – Wirrungen« machte. »Kaum daß das Eis bricht und das Frühjahr kommt«, heißt es darüber, »so kommt auch schon Besuch, und der Berliner ist da . . . wenn ich . . . noch drin in der Stube bleibe, weil der Ostwind pustet und die Märzsonne sticht, setzt sich der Berliner schon ins Freie, legt seinen Sommerüberzieher über den Stuhl und bestellt eine Weiße . . .«

Auch die See begann eine immer stärkere Anziehungskraft auf ein unternehmungslustiges Reisepublikum auszuüben. Von Berlin aus leicht zu erreichen, lockten die Bäder an den Küsten der Ostsee und die Inseln in der Nordsee ganze Scharen von Sommerfrischlern an. Schon Heine hatte Norderney besucht, zu einer Zeit, als es noch umständlicher war, dorthin zu gelangen, und er berichtete: ». . . weder Herren noch Damen baden hier unter einem Schirm, sondern spazieren in die freie See. Deshalb sind auch die Badestellen beider Geschlechter voneinander geschieden, doch nicht allzuweit, und wer ein gutes Glas führt, kann überall in der Welt viel sehen . . . Die Badekutschen, die Droschken der Nordsee, werden hier nur bis ans Wasser geschoben, und bestehen meistens aus viereckigen Holzgestellen, mit steifem Leinen überzogen. Jetzt, für die Winterzeit stehen sie im Konversationssaale, und führen dort gewiß ebenso hölzerne und steifleinene Gespräche wie die vornehme Welt, die noch unlängst dort verkehrte . . .«

An diesen Zuständen hatte sich wenig geändert, alles war vielleicht noch ein bißchen prüder und trivialer geworden, auf einen der Titelhelden des Jahrhunderts zugeschnitten: den Reserveleutnant und die höhere Tochter. Für Fontane hatte das Badeleben dennoch seine Reize. »Und sind dann die Wochen um«, schrieb er an seine Frau aus Norderney, »so hat man, aller Einsamkeit unerachtet, doch eine Menge gehört und gesehn. Schon allein die Beobachtung der Rassen, Stämme, Stände, wozu man hier auf engstem Raum wundervolle Gelegenheit hat, ist von Wert . . .«

Wenn es auf Sommerfrische mit der Arbeit nicht vorangehen wollte, wenn die übrigen Badegäste so beschaffen waren, daß man sie lieber mied, als ihre Gesellschaft zu suchen, hielt er Rückschau wie in jenem Briefe aus dem Jahre 1891 aus Wyk auf Föhr: ». . . Alles Arbeiten habe ich einstellen müssen, und glücklicherweise habe ich auch nichts zu lesen – damit verdirbt man sich immer bei Schnupfenzuständen. Ich beschäftige mich damit, mein Leben zu überblicken, allerdings in etwas kindischer oder doch mindestens in nicht sehr erhabener Weise. Bei den ernsten Dingen verweile ich fast gar nicht; ich sehe sie kaum und lasse Spielereien, Einbildungen und allerhand Fraglichkeiten an mir vorüberziehn. Das Endresultat ist immer eine Art dankbares Staunen darüber, daß man von so schwachen wirtschaftlichen Fundamenten aus überhaupt hat leben, vier Kinder großziehen, in der Welt umherkutschieren und stellenweise (z. B. in England) eine kleine Rolle hat spielen können. Alles auf nichts anderes hin als auf die Fähigkeit, ein mittleres lyrisches Gedicht und eine etwas bessere Ballade schreiben zu können. Es ist alles leidlich geglückt . . . Aber, zurückblickend, komme ich mir doch vor wie der ›Reiter über den Bodensee‹ . . . und ein leises Grauen packt einen noch nachträglich. Personen von solcher Ausrüstung, wie die meine war: kein Vermögen, kein Wissen, keine Stellung, keine starken Nerven, das Leben zu zwingen – solche Menschen sind überhaupt keine richtigen Menschen, und wenn sie mit ihrem Talent und ihrem eingewickelten Fünfzigpfennigstück ihres Weges ziehen wollen (und das muß man ihnen schließlich gestatten), so sollen sie sich wenigstens nicht verheiraten. Sie ziehen dadurch Unschuldige in ihr eigenes fragwürdiges Dasein ... ein Apotheker, der anstatt von seiner Apotheke von der Dichtkunst leben will, ist so ziemlich das Tollste, was es gibt.«

Auf Sommerfrische fand er immer wieder Anlaß, Betrachtungen über sein eigenes Leben und über die Tendenzen des Zeitalters anzustellen, die nirgends so unverhüllt in Erscheinung traten wie gerade dort, wo sich die Menschen frei von ihnen glaubten: an der See oder im Gebirge, auf Ferien. »Ich hasse das Bourgeoishafte«, gestand er in diesem Zusammenhang, »mit einer Leidenschaft, als ob ich ein eingeschworener Sozialdemokrat wäre. ›Er ist ein Schafskopf, aber sein Vater hat ein Eckhaus‹, mit dieser Bewunderungsform kann ich nicht mehr mit... Das Bourgeoisgefühl ist das zur Zeit maßgebende, und ich selber, der ich es gräßlich finde, bin bis zu einem Grade von ihm beherrscht. Die Strömung reißt einen mit fort ...«

In den letzten Lebensjahren bekehrte er sich immer mehr zu den »großen Bädern ..., die man aufsuchen kann, auch ohne Kurgast zu sein«, Kissingen, Karlsbad, wo er »Komfort und Behagen« fand und wo europäische Luft wehte. Doch selbst in Kissingen entdeckte dieser Patriarch der Sommerfrische »unter den zweitausend Damen, die ich nun hier in drei Wochen gesehen habe«, nur zehn oder zwanzig, deren Kleidung »höheren Geschmack« verriet, alles übrige wirkte wie »Karikaturen« auf ihn. Die Sommerfrische als Forum der Kulturkritik an seinem Jahrhundert – das macht die Äußerungen Fontanes von dort im Gegensatz zu denen anderer so vergnüglich und aufschlußreich.

Noch in seinem Todesjahr schrieb er: ». . . Am liebsten bliebe ich in der Mark, deren Sandplateaus ich für besonders gesund halte, aber mir, dem Verherrlicher des Märkischen, ist alles Märkische so schrecklich. Diese eigentümliche anspruchsvolle Ruppigkeit, immer der Nickelgroschen mit Talerallüren, ist mir unerträglich. Es beobachten und schildern, ist amüsant, aber mit drunterstecken ist furchtbar . . .«

Er stand jedoch schon längst lächelnd darüber.

# PARKETT UND KRITIK

Zwei Jahrzehnte hindurch – in der Zeit zwischen 1870 und 1890 – hatten die Leser der Vossischen Zeitung das Vergnügen, nach Erstaufführungen oder Neuinszenierungen im Haus am Gendarmenmarkt, einer Tragödie von Brachvogel oder Gottschall, einem Lustspiel von Moser oder Benedix, in den Spalten ihres Blattes mitunter auf folgende Betrachtungen des Theaterkritikers zu stoßen:

»Das Ganze erinnerte mich an die bekannten Toaste wohlgenährter alter Herren (meist mit Pontac-Nase), die sich, wenn alles im heitersten Geplauder ist und einige Pärchen schon Knallbonbons gezogen und Conditorverse gelesen haben, plötzlich erheben, um völlig unmotiviert ›Dem, an den wir alle längst gedacht haben, ein stilles Glas zu weihen‹. Alles legt auf fünf Minuten das Gesicht in traurige Falten – die am meisten, die sich still erkundigen, von wem denn eigentlich die Rede sei –, bis die unbequeme Störung im Schaum des Champagners untergeht. Gott sei Dank! Nichts verwerflicher, als völlig nutzlos die heiteren Minuten dieses Lebens auch nur um eine verkürzen zu wollen.«

Der Th. F., der das in der Vossischen schrieb, wußte nur allzu gut, wie knapp diese heiteren Minuten bemessen sind, und er versuchte sie zu genießen, im Leben und in der Kunst, unbefangen, unbestechlich, mit einem äußerst empfindlichen Ohr für hohles pathetisches Gepolter und süßliches Gelispel und einem tiefen Abscheu vor aller bloßen Theatralik, vor Pose und Phrase – dieser Theater-Fremdling, wie ein witziger Kopf die Initialen seines Namens sehr zum Ergötzen des Betroffenen selber deutete. Und eben weil Theodor Fontane bis zur Übernahme des Theaterreferats für die »Voss« tatsächlich ein Theaterfremdling war, der das Schauspiel zwar gelegentlich besucht und früher einmal über die Verhältnisse an englischen Bühnen berichtet, sich aber sonst nicht weiter damit beschäftigt hatte, weil er Liebhaber, unvoreingenommen, geblieben und kein programmatisch festgelegter Routinier war, konnte er so lebendige Kritiken schreiben, daß viele davon die Stücke, die sie behandeln, überlebt haben.

1870 nahm er seinen »Kritikerplatz« als »Ersatzmann« für den verstorbenen alten Gubitz ein.

»Dies war damals Nummer 23«, erzählt er. »Schon eine merkwürdige Zahl. In überfüllten Hotels bin ich fast immer Nummer 23 untergebracht worden und habe da Schreckliches erlebt. Das kann ich nun von Nummer 23 im Königlichen Schauspielhause nicht sagen. Ich habe da viele angenehme Stunden verbracht, aber ein merkwürdiger Platz war es doch. Es war nämlich kein eigentlicher Parkettplatz, sondern nur ein Annex, ein Vorposten, ein ausgebautes Fort. Man könnte auch sagen ein Sperrfort ...«

Dort saß der Fünfzigjährige, der sich bisher kaum um das Theater gekümmert hatte und noch weniger um die Leute, die es machten, am 15. August 1870, am Tag von Vionville–Mars La Tour, zum ersten Mal in der Haltung, die charakteristisch für ihn bleiben sollte: »... mit hochgezogenen Brauen ... den Oberkörper vorgebeugt ... den sorgenvollen Blick gespannt, in leibhaftiger Fragestellung«, und sah »Wilhelm Tell«, eine konventionelle, preußisch-patriotische Neuinszenierung, der Zeitlage entsprechend. Er lobte besonders den Hauptdarsteller und erhielt einen Brief von ihm, »ein stilistisches und kalligraphisches Meisterstück und wundervoll in einer Art Königshandschrift unterzeichnet: Siegwart Friedmann«, der sich für das uneingeschränkte Lob bedankte. Das sei ihm noch nicht vorgekommen. Doch wenn man den neuen Kritiker der »Voss« für einen Mann gehalten hatte, der es weder mit den Schauspielern, noch mit der Intendanz noch mit lebenden Autoren verderben wollte und geneigt wäre, über Mängel und Schwächen einer Aufführung oder eines Stückes mit schonender Sanftmütigkeit hinwegzusehen, so täuschte man sich und wurde alsbald eines Besseren belehrt. Als wenig später Fontanes Kritik über Gutzkows »Gefangenen von Metz« erschien, horchte das ganze theaterspielende und theaterbesuchende Berlin auf, und an den Frühstückstischen der Hauptstadt entfuhr manchem Leser ein bewunderndes »Donnerwetter« über den Ton, der hier angeschlagen wurde.

»Jeder verständige Mensch«, schreibt Fontane in den nachgelassenen Aufzeichnungen zum dritten Band seiner Erinnerungen, »der mal Kritiker gewesen ist oder noch ist, wird wissen, daß es zu den schwierigsten und peinlichsten Aufgaben des Metiers gehört, oft auch Berühmtheiten, ja, was schlimmer ist, auch solchen, die einem selber als Größen und Berühmtheiten galten, fatale Sachen sagen zu müssen. Aber da sind nun wieder Abstufungen ... ganz schlimm aber wird es, wenn man sich empört, wenn man in Indignation, in Wut gerät und einem das Gefühl kommt: ja, wenn du hier nicht das Tollste sagst, so ist das eine Feigheit; du mußt deiner Indignation Ausdruck geben ... So lag es für mich, als ich diesen ›Gefangenen von Metz‹ sah. Das Antifranzösische mochte noch gehen, aber es traf sich auch so, daß es auch ein antikatholisches Stück war, ja, das erst recht. Und ein von Borniertheit eingegebener Antikatholizismus ist mir immer etwas ganz besonders Schreckliches gewesen. Und nun: in einer Zeit, wo eine zur Hälfte aus Katholiken bestehende deutsche Armee in Feindesland stand, in solcher Zeit ein antikatholisches Stück ... Ich wußte nicht, wer mir schwerer auf die Nerven fiel: der Intendant oder der Dichter oder der Darsteller ... Ich saß auf meinem Platz und wand mich vor seelischem und physischem Unbehagen ...«

Er hat sich in seiner Kritikerlaufbahn noch oft aus den gleichen Gründen innerlich krümmen und winden müssen, aber nie hat er die Leistung eines Schauspielers oder den Wert eines Stückes aus persönlicher Abneigung gegen Darsteller oder Verfasser herabgesetzt, auch darin stets Gentleman, und von seinen Theaterabenden immer wieder »Bedenken, Zweifel, Qual« mit nach Hause genommen: Bedenken über das ganze Repertoire von damals, Zweifel an sich selber und die Qual, jemand weh tun oder in seiner oder ihrer Eitelkeit verletzen zu müssen. Das ließ sich indes nicht immer vermeiden. Und so verwendete er unendliche Sorgfalt darauf, Lob und Tadel gerecht zu verteilen und schrieb seine Rezensionen in strengster Klausur, und wenn an einem solchen Morgen, während er hinter verschlossener Tür am Schreibtisch saß und das jeweilige Stück noch einmal an sich vorüberziehen ließ, uneingeweihte Besucher kamen, wies sie die Aufwartefrau schon auf dem Treppenflur mit den Worten ab: »Bedaure, der Herr hat heute Kritik.«

Diese Kritiken haben Fontane viel Mühe und Zeit gekostet. Aber das merkt man ihnen nicht an. Sie schwitzen nicht. Sie lesen sich wie seine Briefe, und was er darin beschreibt, angreift oder ablehnt, was ihn an einer Aufführung entzückte, hinriß, erheiterte, wirkt noch heute ganz unmittelbar und in aller Frische, erfreut das Herz und belebt den Verstand. Es gehört zu Fontanes Genie, daß er den Dingen die Schwere zu nehmen versteht, daß sie leicht werden unter seiner Hand und sich enthüllen, sich in ihrer Schönheit oder aber auch in ihrer ganzen Dummheit zeigen.

Einmal wohnte er einer Aufführung von Ibsens »Wildente« bei. Am nächsten Tage las man: »Was von Zwischenfällen sich einstellte, steigerte noch die gute Laune. So beispielsweise während des zweiten Aktes. In demselben Augenblick, da Herr Berndal die Worte gesprochen hatte: ›Gegen den Unverstand eines alten Weibes hat auch der beste Mann keine Waffen‹, erscholl vom zweiten Rang her ein vereinzeltes, aber intensives und die vollinnerlichste Zustimmung ausdrückendes Bravo. Jeder im Hause fühlte, daß nur ein Schwergetroffener eines solchen Herzenstones fähig sei, und drückte sein Beileid durch Beifall aus.«

Und ein andermal, anläßlich eines geschichtlichen Trauerspiels, über das schon längst niemand mehr zu trauern brauchte: »Das ganze Stück ist eine dramatische Turn- und Sängerfahrt mit aufgelegtem Fäßchen und Redeprogramm. Erste Nummer (Festrede): ›Gott schuf den Deutschen und freute sich.‹ Zweite Nummer: ›Sie sollen ihn nicht haben.‹ Drittens: ›O Straßburg.‹ Viertens: ›Die deutsche Maid‹ (Deklamation unter gütiger Mitwirkung einer Blondine). Fünftens: ›Wiederholung der Festrede.‹ Zu gütiger Beachtung: Rückfahrt 9½, der Zug hält bei Station Finkenkrug.«

Oder über das Lustspiel »Schwere Zeiten« von Rosen: »Der Erfolg des Stückes entspricht so ziemlich seinem Titel; es hatte mehr oder weniger durch ›schwere Zeiten‹ zu gehen, und der beste, freilich auch schlimmste Trost, der ihm bleibt, ist der, daß seine ›schweren Zeiten‹ keine langen Zeiten sein werden. Es kränkelt und wird bei dieser scharfen Luft bald sterben ...«

So geht es fort, die ganzen Jahre hindurch, charmant, kultiviert, aber deswegen nicht minder tödlich, besonders für Autoren, die sich einbildeten, Dichter zu sein, und junge Männer, die sich zum Schauspieler berufen fühlten. Von einem solchen Jüngling heißt es: »Ein verkleideter Mensch tritt aus der Kulisse, schlenkert hin und her und behauptet Der oder Jener zu sein. Aber er ist nicht Der und nicht Jener, ja nicht einmal er selbst.«

Alles Aufgeblähte war ihm tief zuwider. Und wenn sich jemand an die Rampe stellte, die Augen verdrehte und dem Publikum des Königlichen Schauspielhauses einen pathetischen Liebesmonolog vordeklamierte, wurde dem Alten in seinem Sperrfort übel. »Ich könnte«, gestand er, »ein hohes Lied schreiben über die Erhabenheit, die Herrlichkeit, die Wonne, die Wunderkraft der Liebe, und zwar nicht Phrasen, die ich hasse, sondern Empfundenes. Aber freilich, was sich so gemeinhin Liebe nennt, diese ganze Reihe niedrigstehender, beleidigender, zugleich mit wuchtigster Prätension auftretender Bourgeoisempfindungen (und *dieses* Bourgeoistum ragt in alle Stände hinein), für diese Sorte Liebe hab' ich nur Spott und Verachtung . . .«

Je höher die Eckhäuser der Gründerjahre mit ihren getrennten Eingängen für »Herrschaften« und für »Dienstboten« emporwuchsen, je mehr das Schauspiel zum vergoldeten Spiegel jener Jahre, ihrer Moral und Mentalität wurde, um so mehr fühlte Fontane sich davon abgestoßen. Es machte ihm keinen Spaß mehr, dauernd Lustspiele zu besprechen, bei denen man weinen konnte, und Trauerspiele, bei denen einen unweigerlich das Lachen ankam. Das meiste, was für die Bühne geschrieben wurde, zehrte von falschen Gefühlen, lebte von falschen Vorstellungen und gab nur eine verlogene Fassade des Lebens wieder, höhere Töchter und zukünftige Referendarsgattinnen mochten Gefallen an diesen plüschgesättigten Rührstücken aus dem bürgerlichen Leben finden, ihn, den Mann auf Nummer 23, fingen diese Stücke an zu langweilen und zu empören. Gleich vielen anderen Geistern jener Zeit beherrschte ihn »ein wilder Heißhunger nach Realität«. Sentimentales und schlechtes Theater erlebte man auf

Schritt und Tritt während des Alltags, man brauchte nur zu Kranzler oder zu Kroll zu gehen oder einen Reserveleutnant auf Sommerfrische zu beobachten – was man wollte, war Leben auf der Bühne. Dieser Forderung schloß sich auch Fontane an und begrüßte die Eröffnung der »Freien Bühne«, in deren Zeitschrift es hieß: »Im Mittelpunkt unserer Bestrebungen soll ... die neue Kunst stehen, die die Wirklichkeit erschaut und das gegenwärtige Dasein. Einst gab es eine Kunst, die vor dem Tage auswich, die nur im Dämmerschein der Vergangenheit Poesie suchte ... Wir schwören auf keine Formel und wollen nicht wagen, was in ewiger Bewegung ist, Leben und Kunst an starren Zwang der Regel anzuketten. Dem Werdenden gilt unser Streben, und aufmerksamer richtet sich unser Blick auf das, was kommen will, als auf jenes ewig Gestrige, das sich vermißt, in Konventionen und Satzungen unendliche Möglichkeiten der Menschheit, einmal für immer, festzuhalten ...«

In der »Freien Bühne« sah Fontane die Dramen des Norwegers Henrik Ibsen, der gleich ihm aus der Apothekerbranche kam und eine Vorliebe für die moderne Vererbungstheorie mitbrachte, und der die »Gespenster« seinem Sohne mit auf den Weg gab. Dort sah er den »Papa Hamlet«, die »Familie Selicke«, den »Meister Ölze«, sämtlich aus der neuen naturalistischen Werkstatt, sowie die ersten Dramen des jungen Schlesiers Gerhart Hauptmann.

Völlig unfähig zu begreifen, was hier vor sich ging, machten viele von Fontanes Altersgenossen einfach die Augen zu vor diesen Versuchen und verdammten die ganze Richtung. Auch er blieb skeptisch, bei aller Bewunderung für Hauptmann, von dem er sagte, daß er »ein stilvoller Realist, das heißt: von Anfang bis zu Ende derselbe« sei. Er schmetterte keine Huldigungsmärsche an den Naturalismus und erkannte die Gefahren, die er bei konsequenter und programmatischer Durchführung in sich barg. Über Hauptmanns »Friedensfest« schrieb er: ». . . Es fehlen die künstlerischen Gegensätze. Neben dem, was niederdrückt, fehlt das, was erhebt, neben dem Schatten das Licht; und statt wenigstens dann und wann einmal eine Forelle springen oder Gold- und Silberfische hin und her huschen zu sehn, sehen wir nur unausgesetzt ein schwarzes Gekrabble, das mit seinen ewig beweglichen Scheren sich untereinander kneipt und sticht. Luft, Licht und Freude fehlen. Die Unken klagen in einem fort und verkünden schlecht Wetter, und das Wasser unten ist schwarz, und der Himmel oben ist grau. Auch das hat seinen Reiz, aber es darf nicht zu lange dauern. Und da liegt das Bedrohliche . . .«

Tucholsky liebte und rühmte diese Aufsätze, »den Ton, den Hauch, den Takt«, der sie auszeichnet und sie nach seinen Worten »zu einem der schönsten deutschen Sprachgüter macht«. Den Lesern der »Weltbühne«, von denen manche Fontanes Romane für altmodisch und veraltet hielten, erklärte er: »Fontane brachte nicht nur seinen Kopf ins Theater mit (wie viele geben den in der Garderobe ab!) – er brachte eine Welt mit . . . Seine Haltung in Sachen Naturalismus, der den ganz anders empfindenden und erzogenen Mann in die Herzgrube stoßen mußte, soll ihm unvergessen bleiben.« Und wie entzückt war er, wenn er in den Theaterblättern Fontanes über Wildenbruch las: »In Wahrheit ist E. v. Wildenbruchs dramatisches Talent eine dreimal überheizte Lokomotive, die bremserlos über ein Gleise mit falscher Weichenstellung hinjagt. Der Krach ist unausbleiblich ...«

Die Auseinandersetzung mit dem Theater beginnt bei Fontane erst verhältnismäßig spät; die Auseinandersetzung mit der Literatur, der alten sowie der zeitgenössischen deutschen und ausländischen, zieht sich durch sein ganzes Leben. Man liest diese Abhandlungen über Storm, Heyse, Alexis, Freiligrath, Freytag, Spielhagen, die Essays über Goethe, über die gesellschaftliche Stellung des Schriftstellers, die Bemerkungen zu den Romanen Turgenieffs noch heute mit Gewinn und, was fast noch mehr bedeutet, mit Genuß. Auch hier funkelt und leuchtet alles, nichts bleibt dunkel, der Stil ist so klar wie die Gedanken, die er ausdrückt.

Im Jahre 1883 hielt sich Fontane in Thale im Harz auf und las dort in der Gegend des Brockens und des Hexentanzplatzes die Bücher von Zola. Zuerst meinte er, er werde über einen Band wohl nicht hinauskommen. »Als Mann von Fach interessiert mich die Sache sehr, aber von Bewunderung keine Rede.« Und eine Woche später an Emilie: »... Das Talent ist groß, aber unerfreulich ... Von Unsittlichkeit oder auch nur von Frivolität *keine Spur* (es ist grenzenlos dumm, daß gerade *das* diesen Büchern vorgeworfen wird) ...«

Und nachdem wieder eine Woche vergangen war und er sich noch tiefer in das Werk des Franzosen hineingelesen hatte: »... Das Talent ist kolossal, bis zuletzt. Er schmeißt die Figuren heraus, als ob er über Feld ginge und säte. Gewöhnliche Schriftsteller, und gerade die guten und besten, kommen einem arm daneben vor, Storm die reine Kirchenmaus ...«

Durch K. K. Wiesike in Plaue a. d. Havel – »eine Mischung von finanzlicher und philosophischer Spekulation, von Pfadfinder und Sokrates, von Diogenes und Lukull« –, eine Gestalt wie aus einem seiner letzten Romane, wurde Fontane zur Beschäftigung mit Schopenhauer angeregt und kam zu folgendem Schlußurteil über den Philosophen der Lebensverneinung, der seine Tage durchaus zu genießen verstand: »Geistvoll und interessant und anregend ist alles; vieles zieht einem einen Schleier von den Dingen oder von den Augen fort und gewährt einem den Genuß freudigen Schauens; über Dinge, über die man aus Mangel an Erkenntnis oder auch aus einer gewissen Feigheit im unklaren war, wird man sich klar; man hat die angenehme Empfindung, das erlösende Wort wurde gesprochen. In originellen, anschaulichen, wirklich glänzenden und dabei meist amüsanten Vergleichen ist er ein Meister ... Zahlloses ist unbillig, einseitig, falsch. Riesige Eitelkeit und Querköpfigkeit spielen ihm beständig einen Streich ... Nur immer einzelnes ist entzückend ... Es ist eine gefährliche Lektüre; man muß ziemlich alt und gut organisiert sein, um hier wie die berühmte Biene auch aus Atrope und Datura Honig zu saugen. Der Boden, auf dem dies alles wuchs, hatte doch nicht die richtige Mischung und war durch das Leben falsch gedüngt.«

Auf eine kürzere, treffendere Formel lassen sich Wesen und Werk Schopenhauers kaum bringen. Einen anderen Großen, dessen Boden durch das Leben ebenfalls falsch gedüngt, schon beinah vergiftet war, erkannte und durchschaute er ebenso rasch: Strindberg. »Ein furchtbarer Mann, aber doch von einem so großen Talent, daß man in seinem Unmut, Ärger und Ekel immer wieder erschüttert wird ... Dieser schreckliche Mensch kann aus seiner Ichsucht nicht heraus. Es ist ganz klar, daß er, von Stockholm aus, in eine Sommerfrische ging und daß ihn in dieser Sommerfrische die Wirtsleute geärgert und, was die Hauptsache ist, ihn in seiner überlegenen Größe nicht genügsam gewürdigt haben ...«

Beispiele dieser Art ließen sich beliebig fortsetzen; es sind Zeugnisse eines kritischen Verstandes, der mit seinen Äußerungen, ob er sie lächelnd vorträgt oder grimmig – und wie selten ist er wirklich grimmig! – stets den Kern der Sache trifft.

Bald nach der Rückkehr von seinem zweiten Englandaufenthalt legte Fontane 1853 in einem Aufsatz ein rückhaltloses Bekenntnis zum Realismus ab, in dem alle seine späteren Werke und Urteile wurzeln. Was er wurde – einer der amüsantesten Schilderer seiner Zeit, der vergnüglichste Theaterkritiker seines Jahrhunderts – ist darin vorwegnehmend ausgesprochen. Der Realismus, so schließen diese Blätter, »läßt die Toten oder doch wenigstens das Tote ruhen; er durchstöbert keine Rumpelkammern und verehrt Antiquitäten nie und nimmer, wenn sie nichts andres sind als eben – alt. Er liebt das Leben je frischer je besser, aber freilich weiß er auch, daß unter den Trümmern halbvergessener Jahrhunderte manche unsterbliche Blume blüht«.

Und mittendrin in diesem Aufsatz stehen die Worte, die als Motto für Fontanes Gesamtwerk gelten könnten: »Der Realismus ist so alt als die Kunst selbst, ja, noch mehr: *er ist die Kunst.*«

Nach diesem Satz hat er als Kritiker gehandelt, als Erzähler fabuliert und jeden Menschen, den er darstellte, jede Episode, die er schilderte, tief in den jeweiligen geschichtlichen und gesellschaftlichen Raum gebettet, dem sie angehörten und ohne den sie bloße Schemen bleiben müßten wie so viele Ritter aus der älteren und so viele Helden aus der neueren Literatur.

# BRIEFE

Der erste Brief, der geschrieben wurde, ist vielleicht noch älteren Datums als die berühmten sechs Ziegelsteine, auf denen der Lammwirt von Ninive seinen prähistorischen Zechern die Rechnung in Keilschrift präsentierte. Ein Blatt, ein flacher Kiesel oder ein Stück Rinde mag als Schreibmaterial dazu gedient haben. Wir wissen leider nicht, was dieser erste Brief enthielt; ob er am Ende oder am Anfang einer Liebe stand, ob er mit den ersten philosophischen Erkenntnissen eines einsamen, von der Finsternis, dem Grauen und der Not gequälten Menschen angefüllt war, ob er nichts weiter als eine sachliche, belanglose Mitteilung enthielt oder gar nur die Mahnung eines vorzeitlichen Finanzamtes darstellte. Denn die Rousseausche Naturidylle hat es nie gegeben, und der Staat brauchte schon in seinen allerersten Anfängen Geld.

Vielleicht verdankt dieser Brief sein Entstehen dem Geist und der Klugheit einer Frau, die einen geschätzten und verehrten Mann damit aus der Höhle seiner Probleme herauslocken wollte in einen geselligen Kreis von Menschen, in die Anfänge der Kultur. Die Frauen haben es in der liebenswürdigen Kunst des Briefeschreibens früh zur Meisterschaft gebracht, und es lag für beide Geschlechter von jeher ein hoher Reiz darin, Briefe zu wechseln, in denen Geistiges und Erotisches sich zu einer neuen schönen Einheit fanden.

Briefe sind vielleicht die treuesten und ungeschminktesten Spiegel ihres Zeitalters. Sie sind die anonymen und späten Künder der Wahrheit. Man schreibt sie nur an Freunde, gute Bekannte oder geliebte Menschen. Und die belügt man nicht so leicht. Es fließt in alle Briefe etwas mit hinein, was die Zeit vor sich selbst verschweigt und was nicht in den Zeitungen steht. Aus Briefen kann man am ehesten erfahren, wie es wirklich war, was man von Geschichtswerken nicht immer sagen kann. Die Briefe der Liselotte verraten mehr vom Leben und Treiben am französischen Hofe als ganze Bände sogenannter objektiver Darstellungen. Eben weil sie so subjektiv sind, sind sie so wenig verlogen.

Es hat Zeiten und mit ihnen Menschen gegeben, die so stumpfsinnig waren, daß man nicht einmal ihre Briefe lesen kann. Die Römer wußten, wie man Briefe schreibt, dann vergaß man es wieder bis zur Renaissance, als Pietro Aretino damit begann, einer ganzen Welt mit seinen Briefen Furcht einzujagen und Vergnügen zu bereiten. Der Brief verlor viel von seinem privaten Charakter und wurde zu einer fast öffentlichen Angelegenheit, zu einer Art Vorläufer der Zeitung. Man las sich die Briefe gegenseitig vor, die man empfing. Sie mußten durchdacht und gut geschrieben sein, wußte man doch nie, wer sie zu Gesicht bekommen würde. Sie waren Elemente der Bildung und des geistigen Lebens. Mit den Humanisten erlebte die Briefkultur eine neue Blüte, und endlich gab ihr die höfische, vorrevolutionäre Gesellschaft Frankreichs einen letzten Schliff. Ein paar Jahrzehnte später kamen diese Leute aufs Schafott, die Barbarei in Europa wechselte das Hemd und kleidete sich in eine demokratisch-konstitutionelle Kutte. Menschen wie der Abbé Galiani wurden unmöglich. Zum Glück ist sein Briefwechsel mit Frau von Epinay nicht in die Hände eines antiklerikalen Fanatikers Robespierrescher Prägung gefallen, sondern erhalten geblieben, und wir dürfen noch heute darin blättern und uns am Witz, am genialen Scharfsinn und dem hellen, durch keine Illusionen über Mensch, Staat und Gesellschaft getrübten Blick des buckligen Neapolitaners freuen, der die Philosophie aus der Furcht ableitete und sie ein vernünftiges Verzweifeln nannte.

In Deutschland kam die Briefkultur erst verhältnismäßig spät auf eine gewisse Höhe. Zwar hatten schon Luther, Erasmus und andere Humanisten den unschätzbaren Wert von Briefen erkannt und eifrig versucht, durch Briefe auf ihre Zeitgenossen einzuwirken; aber nach ihnen geriet diese Kunst in Verfall, unter den ungünstigsten Verhältnissen verschluderte und verschlampte die kaum bis zur Größe geläuterte deutsche Sprache, und erst die Aufklärung schuf wieder eine lichtere, reinere Atmosphäre, in der auch der Brief gedeihen und seine deutsche Form finden konnte. Für eine Weile wurde das Briefeschreiben sogar zur Modesache, zum Spiel, ja fast zu einer Manie. Die Empfindsamen verloren jegliches Maß und alle Scham und trieben eine

Art Exhibitionismus in ihren Briefen; der Brief war ihnen gerade recht, sich auszuseufzen, auszuweinen und auszuschwärmen. Und während diese Ergüsse das Land überschwemmten und weite Strecken in einen sentimentalen Sumpf verwandelten, machte der Roman Anleihen bei einer fremden Form und wurde zum Roman in Briefen. Er lieferte einem schreiblustigen Publikum für lange Zeit die abgeschmacktesten Vorbilder für die eigenen Briefe.

Ein Merkmal des folgenden, von bürgerlichen Tendenzen beherrschten Zeitalters war die Geistesbruderschaft im ursprünglich pfingstlichen Sinne. Als großartigstes Denkmal dieser Art ragt der Briefwechsel zwischen Schiller und Goethe aus der Geisteslandschaft jener Jahre hervor. Man braucht das Buch nur an irgendeiner Stelle aufzuschlagen und hat am Schönsten und Bedeutendsten teil, was zwei Menschen sich sagen können.

Die Jünger des Geistes, weit über die einzelnen Staaten eines ungeeinten Reiches verstreut, suchten Fühlung miteinander zu nehmen und sich Gleichgesinnten mitzuteilen. Nie wieder haben Freundschaften unter der geistigen Jugend Deutschlands eine solche Rolle gespielt wie damals. Briefe flogen hin und her, Briefe voller Glut und Tiefe, verzweifelte, übermütige und witzige Briefe an den entfernten Freund und den Geistesbruder, der irgendwo in einer Ecke des deutschen Sprachgebietes saß und sehnsüchtig auf Nachricht wartete. Persönliche Nöte und allgemeine Ideen wurden in schöner Offenherzigkeit ausgetauscht. Mochten einige der schwärmerischsten Jünglinge auch die Neigung haben, ihre Freundschaften zu idyllisieren und sich etwas zu oft und zu laut Freund und Bruder zu nennen, so belehrte sie das Leben rasch, daß absolute Eintracht und Einstimmigkeit Stillstand und Tod bedeute und daß ein Zerwürfnis fruchtbarer sein könne als eine träge Harmonie der Seelen. Der Grundton der reiferen Freundesbriefe ist ernst und von jener verhaltenen Trauer, wie sie aus dem Wissen erwächst, daß immer und überall ein Rest von Einsamkeit übrigbleibt, mit dem man allein fertig werden muß. Er klingt aus Lessings und Lichtenbergs Briefen und rauscht dunkel durch die Briefblätter der Romantiker, die alles Große, Schöne und Hinreißende gemeinsam erleben, erleiden und tun wollten und zuletzt an der Höhenluft ihres Individualismus erstickten. Tragödien des Geistes und des Herzens sind in diesen Briefen aufbewahrt. Alle Tendenzen, Illusionen, Hoffnungen und Enttäuschungen der Stürmer und Dränger, der Aufklärer, Klassiker und Romantiker, der Einsamen, Zufriedenen und Leidenden leben in ihren Briefen noch einmal auf.

Jeder dieser Briefe ist die Hieroglyphe einer versunkenen und doch für immer lebendigen, durchbluteten und durchgeistigten Welt. Wir brauchen kein Wörterbuch, um sie zu entziffern. Sie sprechen das Unmittelbare des Daseins aus, wie es bei Goethe heißt.

In dieser großen Tradition steht Fontane mit seinen Briefen als einer der Größten und Liebenswürdigsten.

»Briefe«, so schreibt er im Februar 1858 aus London an W. v. Merckel, »sind gemeinhin bloße Kosthappen, die den Appetit anregen, statt ihn zu befriedigen. Selten ist es einem beschert, sich vor einem Briefe wie vor einem wohlservierten Diner niedersetzen und ein Dutzend (darunter allerhand Lieblingsspeisen) mit wachsendem Behagen zu sich nehmen zu können ...« Dieses »wachsende Behagen«, von dem hier mit Kennerschaft die Rede ist, kommt uns bei der Lektüre seiner Briefe warm und anheimelnd an. »Ein neuer Band von Briefen Theodor Fontanes ist erschienen, – etwas ganz Entzückendes«, mit diesen Worten begrüßte Thomas Mann im Jahre 1910 die neueste Edition von Fontane-Briefen. In ihrer Vielfalt und Vielzahl kaum auf einen Nenner zu bringen, spiegeln sie sein Menschliches und Allzumenschliches in prismatischer Geschliffenheit wieder: seine Freimütigkeit, seinen Abstand von seinem Jahrhundert und der ihm anhaftenden Prüderie, seine Unbeugsamkeit und weise Skepsis, sein Vergnügen am Anekdotischen und seine Fähigkeit, Dinge und Personen in wenigen Worten profiliert darzustellen, kurz, sein eigentliches Ich und sein Verhältnis zur Welt. Diese Welt des neunzehnten Jahrhunderts mit seiner gescheiterten Revolution, den ersten Eisenbahnen und der zunehmenden Industrialisierung, seiner wachsenden Großstadtbevölkerung, seinen Kriegen, Leutnants und Junkern, seiner Reichsgründung und seinen Kaisern, seinen Gründerjahren und seinen Skandalen, seinen morschen Ehrbegriffen und seinem morschen Adel, seinen ländlichen Herrensitzen und vor allem seinem Berlin mit Tiergarten, Josty, Kranzler, Eierhäuschen, Jungfernheide, Spree und Havel – diese ganze Welt ist darin eingefangen und aufbewahrt.

In diesen Briefen herrscht eine überlegene und lächelnde Nachsicht mit dem Bourgeois und der Tugendkomödie, die er aufführte, ein feiner, mokanter Spott über die Neureichen mit ihrer

Bildung, ihrem schlechtem Französisch und ihren Nippesfiguren und die altpreußische Sechserwirtschaft. Sie sind ein fortlaufender Kommentar zu seiner inneren Entwicklung, zur Zeit und zu Zeitereignissen, zur Fragwürdigkeit des Fortschritts sowie der eigenen und jeglicher Existenz. Mit wem korrespondiert er nicht alles! Exzellenzen, Professoren, Literaten, Juristen und Stiftsdamen. Und seit er verheiratet ist, vor allem mit der eigenen Frau und später mit seinen Kindern. »Denn in meinem eigensten Herzen bin ich geradezu Briefschwärmer und ziehe sie, weil des Menschen Eigenstes und Echtestes gebend, jedem andern historischen Stoff vor.«

Von Jugend an beherrscht er die Kunst des Briefeschreibens mit seltener Virtuosität; im Alter ist er unbestrittener Meister darin. Und unter diesen Tausenden von Briefen ist nur selten einer, der nicht einen charmanten Passus, ein beherzigenswertes Wort oder eine mild verklärte Lebensweisheit enthielte. »Gott, was ist Glück! Eine Grießsuppe, eine Schlafstelle und keine körperlichen Schmerzen, – das ist schon viel.«

Die Lust, Briefe zu empfangen und, wenn möglich, mit noch besseren darauf zu antworten, blieb ihm bis in sein hohes Alter erhalten. Eine Briefseite war ihm nicht weniger wichtig als ein Romankapitel. Er verwendete dieselbe künstlerische Sorgfalt darauf. Er komponierte sie wie Lieder in Prosa. Sie kommen angeflogen, als wären sie mühelos aufs Papier geworfen und verdankten ihr Entstehen einer guten Stunde, dabei sind die meisten hart erarbeitet und so oft umgeschrieben, bis sie seinem Stilwillen Genüge taten. Nichts beklagte er tiefer als den Verfall des

Briefeschreibens unter den herrschenden Schichten. »*Das*, was die Arbeiter denken, sprechen, schreiben, hat das Denken, Sprechen und Schreiben der altregierenden Klassen tatsächlich überholt. Alles ist viel echter, wahrer, lebensvoller.« Und an Maximilian Harden: »Unsere Zeit steht im Zeichen des Verkehrs – noch mehr steht sie im Zeichen des ledernen Briefes, und da einen Brief wie den Ihrigen zu erhalten, ist ein wahres Labsal. Jede Zeile sagt einem was, jedes Wort eine Anschauung.« Wie froh war er am Ende seines Lebens über die »famosen Briefe« Georg Friedlaenders und wie reich hat er sie dem Amtsgerichtsrat aus Schmiedeberg gedankt. Im Laufe der Jahre ging ein ganzer Stechlin an Briefen an seine Adresse.

Unter seinen deutschsprachigen Zeitgenossen steht ihm als Briefschreiber, trotz Keller, Raabe, Storm, Heyse, Bismarck, nur ein einziger ebenbürtig zur Seite: Alexander von Villers, dessen Briefe einen ähnlichen Charme atmen. »Die drollige Grazie, die zuzeiten in den Briefen Villers' an seine Freundinnen waltet«, schreibt Wilhelm Weigand, »erinnert an den gallischen Grundzug seines Wesens ... der Briefwechsel mit ein paar gleichgestimmten Menschen ist ihm nicht nur Bedürfnis, er entspringt einem inneren Zwange; aber seine gelegentliche Bemerkung, Briefe seien nie von dem, der schreibt, sondern von dem, an den sie gerichtet sind, zeigt, wie er von dem Verkehr mit seinen vornehmen Freunden dachte.«

Fontane hätte seine helle Lust an diesen Briefen aus dem Wiesenhaus in Neulengbach gehabt, wo der alternde, 1812 geborene Villers seinen Lebensabend verbrachte und seine Episteln verfaßte, das Gallische bei ihm ins Österreichische und bei Fontane ins Märkische transponiert.

In beider, Villers' und Fontanes Briefen nichts von dem überschüssigen Pathos des Jahrhunderts, keine schwüle Venusbergatmosphäre, kein Plüsch. Der Blick auf die Welt nüchtern, klar und heiter, sich der eigenen Schwächen und Mängel bewußt, unfeierlich und dennoch männlich, aufrichtig, stark und gütig – Lebenskünstler ersten Ranges. Beide wußten nur zu gut, daß es zuletzt nicht darauf ankam, ob man Bürger, Künstler oder Industrieller war, sondern ob man ein ganzer Kerl war, ein Mann, kein Gesinnungslump, ob man im entscheidenden Augenblick das Herz hatte, den ganzen Plunder äußerlicher Ehren und äußerlichen Wohlstandes an den Nagel zu hängen und eigene, als richtig erkannte Wege gegen alle Widerstände unbeirrt zu gehen.

Bei Villers heißt es einmal: »Malen ist eine Kunst, Dichten auch, und gar Musik; die größte Kunst aber ist Leben. Am eigenen Leben ein Künstler werden, ist allein wert, Zahnschmerzen zu dulden und Geld zu entbehren ...« Und bei Fontane an seine Frau: »Leicht zu leben ohne Leichtsinn, heiter zu sein ohne Ausgelassenheit, Mut zu haben ohne Übermut, Vertrauen und freudige Ergebenheit zu zeigen ohne türkischen Fatalismus – das ist die Kunst des Lebens. In vielen Stücken ordne ich mich unter, aber in diesem Punkt bin ich Autorität.«

Sein Interesse war sofort wach, wenn er in Bibliotheken oder Archiven auf Briefschaften halb oder völlig in Vergessenheit geratener Persönlichkeiten stieß, besonders wenn sie so originell und voller Esprit waren wie die Blätter aus der Hinterlassenschaft des Malers Rösel, seinerzeit Professor an der Kunstakademie. »Die höchsten Herrschaften, die vornehmsten Familien nannten ihn ihren Lehrer, und alle liebten ihn, seiner Heiterkeit, seines Witzes und seiner unermüdlichen Gefälligkeit wegen.«

»Alte Berliner«, bemerkt Fontane dazu, »werden diese kleinen Schnitzel nicht ohne Freude, manche nicht ohne Bewegung lesen ... sie geben nicht nur ein vollkommenes und wie ich meine sehr liebenswürdiges Bild des Mannes, sondern auch seiner Zeit«, genau das, was er selber in seinen Briefen gab und von brieflichen Äußerungen verlangte.

Jedes überwundene Vorurteil gewähre einen Triumph, schrieb Rösel einmal, sehr zum Entzücken Fontanes, der die *billets d'esprit* des kleinen, verwachsenen, gnomenhaften Mannes zu den hübschesten Schnörkeln im großen Buche der Briefkultur rechnete.

»Freitag, 4. Januar 1833. Am Tage Methusalem oder Methusala, der sich bekanntlich schämte, tausend Jahre alt zu werden, und schon im neunhundertneunundsechzigsten, in der Blüte des reiferen Mannesalters das Zeitliche segnete. – Sie fragen, liebe Fanny, was coq-à-l'âne bedeutet? So viel wie ungereimtes Zeug oder Durcheinander oder Quodlibet. Denn wenn Hahn und Esel sich in die Rede fallen, so kommt nicht viel Gescheites heraus.« Und zwei Jahre später an dieselbe Empfängerin: »Bin leider immer noch krank. Und hätte doch geglaubt, einen bequemeren Posten verdient zu haben, als den eines Nachtwächters, der die Stunden abhusten muß.« Und tags darauf, Sonntag, den 14. April 1833: »Die Grippe nimmt schweren Abschied von mir. Ich kann es ihr nicht verdenken; es ging ihr so gut bei mir. Aber sie muß fort.«

Wo er nur kann, belebt Fontane seine biographischen Kapitel durch Einflechtung von Originalbriefen, Schinkels berühmter Beschreibung Staffas, der Reisebriefe seines Ruppiner Landsmannes Wilhelm Gentz, die unmittelbare Äußerung bevorzugend, und überträgt sein epistolarisches Talent auch auf seine Romanfiguren, die fast sämtlich passionierte Briefschreiber sind und sich in ihren Briefen am deutlichsten zu erkennen geben.

# MATHILDE VON ROHR

Das Stiftsfräulein Mathilde von Rohr, das neun Jahre älter war als ihr alter Freund Fontane, nimmt einen besonderen Platz unter seinen Briefpartnern ein. Ihr gegenüber äußerte er sich am rückhaltlosesten über die Gründe, die ihn bewogen, sein Amt als Sekretär der Akademie der Künste niederzulegen, ein Schritt, der allgemeine Verwunderung und allgemeine Mißbilligung hervorrief und zur ernstesten Krise in seiner an Erschütterungen reichen Ehe führte.

Die Vorgeschichte dazu war kurz folgende: Dem unbeamteten Fontane, damals sechsundfünfzigjährig, der eigentlich gar nichts darstellte und ein Kuriosum im Berlin jener Zeit war, wo es von Geheim-, Konsistorial-, Kommerzien- und anderen Räten wimmelte, endlich ein Amt zu verschaffen, war nicht nur der innigste Wunsch seiner Frau, sondern lag auch im Interesse einiger seiner einflußreichen Freunde. Anfang 1876 war der Posten eines Ersten Sekretärs an der Akademie der Künste durch den Tod eines Professors Gruppe vakant geworden. Fontane wurde als Nachfolger in Vorschlag gebracht, willigte ein, weniger aus Ehrgeiz als seiner Frau zuliebe, und erhielt seine Bestallung – um eines der schönsten Wörter aus dem preußischen Beamtendeutsch zu gebrauchen –, vom Kaiser selbst unterzeichnet.

Man frohlockte. Durch feste Besoldung und Pensionsansprüche schien sein bürgerliches Leben gesichert. Man glaubte, ihm eine Ehre und eine Gefälligkeit erwiesen und dem Unsteten, der bisher immer nur halbe Erfolge zu verzeichnen gehabt hatte, eine solide Existenzgrundlage verschafft zu haben. Man irrte sich jedoch, wie sich die Mehrzahl seiner Zeitgenossen fast in allem täuschten, was Fontane anging. Er war kein Verwaltungsbeamter. Wo ihm die rechte Lust zu einer Sache fehlte, versagten seine Kräfte. Er trat seinen Dienst von vornherein widerwillig an. Viel wurde nicht von ihm verlangt, aber auch dies wenige war gegen seine innerste Natur. Der bürokratische Apparat erfüllte ihn mit Unlust und Unbehagen. Er fühlte sich eingeengt, bevormundet, seiner eigentlichen Sphäre enthoben. Protektionswirtschaft war ihm verhaßt, vor Intrigen empfand er einen tiefen Abscheu. Und ohne beides ging es innerhalb der Akademie nicht ab. Man verlangte Servilität von ihm und schlug hochmütige Töne ihm gegenüber an. Sich gegenseitig befehdende Gruppen und Cliquen versuchten ihn für ihre Zwecke einzuspannen und zu gewinnen. Durch seine Unbestechlichkeit verscherzte er sich die Gunst und das Wohlwollen von Leuten, die sich auf ihren höheren Rang etwas einbildeten und deren Leistungen als Künstler er geringschätzte. Jeder Tag brachte neue Verstimmungen und Mißhelligkeiten. Je tiefere Einblicke er in den akademischen Kunstbetrieb gewann, um so kläglicher, verlogener erschien ihm das Ganze. Er mußte Demütigungen einstecken und wider sein besseres Urteil handeln. Und während seine Frau ihn bereits als Geheimrat sah, auf dem Wege zum Gipfel innerhalb der Beamtenhierarchie, reifte der Entschluß in ihm, den undankbaren Posten aufzugeben und lieber in Unabhängigkeit weiter zu darben, als den letzten Rest von Selbstachtung zu verlieren. »Mir ist die Freiheit Nachtigall, den andern Leuten das Gehalt . . .« schrieb er.

In seiner Lage auf dieses Gehalt zu verzichten, schien Wahnsinn. Er wußte, daß man ihn für irre erklären würde, wenn er um seine Entlassung aus dem kaum angetretenen Dienstverhältnis einkäme. Niemand würde es begreifen, am allerwenigsten seine Frau, alle würden ihn für verrückt halten und von ihm abrücken. Es lag etwas von Affront gegen den preußischen Beamtenstaat darin. Auf Verständnis durfte er kaum hoffen, auf Nachsicht schon gar nicht. Aber wie seine Vorfahren lieber ausgewandert waren und auf Bequemlichkeit und Wohlleben verzichtet hatten, als sich der Gewalt zu beugen, so gab es auch für ihn kein langes, banges Zaudern und Schwanken in dieser Gewissensfrage. Als es zu offenen Differenzen zwischen ihm und den beiden Männern kam, die der Akademie nacheinander als Präsidenten vorstanden: Anton von Werner und Geheimrat Hitzig, erklärte er kurz entschlossen seinen Rücktritt. Seine Frau erlitt einen Nervenzusammenbruch, als diese für sie unfaßbare Nachricht sie erreichte, die ihr Wunschbild von einem sozial und wirtschaftlich gefestigten Leben mit einem Schlage zerstörte. Sie erhob schwere Vorwürfe gegen ihren Mann und warf ihm Unverantwortlichkeit vor, darin von vielen Seiten offen oder versteckt unterstützt. Neben dem Krach im eigenen Hause gab es einen regelrechten Skandal. Selbst bei Hofe ließ man keinen Zweifel darüber, daß man Fontanes Verhalten, mochte er sich als Verfasser preußischer Balladen und dokumentarischer Kriegsbücher auch ein gewisses Verdienst erworben haben, unerhört fände. Spott, Hohn, Schadenfreude, wo er auch hinhorchte. Es waren die Monate, in denen Fontane die Menschennatur nicht von ihrer glänzendsten Seite kennenlernte, wie es bei ihm heißt.

In dieser bis zum Zerreißen gespannten Situation wandte Fontane sich an seine alte Freundin Mathilde von Rohr. Sie hatte die Sechzig damals bereits überschritten und lebte schon seit längerem als Conventualin im Kloster Dobbertin in Mecklenburg, dem äußeren Anschein nach ein älteres, weltfremdes, in Standesvorurteilen befangenes Stiftsfräulein, bei dem man am allerwenigsten auf Verständnis für einen bei Hofe ungnädig aufgenommenen und von aller Welt verurteilten Schritt hätte hoffen sollen. Aber gerade dort, wo man einen absoluten Horror vor seinem Entschluß erwartet hätte, fand er verständnisvolles Gehör.

Am 17. Juni 1876 schrieb er an sie: »... Unser Schweigen hat darin seinen Grund, daß sich in unsrem Hause wieder große Umwälzungen vollzogen haben: ich habe vor etwa drei Wochen meine Entlassung aus meinem Amte nachgesucht. Alle Welt verurteilt mich, hält mich für kindisch, verdreht, hochfahrend. Ich muß es mir gefallen lassen. Das Sprechen darüber hab ich aufgegeben. Es führt doch zu nichts. Ich muß durch Taten beweisen, daß ich nicht leichtsinnig gehandelt habe. Ob mir dies gelingen wird, muß abgewartet werden. Ihnen, die Sie immer so gütig und nachsichtig gegen mich gewesen sind, nur das Folgende: Ich bin jetzt drei und einen halben Monat im Dienst. In dieser ganzen Zeit hab ich auch nicht eine Freude erlebt, nicht einen angenehmen Eindruck empfangen. Die Stelle ist mir, nach der persönlichen wie nach der sachlichen Seite hin, gleich sehr zuwider. Alles verdrießt mich; alles verdummt mich; alles ekelt mich an. Ich fühle deutlich, daß ich immer unglücklich sein, daß ich gemütskrank, schwermütig werden würde. Vom ersten Tage an bis zu dieser Stunde ist meine Empfindung dieselbe geblieben. Ich benützte eine sich mir darbietende Gelegenheit, erklärte, mein Amt niederlegen zu wollen, und kam tags darauf beim Minister um meinen Abschied ein. Bis dieser erfolgt sein wird – worüber noch ein paar Monate vergehn – führe ich die Geschäfte fort. Ich habe furchtbare Zeiten durchgemacht, namentlich in meinem Hause. Meine Frau ist tiefunglücklich, und von *ihrem* Standpunkt aus hat sie recht. Andrerseits konnte ich ihr diese schmerzlichen Wochen nicht ersparen. Und was geschehen sollte, mußte rasch geschehen. Noch hab ich vielleicht die Kraft und die Elastizität, die Dinge wieder in so guten Gang zu bringen, wie sie bis zu dem Tage waren, wo mir diese unglückselige Stelle angeboten wurde . . .«

Und schon vierzehn Tage darauf ging wieder ein Brief nach Dobbertin: ». . . Ich hatte mich zu entscheiden, ob ich, um der äußeren Sicherheit willen, ein stumpfes, licht- und freudeloses Leben führen oder, die alte Unsicherheit bevorzugend, mir wenigstens die *Möglichkeit* heiterer Stunden zurückerobern wollte.

Ich wählte das letztere, während meine Frau das erstere von mir forderte. Ich würde diese Forderung unendlich lieblos nennen müssen, wenn ich nicht annähme, sie hätte sich in ihrem Gemüt mit dem berühmten Alltagssatze beruhigt: der Mensch gewöhnt sich an alles. Dieser Satz ist falsch. Ich bin so unsentimental wie möglich, aber es ist ganz gewißlich wahr, daß zahllosen Menschen, alten und jungen, das Herz vor Gram, Sehnsucht und Kränkung bricht. Jeder Tag führt den Beweis, daß sich der Mensch *nicht* an alles gewöhnt. Auch *ich* würde es nicht gekonnt haben und wäre entweder tiefsinnig geworden oder hätte doch wenigstens eine traurige Wandlung aus dem Frischen ins Abgestandene, aus dem geistig Lebendigen ins geistig Tote durchgemacht . . . Wer das Eitelkeit oder Hochmut nennen will, der tu es. Ich beneide solchen Jammerprinzen nicht um seine Demut . . .«

Sechs Wochen später, nachdem das Schlimmste vorüber war, folgte das von schönem Vertrauen diktierte Geständnis:

». . . Meine Frau, die große Meriten hat und in vielen Stücken vorzüglich zu mir paßt, hat nicht die Gabe des stillen Tragens, des Trostes, der Hoffnung. In dem Moment, wo ich ertrinkend nach Hülfe schreie und ein freundlich ausgestreckter Finger mich über Wasser halten würde, hat sie eine Neigung, ihre Hand nicht rettend unterzuschieben, sondern sie wie einen Stein auf meine Schulter zu legen. Bescheiden in ihren Ansprüchen, ist sie in ruhigen Tagen eine angenehme, geist- und verständnisvolle Gefährtin, aber ebensowenig wie sie die Stürme in der Luft vertragen kann, ebensowenig erträgt sie die Stürme des Lebens. Sie wäre eine vorzügliche Prediger- oder Beamtenfrau in einer gut und sicher dotierten Stelle geworden. Auf eine Schriftsteller-existenz, die, wie ich einräume, sich immer am Abgrund hin bewegt, ist sie nicht eingerichtet. Und doch kann ich ihr nicht helfen. Sie hat mich als Schriftsteller geheiratet und muß sich schließlich darin finden, daß ich trotz Abgrund und Gefahren diese Art des freien Daseins den Alltagskarrieren mit ihrem Zwang, ihrer Enge und ihrer wichtigtuerischen Langenweile vorziehe. *Jetzt*, wo ich diese Karrieren allerpersönlichst kennengelernt habe, mehr denn je ...«

Fontane hatte die Bekanntschaft des Fräuleins vor Jahren gemacht, als sie noch in der Behrenstraße in Berlin wohnte und einem kleinen literarischen Zirkel vorstand. Er war durch Bernhard von Lepel bei ihr eingeführt und gnädig aufgenommen worden. Anfangs nicht besonders erbaut von dem dort herrschenden Ton, fand er den Tee, den das Fräulein zuzubereiten verstand, besser und genießbarer als ihre Urteile über Bücher und Schriftsteller. Im näheren Umgang mit ihr lernte er sie jedoch von Jahr zu Jahr höher schätzen und mehr achten. »Gut, treu, praktisch, hilfebereit«, nennt er sie in dem prächtigen biographischen Kapitel der »Wanderungen«, das ihrem Gedenken gewidmet ist, und fährt fort: »Immer das Herz auf dem rechten Fleck, immer voll gutem Menschenverstand, immer gerecht. Alles Gewöhnliche, namentlich alles Unhumane, war ihr in tiefster Seele verhaßt, und ihr schönster Zug war ihre jedesmalige Empörung, wenn sich Adlige unwürdig benahmen und dabei wohl gar noch bis zu dem Glauben gingen: ›sie dürften sich's erlauben, weil sie Adlige seien‹. Dann war nicht mit ihr zu spaßen und es kamen Szenen vor, wo mir's innerlich nicht genug war, daß ich ihr gerührt die Hand küßte, nein, wo ich der guten alten Dame recte hätte um den Hals fallen mögen . . . Ihrer Natur nach, wie ich nur wiederholen kann, mehr gewollt als wirklich literarisch, hat sie mir trotzdem auf eben diesem Gebiete sehr ersprießliche Dienste geleistet, und wohl ein Dutzend der lesbarsten Kapitel in meinen ›Wanderungen‹ verdanke ich ihrem nie rastenden Eifer, der mir Empfehlungsbriefe schrieb und mir mitunter auch fix und fertige Beiträge verschaffte, die nur ein wenig der Zurechtstutzung bedurften . . . Den Stoff zu meinem kleinen Roman ›Schach von Wuthenow‹ habe ich mit allen Details von ihr erhalten . . . Die mit ihr . . . verplauderten Stunden zählen zu meinen glücklichsten.«

Viel vom Wesen dieses alten, streitbaren märkischen Fräuleins scheint in die Gestalt der Adelheid aus dem »Stechlin« eingegangen, der Domina des Klosters Wutz, das in vielem an Dobbertin erinnert, wo Fontane sich verschiedentlich aufhielt . . . »kein poetischerer Aufenthalt denkbar . . .« Und nur aus dieser Verehrung und dem Wissen, sich an einen lebenserfahrenen, aufrechten, von borussischer Engstirnigkeit freien Menschen zu wenden, ist es zu begreifen, daß Fontane an Mathilde von Rohr herantrat, als er, unter den Vorwürfen leidend, die man allerseits gegen ihn erhob, und doch bereits von der Kraft erfüllt, die einer Natur wie der seinigen nur die Freiheit verleiht, den lessingschen Schritt ins Unbehauste tat und den Ausspruch prägte: »Mir ist nicht so zumute, als würde ich mit nächstem in den Skat gelegt werden. Im Gegenteil . . .«

## VOR DEM STURM

Im November 1876 erhielt Fontane endlich seinen Abschied. ». . . ohne daß man unartig oder beleidigend gegen mich gewesen wäre, was ich mir einfach verbeten hätte, hat man mich doch nie wie einen etablierten deutschen Schriftsteller, sondern immer wie einen ›matten Pilger‹ behandelt, der froh sein könne, schließlich untergekrochen zu sein. Immer die unsinnige Vorstellung, daß das Mitwirtschaften in der großen, langweiligen und, soweit ich sie kennengelernt habe, total konfusen Maschinerie, die sich ›Staat‹ nennt, eine ungeheuere Ehre sei. Das ›Frühlingslied‹ von Uhland oder eine Strophe von Paul Gerhardt ist mehr wert als dreitausend Ministerialreskripte. Nur die ungeheure Eitelkeit der Menschen, der kindische Hang nach Glanz und falscher Ehre, das brennende Verlangen, den alten Wrangel einladen zu dürfen oder eine Frau zu haben, die Brüsseler Spitzen an der Nachtjacke trägt; nur die ganze Summe dieser Miserabilitäten verschließt die modernen Herzen gegen die einfachsten Wahrheiten und macht sie gleichgültig gegen das, was allein ein echtes Glück verleiht: Friede und Freiheit. Je älter ich werde, je mehr empfinde ich den Wert dieser beiden. Alles andre ist nichts. Jedenfalls bin ich froh, meinen Kopf aus dieser dreimal geknoteten Sekretärschlinge herausgezogen zu haben. Ich passe nicht für dergleichen, am wenigsten aber passe ich zum Bücherüberreichen und zum Antichambrieren und Petitionieren in Geheimratszimmern, bloß um eine goldene Medaille oder ähnliches Zeug zu erreichen. Ich habe nun einen Strich darunter gemacht. Eh mich nicht die bittere Not dazu treibt, laß ich mich, in kindischer Nachgiebigkeit und meiner eigensten Natur zum Trotz, auf solche Torheiten nicht ein. Ich habe diese Kränkungen satt. Die letzte war die größte . . .«

In diesen unruhigen, bedrückenden Monaten, die das höchste an moralischem Mut von ihm forderten, nahm Fontane die Arbeit an dem Roman »Vor dem Sturm« mit neuer, freigewordener Energie wieder auf und vollendete das Werk. »Der Roman«, schrieb er an Mathilde von Rohr, »ist in dieser für mich trostlosen Zeit mein einziges Glück, meine einzige Erholung. In der Beschäftigung mit ihm vergesse ich, was mich drückt. Aber wenn er überhaupt noch zur Welt kommt, so werde ich, im Rückblick auf die Zeit, in der er entstand, sagen dürfen: ein Schmerzenskind. Er trägt aber keine Züge davon. Er ist an vielen Stellen heiter und nirgends von der Misere angekränkelt. Ich glaube auch sagen zu dürfen, *Ihnen* wird er gefallen, und die Hoffnungen, die Sie immer daran geknüpft haben, werden nicht ganz unerfüllt bleiben. Ich empfinde im Arbeiten daran, daß ich *nur* Schriftsteller bin und nur in diesem schönen Beruf – mag der aufgeblasene Bildungspöbel darüber lachen – mein Glück finden konnte.«

Das Buch erschien 1878. Der fast Sechzigjährige brachte damit seinen ersten Roman zu Markte. Fast ein Jahrzehnt hatte er mit vielerlei Unterbrechungen daran gearbeitet und schon 1866 an den Verleger Wilhelm Hertz, der das Buch schließlich herausbrachte, geschrieben: ». . . Ich habe mir nie die Frage vorgelegt: soll dies ein Roman werden? Und wenn es ein Roman werden soll, welche Regeln und Gesetze sind innezuhalten? Ich habe mir vielmehr vorgenommen, die Arbeit *ganz nach mir selbst*, nach meiner Neigung und Individualität zu machen, ohne jegliches Vorbild . . . Mir selbst und meinem Stoffe möchte ich gerecht werden. Ohne Mord und Brand und große Leidenschaftsgeschichten hab ich mir einfach vorgesetzt, eine Anzahl märkischer (d. h. *deutsch-wendischer*, denn hierin liegt ihre Eigentümlichkeit) Figuren aus dem Winter 1812 auf 1813 vorzuführen . . .« Zwölf Jahre später, als das Buch endlich gedruckt vorlag, äußerte er sich noch einmal dazu:

»Das Buch ist der Ausdruck einer bestimmten Welt- und Lebensanschauung. Es tritt ein für Religion, Sitte, Vaterland, aber es ist voller Haß gegen die ›blaue Kornblume‹ und gegen ›Mit Gott für König und Vaterland‹, will sagen: gegen die Phrasenhaftigkeit und die Karikatur jener Dreiheit. Ich darf sagen – und ich fühle das so bestimmt, wie daß ich lebe – daß ich etwas in diesem Buche niedergelegt habe, das sich weit über das herkömmliche Romanblech, und nicht bloß in Deutschland, erhebt, und nichts hat mich mehr gereizt, als daß einer meiner *besten* Freunde (Name später mündlich) so tut, als ob es so gerade nur das landesübliche Dutzendprodukt wäre ...«

Es ist, im Gegenteil, einer der wenigen großen historischen Romane, die wir besitzen; es läßt alles, was Männer wie Alexis und Freytag auf diesem Gebiet geleistet haben, um ein beträchtliches zurück und rückt in die Nähe von Tolstois »Krieg und Frieden«, an das es zwar nicht heranreicht, mit dem es aber in mehr als einer Hinsicht verwandt erscheint: in seiner Universalität, seiner Gestaltenfülle, seiner Lebensechtheit. Wenn in Tolstois Epos das ganze damalige Rußland erscheint, so in Fontanes Roman das ganze damalige Preußen, seine historische Gesamtsituation, die Atmosphäre bei Hofe und in der Hauptstadt, die Stimmung auf dem Lande, unter Junkern sowie Bauern. Für Fontane stellt das Buch eine Art Übergang über die Beresina dar, jedoch in umgekehrter Richtung und mit entgegengesetzten Folgen wie für Napoleon. Für diesen war es der Anfang vom Ende, für jenen der Durchbruch zum Erzähler großen Stils. Die intime Kenntnis märkischer Geschichte, märkischer Landschaften und Charaktere, die Fontane sich auf seinen Wanderungen durch die Mark erworben hatte, jetzt kamen sie ihm auch als Romancier zugute. Reminiszenzen und Anekdoten flossen ihm zu, und er war Meister darin, sie in die Handlung zu verweben und ihr dadurch etwas vom Schmelz des Unmittelbaren zu verleihen. Historische Gestalten, deren Wirkungsstätten er aufgesucht hatte, traten ihm lebendig als Träger des Geschichtsablaufs mit allen individuellen, liebenswerten oder verschrobenen Eigenarten und Besonderheiten entgegen. Was die Legende aus Vaterländerei und Überpatriotismus entstellt und verfälscht, teils heroisiert, teils herabgewürdigt hatte, nahm unter seinen Händen menschliche Züge an. Nichts gibt sich gestelzt, gespreizt, nichts wirkt affektiert. Er gab der Epoche ihr wahres Gesicht zurück. Er nahm gleichsam eine Bluttransfusion vor und hauchte verstaubten Bildern, auf denen eine Patina von falschem Pathos lag, pulsierendes Leben ein. Er schrieb sich so tief in die Zeit hinein, daß sie mit allen Details und Nuancen neu erstand. In rascher, wechselnder Folge ziehen die Bilder vorüber, alles in Beziehung zueinander gesetzt, sich immer wieder neu verästelnd und zusammenfließend in Szenen von höchster Eindringlichkeit und Bildkraft, jede einzelne von dem eigentümlichen Zauber Fontaneschen Wesens durchdrungen, das in diesen schwer erarbeiteten und dennoch leicht dahinfließenden Kapiteln zum ersten Mal voll zum Ausdruck kommt.

Winter 1812. Preußen mit Frankreich zwangsverbündet. Der Freiherr vom Stein durch Napoleon geächtet. »Ein gewisser Stein, welcher Unruhen in Deutschland zu erregen sucht, ist zum Feinde Frankreichs . . . erklärt . . . Der genannte Stein wird allerorten, wo er durch unsere oder unserer Verbündeten Truppen erreicht werden kann, persönlich zur Haft gebracht.« Kontinentalsperre. Napoleon brüstet sich gegenüber einem bayrischen General: »Noch drei Jahre und ich bin Herr des Universums.« Konflikt mit Rußland. In Preußen ängstliche Unentschiedenheit. Krieg. Die Große Armee auf ihrem letzten Marsch. Das brennende Moskau, die eisigen Fluten der Beresina, der Mann, der die Universalherrschaft anstrebte, geschlagen und auf der Flucht. Der

30. Dezember 1812 (sieben Jahre später wurde Fontane am gleichen Tage geboren) und die Konvention von Tauroggen, durch die General Yorck, der frühere Gegner Steins, einen Neutralitätsvertrag mit den Russen abschloß und damit den Weisungen Friedrich Wilhelms III. zuwiderhandelte, auf die Gefahr hin, seinen Kopf zu verlieren. »Jetzt oder nie«, schrieb er an den König, »ist der Zeitpunkt, wo Ew. Majestät Sich von den übermütigen Forderungen eines Alliierten losreißen können, dessen Pläne mit Preußen in einem mit Recht Besorgnis erregendes Dunkel gehüllt waren, wenn das Glück ihm treu geblieben wäre. Diese Aussicht hat mich geleitet. Gebe Gott, daß sie zum Heile des Vaterlandes führt.«

Vor diesem Hintergrund beginnt der Roman, von Anfang an alles einbeziehend, was der Zeit ihr Gepräge verlieh, das napoleonische Drama, den reformbedürftigen preußischen Staat, die verschiedensten gesellschaftlichen Kreise mit ihren verschiedenen politischen und kulturellen Neigungen; ein grandioses Gemälde jener bewegten Monate mit all ihren Wirren, Versäumnissen, Hoffnungen, Ideen, Taten und Unterlassungen, an einer Reihe von handelnden Personen aus allen Bevölkerungsschichten vorgeführt, die das historische Interesse fesseln und lebhafte menschliche Teilnahme wecken, ob sie nun von Vitzewitz heißen oder aus dem Ladalinskischen Hause stammen, ob sie sich Bamme, Bummcke oder Hulen nennen, den Adel oder das Berliner Bürgertum vertreten, ob sie als Hoppemarieken in folkloristischem Zwielicht durch das Oderbruch wandern oder als Bninski Preußen im Zwielicht der Historie den Rücken kehren.

Nur wenige dieser Romangestalten sind ganz frei erfunden; für die meisten gibt es ein überliefertes Vorbild, dem sie ihre Wesensmerkmale verdanken. Das gilt vor allem für eine der Hauptfiguren des Werkes, den alten Berndt von Vitzewitz. Ihm hat Fontane die Züge einer geschichtlichen Persönlichkeit verliehen, die Züge Friedrich August Ludwigs von der Marwitz, von dem es in den »Wanderungen« heißt: »Erst von Marwitz' Zeiten ab existiert in Preußen ein politischer Meinungskampf ... Derjenige, der, meines Wissens, zuerst den Mut hatte, diesen Kampf aufzunehmen, war Marwitz ...«, der Frondeur gegen die Reformen Hardenbergs. Eine Episode aus seinem Leben hat Fontane zum zentralen Punkt seines Romans erhoben: die Organisation der Volkserhebung gegen die Franzosen, verbunden mit dem Versuch, den König zum Krieg gegen Napoleon zu bewegen.

Über diesen Schritt, der später das Denken des alten Vitzewitz beherrscht, wird in den »Wanderungen« berichtet: »So kam der Winter 1812 auf 1813. Die französische Armee war vernichtet ... Die berühmte Kapitulation von Tauroggen war geschlossen; Alexander von der Marwitz, der jüngere Bruder, der damals in Potsdam lebte, brachte die Nachricht in fliegender Eile nach Friedersdorf. ›Jetzt oder nie!‹ Beide Brüder waren einig, daß ein rasches, entschiedenes Parteiergreifen die Vernichtung des kaiserlichen Heeres, den Sturz Napoleons notwendig im Gefolge haben müsse; aber man war auch einig darin, daß es zweifelhaft sei, ob man in Berlin zu einem entscheidenden Parteiergreifen sich entschließen werde. Der jüngere Bruder drang in den älteren, Schritte zu diesem Zwecke zu tun, rasche Entschlüsse zu fördern, die Schwankenden fest zu machen«, genau das, was Berndt von Vitzewitz in »Vor dem Sturm« unternimmt und was den Vorgängen und ihren Folgen eine so unmittelbar ansprechende Echtheit verleiht.

Ja, Fontane ist noch weiter gegangen und hat sogar ein Selbstporträt in den Roman eingeflochten und sich unter dem Namen Hansen-Grell sowie seine Freunde aus dem »Tunnel«, wo er seine ersten Erfolge als Balladendichter feierte, in leichter Verkleidung und um einige Jahrzehnte zurückversetzt in liebenswürdige Erinnerung gebracht.

Aus langen, bitteren Erfahrungen, dem Umgang mit preußischen Junkern, konservativen und liberalen Politikern, Literaten und Publizisten durfte Fontane in preußischen Dingen ein Wort mitreden. Und in den Schlußkapiteln des Romans, geschrieben unter dem Eindruck seiner Erlebnisse als Sekretär einer preußischen Akademie, faßt er seine Kritik an dem verknöcherten Altpreußentum und seiner Dünkelhaftigkeit in die Worte zusammen: »Frisches Blut . . . frisches Blut, Vitzewitz, das ist die Hauptsache. Meine Ansichten sind nicht von heute und gestern, und Sie kennen sie. Ich perhorresziere dies ganze Vettern- und Muhmenprinzip, und am meisten, wenn es ans Heiraten und Fortpflanzen geht . . . Ja, Vitzewitz, wir müssen mit dem alten Schlendrian aufräumen. Weg damit. Wie ging es bisher? Ein Zieten, eine Bamme, ein Bamme, eine Zieten. Und was kam schließlich dabei heraus? *Das* hier!‹ Und dabei schlug er mit dem Fischbeinstock an seine hohen Stiefelschäfte. ›Ja, *das* hier, und ich bin nicht dumm genug, Vitzewitz, mich für ein Prachtexemplar der Menschheit zu halten ... Mitunter ist es mir, als wären wir in einem Narrenhause großgezogen ... Ich mache mir nichts aus diesen Windbeuteln von Franzosen, aber in all ihrem dummen Zeug steckt immer eine Prise Wahrheit. Mit ihrer Brüderlichkeit wird es nicht viel werden und mit der Freiheit auch nicht; aber mit dem, was sie dazwischengestellt haben, hat es was auf sich. Denn was heißt es am Ende anders als: Mensch ist Mensch‹ ...«

Im Februarheft der »Deutschen Rundschau« von 1879 brachte Julius Rodenberg eine ausführliche Besprechung des Romans. Fontane dankte ihm mit einem Briefe: »... Sie lösen die Gentlemanaufgabe, *wohltuend* zu loben und zu tadeln (jenes ebenso schwer wie dieses) und Ihren Ausstellungen Worte zu leihen, vor denen sich auch der Eigensinnigste und Selbstgerechteste jedes Widerspruchs begeben muß. Wie fein die Bemerkung, daß das, was ein Epos sein solle, hier im Wesentlichen eine Aneinanderreihung von Balladen sei! Es trifft nicht nur den schwachen Punkt, es *erklärt* ihn auch, ja, glorifiziert ihn halb. ›Wir vermissen nicht den äußren Zusammenhang, wohl aber fehlt zuweilen der organische, der künstlerische‹ – durch diese wenigen Worte haben Sie mich in meinem bisherigen Widerstande besiegt. Denn im Vertrauen gesagt, ich nahm bis dahin das ›schwach in der Komposition‹ für eine bloße Schablonenbemerkung. Selbst Heyse, auf den ich begreiflicherweise viel gebe, hatte mich nicht bekehren können – *Ihnen* ist es geglückt ...«

Dem ersten Roman sollten rasch hintereinander andere erzählende Werke folgen und immer näher an die Erfüllung der Aufgabe heranführen, die Fontane sich gestellt hatte: »... ein Leben, eine Gesellschaft, einen Kreis von Menschen zu schildern . . .« und »ein unverzerrtes Widerspiel des Lebens« zu geben.

# ALLERLEI GLÜCK

Bald nach Beendigung seines ersten Romans – »Vor dem Sturm« –, der aus der Historie schöpfte und die altpreußische Welt umfaßte, griff Fontane einen Stoff aus der Gegenwart, den Jahren nach der Reichsgründung auf und machte sich an die Abfassung des auf mehrere Bände berechneten Werkes.

Im April 1879 schrieb er an Gustav Karpeles, den damaligen Chefredakteur von »Westermanns Monatsheften«: »Am meisten am Herzen liegt mir mein neuer Roman. Könnten Sie darüber mit den Chefs der Firma sprechen? Zeitroman. Mitte der 70er Jahre; Berlin und seine Gesellschaft, besonders die Mittelklassen, aber nicht satirisch, sondern wohlwollend behandelt. Das Heitre vorherrschend, alles Genrebild. Tendenz: es führen viele Wege nach Rom, oder noch bestimmter: es gibt *vielerlei Glück*, und wo dem einen Disteln blühn, blühn dem andern Rosen. Das Glück besteht darin, daß man *da* steht, wo man seiner Natur nach hingehört. Selbst die Tugend- und Moralfrage verblaßt daneben. Dies wird an einer Fülle von Erscheinungen durchgeführt . . .

Das Ganze: der Roman meines Lebens oder richtiger die Ausbeute desselben ... Vor drei Jahren kann er nicht fertig sein, und ich suche nun eine gute Stelle dafür. Unter 5000 Talern kann ich ihn nicht schreiben ... Kann ich es *nicht* kriegen, nun so muß die Welt sehen, wie sie ohne meinen Roman fertig wird.«

Es scheint, als habe Fontane geahnt, daß die Welt lieber auf seinen Roman verzichten würde, als ihm fünftausend Taler dafür zu zahlen. Die Verhandlungen zerschlugen sich, und das groß und breit angelegte Werk blieb unvollendet, blieb Torso und Fragment, Entwurf. Aber was für ein Entwurf! Reinste Seide im Vergleich zu dem »Novellenkattun«, der ellenweise verbraucht und einem »in einer unglaublichen Geschmacksdecadence« begriffenen Publikum vorgelegt wurde. Es gehört zum »allerlei Glück« der Literaturgeschichte, daß dieses Fragment erhalten blieb. Es ist wie eine Tafel, auf der die Gesetze der Fontaneschen Epik verzeichnet sind: sein Verzicht auf sensationelle Handlungsführung zum äußeren Anreiz des Interesses, auf die Darstellung von »Helden und Scheusalen«, auf alles, was bloßen Nervenkitzel bedeutet, auf Situationskomik, Pathos, lyrische Bravourarien und virtuose Passagen, auf alle literarische Falschmünzerei, grobe Effekte und eingeblendete Gongschläge des Schicksals, auf die üblichen Pikanterien und Exkursionen in die Erotik, auf Schurken, die nichts als Schurken sind, und schöne Seelen ohne menschlich-allzumenschliche Regungen.

Auf dieser Ebene bewegt sich das Fragment, in einer Atmosphäre poetischer Alltäglichkeit, Freiheit und Unvoreingenommenheit, kennzeichnend für sämtliche Romane des alternden

Fontane. Der Blick ist klar und ungetrübt, fest auf die Dinge gerichtet, mit einem Lächeln. Die Menschen gehen aus ihren Verhältnissen hervor und stehen nie in einem fiktiven Raum, sondern in einer scharf umrissenen gesellschaftlichen Umwelt. Sie folgen ihren individuellen Neigungen und richten sich nach den sozialen Konventionen. Sie handeln bedingt. Selbst was an ihnen frei erfunden ist, hat geschichtliche Wahrheit; denn Geschichte ist Gesellschaft in einem fortwährenden Prozeß der Umwandlung, der Verschiebung von Akzenten und Werten, einer sich ständig wandelnden Auffassung von Glück und Moral.

Je bildkräftiger ein Schriftsteller diesen Prozeß einzufangen, je anschaulicher er ihn an einzelnen Gestalten aus einer bestimmten Epoche darzustellen vermag, um so größer ist er. Fontane ist ein unbestrittener Meister darin. Schon sein erster Vorstoß in diese Richtung beweist diese Meisterschaft. Der Mensch als Individuum ist interessant, aber erst durch seine Bewährung oder sein Versagen im Zusammenspiel der gesellschaftlichen Kräfte gewinnt er für den Epiker Bedeutung. Es geht Fontane, diesem großen Soziologen des Herzens, wenn man diesen etwas gewagten Ausdruck gebrauchen darf, stets nur um die Stellung des einzelnen in der Gesellschaft, um den richtigen Platz, um Selbstverwirklichung und Selbstbehauptung ohne Selbstverstümmelung. Die Gesellschaft erläßt geschriebene und ungeschriebene Gebote und Verbote, und das Glück des einzelnen besteht hauptsächlich darin, die einen widerspruchslos zu befolgen und die anderen nicht zu übertreten. Das ist der seltene Idealfall, reines Glück, kaum zu finden auf dieser Erde, wo unsere Neigungen dauernd mit unseren Pflichten im Widerstreit liegen, wo der einzelne gewöhnlich mehr oder minder in Opposition zur Gesellschaft steht, wo die Plätze, auf die wir gehören, meistens schon von anderen besetzt sind, wodurch wir gezwungen werden, unser Glück anderswo zu suchen als auf dem für uns bestimmten Platz.

Das ist es, was Fontane meint, wenn er sagt, ohne »Hilfskonstruktionen« gehe es im Leben überhaupt nicht. Der eine versucht es mit Briefmarkensammeln, der andere mit Blumenzüchten. Es liegt ebensoviel Positives wie Resignation darin. Die Moral, die sich eine Gesellschaft schafft, ist für ihren Bestand meistens unerläßlich und ändert sich erst mit der gewaltsamen oder organischen Auflösung der bestehenden Gesellschaftsform – für den einzelnen jedoch ist diese Moral oft nur eine Schranke, die ihm den Weg zum Glück des Selbstseins versperrt. Setzt er sich kühn darüber hinweg, bekommt er die Meute der Moralisten auf den Hals, die ihn diffamieren und seine Integrität anzweifeln; bleibt er fromm davor stehen, schneidet er sich häufig selber das Ziel ab, seine besten Kräfte gelangen nicht zur Entfaltung; eine charakterliche und intellektuelle Verkümmerung ist das Ergebnis. Ewiges Dilemma des Menschen als Gemeinschaftswesen, ein Grundthema aller großen Epik von Homer an und den brüchigen Tugenden seiner Götter und Halbgötter bis zu Raabe und Fontane und dem Wahn ihrer Reichsbürger, daß Besitz und Titel die wahren Eckpfeiler des Glücks seien.

»Die entscheidende Unterhaltung«, schreibt Fontane, »in der der Plan des Romans dargelegt wird, wird zwischen Onkel Wilhelm und seinem Neffen Edwin geführt. Onkel Wilhelm sagt:

›Es gibt *allerlei Glück*, und es gibt sogar *allerlei Moral*. Dies steht im nächsten Zusammenhang. Denn an unsrer Moral hängt unser Frieden, und an unserm Frieden hängt unser Glück. Aber unsere Moral ist so mannigfaltig wie unser Glück . . .‹ Edwin erwidert: ›Es gibt aber doch ein Sittengesetz und ganz bestimmte Gebote.‹ – ›Und sie zu befolgen, wird sich immer empfehlen. Auch dann noch, wenn wir sie hart finden oder ihren Nutzen nicht einsehn. Man schläft am besten auf dem Kissen, das einem das Herkommen und die Gutheißung stopft. Ich werde niemandem den Rat der Auflehnung dagegen erteilen. Aber wenn er sich, ohne mich zu fragen, bereits aufgelehnt hat . . . so mess' ich den Fall nicht mehr mit der allgemeinen Konventions-Elle aus, nicht mehr mit dem Herkömmlichen, Bequemen, Landläufigen, sondern sehe mir den Fall an und beurteile ihn nun mit der mir persönlich ins Herz geschriebenen Moral und nicht mit der öffentlichen.‹ «

Es war eine politisch bewegte Zeit, in der diese Sätze niedergeschrieben wurden. Das Problem, das sie aufwerfen, lag in der Luft. Am 2. Juni 1878 hatte der Anarchist Dr. Nobiling ein Attentat auf Kaiser Wilhelm I. unternommen und den Monarchen durch zwei Flintenschüsse verletzt. Alle Welt verurteilte die Tat nach der »allgemeinen Konventions-Elle.« Bismarck machte die Sozialdemokratie für den bedauerlichen Zwischenfall verantwortlich und bereitete das Sozialistengesetz vor. Wie er »allerlei Glück« kannte, so kannte er auch »allerlei Moral« und handelte danach. Am Tage des Attentats schrieb Fontane an seine Frau: ». . . ich glaube, ihm (dem Kaiser) wäre besser tot. 81 Jahre und *das* zu erleben . . . Der Mörder ist ein Dr. Nobiling, Beamter im landwirtschaftlichen Ministerium oder Museum. Motiv zunächst unerklärlich. Als das Volk das Haus stürmte, hat er sich zu erschießen versucht, aber auch sich nur verwundet.«

Und ein paar Tage später an seine Tochter Mete: ». . . Über Dr. Nobiling verbreit ich mich nicht. Die Zeitungen bringen alles, was sie wissen und nicht wissen. Von letzterem am meisten. So die rührende Geschichte von der Konfrontation von Mutter und Sohn, die schlecht gerechnet eine Million Tränen hervorgerufen hat; denn Rührseligkeit und Tränendrüse sind auch der entarteten Menschheit treu geblieben . . . Übrigens ist Berlin schon wieder fidel, und die Meininger, der Kongreß und die Badereisen fangen schon wieder an, die hiesige Menschheit mehr zu interessieren, als die 38 Schrotkörner und die Frage, ob sie sich ›verkapseln‹ werden oder nicht. Mich amüsiert am meisten in solchen Zeiten das Zeitungsdeutsch; in jedem Satz sind drei Widersprüche oder drei Dummheiten oder drei hochverräterische Anzüglichkeiten. Am meisten wenn sie loyal sein wollen. So las ich heut in der ›Vossin‹: ›. . . die kronprinzlichen Herrschaften trafen ein, *er* blaß und bewegt, die Frau Kronprinzessin *aber vollkommen wohl und von blühendstem Aussehn* . . .‹ Ich bin wahrscheinlich der einzige Leser, der dergleichen aufpickt und sich daran erquickt.« Und der einzige Mensch, könnte man fortfahren, der den Fall nicht mit dem Herkömmlichen, Bequemen, Landläufigen maß, sondern ihn mit der »persönlich ins Herz geschriebenen Moral« beurteilte.

Wie weit er das konventionelle Denkschema seiner Zeit durchbrochen hatte, geht aus einem anderen Brief aus jenen Tagen an seine Frau hervor. Emilie hatte ihre Besorgnis über die turbulenten Zeitläufte geäußert und angefragt, »wie man früher solcher Bewegungen Herr geworden« sei. Mit »solchen Bewegungen« meinte sie die Sozialdemokratie. Fontane erwiderte: ». . . Darauf ist nicht direkt zu antworten; denn *solche* Bewegungen hat es früher nicht gegeben . . . Das ist jetzt anders. Millionen von Arbeitern sind gerade so gescheit, so gebildet, so ehrenhaft wie Adel und Bürgerstand . . . Alle diese Leute sind uns vollkommen ebenbürtig . . . Sie vertreten nicht bloß Unordnung und Aufstand, sie vertreten auch *Ideen*, die zum Teil ihre Berechtigung haben und die man nicht totschlagen oder durch Einkerkerung aus der Welt schaffen kann. Man muß sie *geistig* bekämpfen, und das ist, wie die Dinge liegen, sehr, sehr schwer . . .«

Und wie lagen die Dinge in Preußen-Deutschland nach dem Attentat auf den Kaiser? Auch darauf versucht das Fragment »Allerlei Glück« Antwort zu geben, und diese Antwort fällt vernichtend für die herrschenden Klassen aus, die den Umsturz fürchteten und ihm durch Terror zuvorzukommen versuchten.

»Das Bourgeoistum«, heißt es darin, »will sagen das ohne rechten Lebensgehalt bloß aufs *Äußerliche* gerichtete Dasein steckt jetzt viel mehr und jedenfalls viel häßlicher in den oberen Militär- und Beamtenkreisen als im Bürgertum. Jedenfalls tritt es hier (bei Militär und Beamten) häßlicher, verdrießlicher, beleidigender auf. Ein reicher Brauer hat keine Verpflichtung, sich um ›ideale Menschheitsgüter‹ zu kümmern, er verlangt Vermögen, Wohlleben und eine Villa. Jene ›regierenden Klassen‹ aber haben aus alter Zeit die Vorstellung mit herübergenommen, daß es mit ihnen etwas Besonderes sei, daß sie Hirn und Herz des Volkes verträten, und sie vertreten heutzutage keins von beiden mehr, weder das eine noch das andre. Sie sind ganz und gar veräußerlicht, kleine, sich unterwerfende, nur auf Gehorsam gestellte Streber und Karrieremacher, die . . . hochmütig vom hohen Sattel her auf die Menschheit niederblicken. Freilich, fallen sie, so stehn sie nicht mehr auf. Und das ist ein wahres Glück.«

Das Fragment enthält eine Fülle von liebenswürdigen Bosheiten auf die Gesellschaft der Epoche, die sich die gute dünkte und doch nur beschränkt war. Eine der Hauptgestalten des Romans, Dr. Heinrich Brose, »früher Apotheker, Original und Reiseenthusiast«, wie er im Personenverzeichnis charakterisiert wird, äußert sich einmal über Mittelafrika und sagt: » ›. . . der Äquator läuft ihnen über den Bauch.‹ – ›Hab ich recht verstanden?‹ sagte die hautäne Frau von Hochsprung mit etwas hautäner Miene. – ›Ich weiß nicht, meine Gnädigste‹, replizierte Brose. ›Diese Frage zu beantworten, müßt' ich zuvor aus Ihrem Munde hören, *was* Sie verstanden haben. Aber lassen wir das. Der Äquator steht geographisch fest und moralisch fest, was immer die Hauptsache bleibt. Und was er moralisch zu wünschen übrig läßt, kann ihn den Vereinen der gnädigen Frau nur empfehlen. Denken Sie sich einen Zustand, wo es nichts mehr zu bekehren gäbe.‹«

Das war auf die missionarische Tätigkeit vaterländischer Damen aus dem Kolonial- und Kolonialwarenzeitalter gemünzt. Zu einer anderen Vertreterin des Puritanismus in seiner preußischen Erscheinungsform sagt Brose: » ›Sie werden, meine Gnädigste, doch nicht alle Amerikaner für Rote, ich meine für Rothäute halten.‹ – ›Ach, Herr Brose, ich möchte Ihnen auf dieses Gebiet nicht gern folgen. Teintangelegenheiten, die sich über den ganzen Körper hin erstrecken, scheinen mir in Gegenwart junger Mädchen nicht wohl behandelbar.‹ «

Auf dieser heiteren, lächelnden Höhe hält sich das Fragment. Wenn man es aufschlägt, tut man einen Blick in Fontanes Werkstatt. Es ist wie ein Atelierbesuch. Alles ist Skizze, erster Entwurf. Man sieht, wo dem Autor Zweifel an seinen Absichten kamen, wo er stockte oder schon mit der ersten Konzeption eine glückliche Hand hatte. Das Episodische herrscht vor, manches weniger, anderes mehr ausgeführt und ausgefeilt. Man hat das Grundgerüst eines Fontaneschen Romans vor Augen. Man spürt die Bedeutung einzelner Szenen für das Ganze, besonders die Sorgfalt, die er auf die Namen seiner handelnden Personen legte, etwas eminent Wichtiges im erzählenden Werk Fontanes; denn bei ihm enthalten die Namen Fingerzeige und Hinweise auf Wesen und Charakter eines Menschen. Sie haben Magie, ihr bloßer Klang ruft bestimmte Vorstellungen hervor. So bei den beiden Brüdern Brose, Heinrich und Wilhelm, Apotheker der eine, Professor der andere. Oder der Freund Heinrich Broses und des alten Brah: Lampertus Distelmeier, »ein Tüftelgenie«. Oder der Diener Heinrich Broses: Johann Unzengruber. Oder eine Frau von Birch-Heiligenfelde, eine Dame aus jener Kategorie, von der es heißt: »Die Gesellschaft schließt sie aus, aber sie rächen sich durch Glanz und Witz und Hochmut, und der Reiz des Lebens muß sie für das Glück des Lebens schadlos halten. Meist sind sie auf wahres Glück hin gar nicht beanlagt; geborene Maitressen, denen man nicht von Unmoral sprechen darf, denn sie glauben nicht an Moral.«

Einem Johann Unzengruber traut man von vornherein kaum etwas Lyrisches zu, aber man ist nicht überrascht, daß Lampertus Distelmeier gelegentlich Verse macht, sehr schöne sogar:

»Es weht das Haar im Winde
Und der Tag ist hell und heiß,
Es weht mein Haar im Winde,
Aber das Haar ist weiß.
Lichter, rote, gelbe,
Gleiten darüber her,
Bin ich noch derselbe
Oder bin ich's nicht mehr?
Es ging ein halb Jahrhundert
Und nahm viel in seinem Lauf,
Sehnsucht, Wünsche, Sterne
Ziehen noch immer herauf.«

Und man glaubt sofort, daß eine Botanisiertrommel Eindruck auf ihn macht und ihn verlockt. Wunderbar, mit welcher Knappheit Fontane das ausführt: »Lampertus . . . beschloß, heute ins Moor zu gehn und zu botanisieren. ›Die Pharmaceutica sind langweilig, aber das Botanisieren ist hübsch.‹ Und er entsann sich glücklicher Stunden, wo er vor beinah dreißig Jahren im Grunewald umhergestreift war und auf der Rildower Wiese. Er wollte wieder solchen Tag genießen.«

Nun die Beschreibung des Moors. Die Wasserlachen, die Torfpyramiden, die Stille, die Tier- und Pflanzenwelt; die Weihe in der Luft. Das Mittagläuten aus der Ferne her. Bis an den Wald. Die Hagerose mit dem Tautropfen. »Hier am Rande legte er sich hin. Er sah hinauf in das Blau. Er dachte der Frau, die er verloren; er sah die weißen Wolken ziehn. Und er wandte sich und barg sein Haupt in das Moos des Waldes und ein süßes Weh durchzitterte sein Herz.«

Vieles ist berlinisch-kritisch in dem Entwurf, das rein Idyllische jedoch ist in die Landschaft von Fontanes Kindheit verlegt: nach Swinemünde, das hier Regemünde heißt. Ein Jammer, daß gerade diese Kapitel unausgeführt geblieben sind. Aber auch so spürt man den ganzen Zauber, der darüber schwebt, und freut sich an dem kühnen Bogen, den Fontane vom Landschaftlichen bis zum Gesellschaftlichen zu spannen versteht.

Der Schluß ist versöhnlich. Eine Summe von Lebenserfahrung spricht sich darin aus. Die Ehe nicht als romantisches Abenteuer, sondern als Vernunftangelegenheit wie bei den Franzosen. Der Held, Edwin Fraude, ist nach einer unglücklichen Liebe zu einer Geheimratstochter ins Ausland gegangen und kehrt nach längerer Abwesenheit ins Brosesche Haus zurück und heiratet schließlich Broses Tochter Margret. »Edwin und Onkel Heinrich haben darüber ein Gespräch«, heißt es gegen Ende des Fragments. »Edwin sagt ihm ganz offen, ›es sei nicht das Wahre‹.«

Und hier ergreift Fontane, nachdem er gezeigt hat, daß es »allerlei Glück« und »allerlei Moral« gibt, gewissermaßen selber das Wort und läßt Heinrich Brose sagen:

»Edwin, du bist ein Narr. Gerade, es *ist* das Wahre. Sonderbare Welt heutzutage. Jeder will *fein* sein, vornehm sein, ein Prinz sein. Manche begnügen sich schon damit, für einen ›Engländer‹ gehalten zu werden. Das ist was Äußerliches. Aber innerlich sind die Menschen noch toller. Jeder will eine *Leidenschaft* haben oder doch wenigstens gehabt haben. Narretei. Sei doch jeder froh, wer gerade drum herum kommt. Ist es denn damit was Großes? Was Großes an der Leidenschaft ist, die stellt sich schon ein, wenn einer das Herz auf dem rechten Fleck hat. Wenn Unrecht geschieht, wenn ein Volk blutet, geknechtet wird, da wird sie lebendig, nicht bei denen, die die ›Leidenschaft‹ in Entreprise haben, sondern bei den ruhigen, guten, unverbrauchten Leuten. Sei froh, daß es ist, wie es ist. Ihr paßt zueinander, ihr liebt euch wie ordentliche, gute Menschen. Quackelei die ganze Leidenschaft.«

## EFFI BRIEST ODER WAS IST EHRE?

Fontane stand im fünfundsiebzigsten Lebensjahr, als »Effi Briest« erschien, das einzige Werk neben Kleists »Prinzen von Homburg«, worin dem Preußentum nicht nur etwas Poetisches, sondern die lauterste Poesie abgerungen wird. Im Zusammenhang mit Kleist und seinem Schicksal spricht Ludwig Tieck einmal vom »Verlust der Wirklichkeit« und führt Kleists Tragik auf diesen Verlust zurück. In Verbindung mit Fontane und »Effi Briest« kann man dieses Wort abwandeln und umgekehrt von einem »Gewinn der Realität« reden. Nichts von Kurial- oder Kanzleistil, der so vielen Alterswerken etwas Knieholziges, Verschnörkeltes verleiht, in diesen Blättern, nichts von Vergreistheit oder Petrefaktion in diesem deutschen Gegenstück zu Flauberts »Madame Bovary«, das seinen Verfasser beinahe Verstand und Leben kostete.

Im Jahre 1892 befand sich Fontane mit seiner Frau im Riesengebirge auf Sommerfrische, um sich von einer Morphium-Vergiftung zu erholen, die er sich während einer schweren Influenza zugezogen hatte. Er hatte das Manuskript des Romans mitgenommen, über dessen Entstehung er später einmal an Friedrich Spielhagen schreiben sollte: »... Die ganze Geschichte ist eine Ehebruchsgeschichte wie hundert andere mehr und hätte, als mir Frau L. davon erzählte, weiter keinen großen Eindruck auf mich gemacht, wenn nicht ... die Szene, beziehungsweise die Worte ›Effi, komm‹ darin vorgekommen wären. Das Auftauchen der Mädchen an den mit Wein überwachsenen Fenstern, die Rotköpfe, der Zuruf und dann das Niederducken und Verschwinden machten *solchen* Eindruck auf mich, daß aus *dieser* Szene die ganze lange Geschichte entstanden ist ...«

Aber, wie gesagt, das war später. Damals in Zillerthal war das Buch noch unfertig. Er hatte gehofft, den Roman in den schlesischen Bergen, die auf seine Arbeit immer einen günstigen Einfluß gehabt hatten, vollenden zu können, aber diesmal wollte es nicht damit vorangehen, diesmal war er so herunter, daß selbst in der heilsamen Gebirgsluft keine Besserung eintrat. Es schien, als wäre er mit seinen zweiundsiebzig Jahren physisch am Ende und geistig erschöpft, so daß seine Frau sich in ihrer Besorgnis an den Sohn Friedrich wandte: »Es ist nicht zu beschreiben, wie schwer es ist, mit dem armen Kranken zu leben, die Tage sowohl wie die Nächte. Wir erwarten den Arzt, der immer dringender von einer Nervenheilanstalt spricht. Papa, der erst damit einverstanden schien, zeigt jetzt ein rechtes Grauen, so daß ich nur in äußerster Not meine Einwilligung dazu geben würde ... Diesen klaren verständigen Mann so zu sehen ist herzzerreißend.«

An Arbeit war unter diesen Umständen nicht zu denken, kaum

an Lektüre, und als auch eine achtzehntägige Elektrotherapie in Breslau nicht anschlug, steigerte sich der Wahn des Kranken bis zur Einbildung, daß er kurz vor seinem Ende stehe und im selben Alter wie sein Vater sterben müsse. »Mein Leben ist sehr qualvoll.«

Auch die Rückkehr nach Berlin brachte keine Besserung. Der Patient klagte weiter über Schlaflosigkeit und verfiel immer mehr in Apathie. Selbst ein Vortrag Paul Schlenthers in der »Freien Literarischen Gesellschaft« über ihn und sein Werk vermochte nicht, ihn aufzumuntern, ihm das alte Selbstvertrauen zurückzugeben und ihn von seinen Ängsten und Todesahnungen zu befreien. Er hielt sich für »das gelbe Blatt am Baum um die Zeit, wo der Spätherbst einsetzt«, und sah sich bereits fallen. Wenn es nicht gelang, ihn aus diesem depressiven Zustand herauszureißen, war er wahrscheinlich verloren. Das erkannte niemand klarer als der langjährige bewährte Arzt der Familie, ein Dr. Delhaes. Ihm ist es in erster Linie zu verdanken, daß Fontane noch einmal gesundete und daß »Effi Briest« nicht unvollendet im Schubfach liegenblieb. Fontanes ganze Krankheit, schien ihm, war nichts als Flucht vor einer Aufgabe, an der er gescheitert war und der er sich nicht mehr gewachsen fühlte. Er redete in aller Offenheit mit seinem Patienten. »Sie behaupten, Sie hätten ein Brett vor dem Kopf«, sagte er zu ihm, »die Puste sei Ihnen ausgegangen, mit der Romanschreiberei sei es vorbei. Gut. Wenn es mit der Romanschreiberei nicht vorangehen will – und es wird auch damit wieder vorangehen –, dann schreiben Sie was andres, Ihre Lebenserinnerungen beispielsweise, Ihre Kindheit, und Sie werden sehen, daß Sie noch lange nicht zum alten Eisen gehören und im Skat liegen.«

Der kluge Ratschlag, statt der üblichen Pillen, bewirkte Wunder. Schon in den nächsten Wochen entstand eines der schönsten Stücke deutscher Autobiographie, Fontanes »Kinderjahre«. Der Greis versetzt sich in seine Anfänge zurück und wird selber wieder jung und gesund dabei, und ganz unmerklich führt ihn die Erinnerung an die Swinemünder Zeit zurück zu »Effi Briest« – ins pommersche Kessin, in das alte Fachwerkhaus mit dem von der Decke herabhängenden Haifisch und dem Krokodil, dem auf einen Stuhl aufgeklebten Chinesen, alles etwas zum Fürchten, besonders für eine junge, kaum dem Mädchenalter entwachsene Frau, für die kleine Effi aus Hohen-Cremmen, die lieber auf eine Schaukel im väterlichen Garten geklettert wäre und jetzt verpflichtet ist, als Gattin eines preußischen Landrats zu repräsentieren und bei jedem Schritt und jedem Wort darauf zu achten, daß sie ihren Herrn Gemahl durch ihr Benehmen und ihre Äußerungen nicht kompromittiere oder lächerlich mache. Alles erträgt er, der Gute, der von seinem Fürsten, dem allmächtigen Herrn von Bismarck, hochgeschätzte Mann, dem man allerseits eine große Karriere prophezeit, nur das eine nicht: lächerlich zu erscheinen. Darin ist er bei seiner strengen preußischen Auffassung von Pflicht und Ehre sehr empfindlich, und Effi, die das Schickliche und Unschickliche sehr wohl auseinanderzuhalten weiß, die Spielregeln der Gesellschaft, in der er sich bewegt, jedoch kaum kennt, fürchtet immer wieder, etwas falsch zu machen und gerade dort Fehler zu begehen, wo sie sich die größte Mühe gibt, das Richtige zu tun, und wünscht sich insgeheim, daß ihr Umgang aus lauter Gieshüblers bestanden hätte – aus Leuten, die mehr auf das Herz als auf die Form sehen.

»Ja, Effi!« schrieb Fontane nach dem Vorabdruck des Romans in Rodenbergs »Deutscher Rundschau« an Clara Kühnast. »Alle Leute sympathisieren mit ihr und einige gehen so weit, im Gegensatz dazu, den Mann als einen ›alten Ekel‹ zu bezeichnen. Das amüsiert mich natürlich, gibt mir aber auch zu denken, weil es wieder beweist, wie wenig den Menschen an der sogenannten ›Moral‹ liegt und wie die liebenswürdigen Naturen dem Menschenherzen sympathischer sind. Ich habe dies lange gewußt, aber es ist mir nie so stark entgegengetreten wie in diesem Effi Briest und Instetten-Fall. Denn eigentlich ist er (Instetten) doch in jedem Anbetracht ein ganz ausgezeichnetes Menschenexemplar, dem es an dem, was man lieben muß, durchaus nicht fehlt. Aber sonderbar, alle korrekten Leute werden schon bloß um ihrer Korrektheit willen mit Mißtrauen, oft mit Abneigung betrachtet. Vielleicht interessiert es Sie, daß die *wirkliche* Effi noch lebt, als ausgezeichnete Pflegerin in einer großen Heilanstalt. Instetten, in natura, wird mit Nächstem General werden. Ich habe ihn seine Militärcarrière nur aufgeben lassen, um die wirklichen Personen nicht zu deutlich hervortreten zu lassen.«

Wer ist dieser Instetten, der als älterer Mann die Tochter einer Frau heiratet, um die er in seiner Jugend geworben und die einem anderen, einem Herrn von Briest, den Vorzug gegeben hat? Dieser Mann, der eines Tages nach einer Reihe von ungetrübten Ehejahren unter den Sachen seiner Frau ein Bündel vergilbter Briefe findet, die ein etwas leichtsinniger Offizier, ein Major von Crampas, in den weit zurückliegenden Kessiner Tagen an Effi gerichtet hat und die auf ein intimes Verhältnis zwischen beiden hindeuten? Warum muß er gehen und sich mit diesem Crampas wegen einer lang verjährten Angelegenheit duellieren, im vollen Wissen, daß er damit sein Lebensglück zerstört, sich selbst zwar eine zweifelhafte Genugtuung verschafft, Effi jedoch für immer mit dem Makel einer Ehebrecherin behaftet?

Adel und Ehre zwingen ihn dazu. Adel und Ehre, seit dem Mittelalter eng verschwistert, so daß man ohne Ehre nicht von Adel und ohne Adel nicht von Ehre sein konnte, beides unerläßlich für die Integrität des Vasallen und seiner Treue. Von Anfang an lagen in dieser Auffassung neben dem Ansporn, darauf zu achten, was man sich selbst schuldig war und wie man vor dem Forum der Gesellschaft oder einer bestimmten sozialen Schicht dastand, die Keime zu einem fetischistischen Spiel mit dem Ehrbegriff. Und sehr schnell entartete auch der gesamte Ehrenkodex. Schon Shakespeare spürte diese Gefahr und läßt Falstaff – den Mann, dem eine Wildbretkeule und ein Humpen Wein wichtiger sind als aller höfische Firlefanz – über die Ehre monologisieren:

»... Was ist Ehre? Ein Wort. Was steckt in dem Wort Ehre? Was ist diese Ehre? Luft. Eine feine Rechnung! – Wer hat sie? Er, der vergangenen Mittwoch starb. Fühlt er sie? Nein. Hört er sie? Nein. Ist sie also nicht fühlbar? Für die Toten nicht. Aber lebt sie nicht etwa mit den Lebenden? Nein. Warum nicht? Die Verleumdung gibt es nicht zu. Ich mag sie also nicht. – Ehre ist nichts als ein gemalter Schild beim Leichenzuge, und so endigt mein Katechismus.«

Diesem gemalten Schild in ihrem eigenen Leichenzuge waren schon unzählige europäische Adlige zum Opfer gefallen, in Spanien, Frankreich, Deutschland, Rußland, ja selbst in England, wo das Duell als Mittel zur Ehrenrettung zuerst in Mißkredit geraten war. Wer hatte sich nicht alles wegen eines angeblichen Fleckens auf dem Schild seiner Ehre geschlagen? Der erste nachrevolutionäre Berliner Polizeipräsident, Friedrich von Hinckeldey, der die erste Berufsfeuerwehr organisierte und die Hauptstadt von ihrer größten Plage, den Schmutz auf den Straßen, befreite, indem er Kehrbrigaden, die Vorläufer der Müllabfuhr, schuf, duellierte sich. Er hatte den Mut gehabt, einen adligen Spielklub auszuheben und war mit einem Herrn von Rochow-Plessow in einen scharfen Wortwechsel geraten. In der Jungfernheide – heut führt der Kurt-Schumacher-Damm unmittelbar an der Stelle mit seinem Gedenkstein vorbei – traten sich die Gegner gegenüber. Hinckeldey fiel. Die Rochow-Plessows und ihre Anhängerschaft frohlockten; sie waren einen unliebsamen Reformer los und konnten ungestört weiterspielen. Lassalle starb an den Folgen eines Duells, auch er ein Opfer des Wahnsinns seines Jahrhunderts. Bismarck duellierte sich mit dem Abgeordneten Freiherrn von Vincke, der während einer Sitzung gegen ein angeblich von dem »namhaften Diplomaten von Bismarck« stammendes Memorandum das Wort ergriff. Bismarck leugnete, daß das Schriftstück von ihm stamme, und verlangte einen Widerruf dieser Behauptung. Sie sei verleumderisch. Daraufhin gab von Vincke im Parlament die Erklärung ab, er dementiere mit Vergnügen, daß der Herr von Bismarck ein »namhafter Diplomat« sei. Das genügte zu einer Forderung auf Pistolen. Wie sehr man um den Ausgang eines solchen Duells besorgt sein mußte, geht daraus hervor, daß Bismarck vorher beim Hofprediger Büchsel das Abendmahl nahm. Zum Glück schossen beide Gegner in die Luft, da sie spüren mochten, daß es nicht lohne, sich wegen einer solchen Bagatelle totzuschießen.

Geert von Instetten dagegen, in Fontanes Roman, sonst in allem ein gelehriger Schüler Bismarcks, nur in diesem Falle nicht, visiert sein Ziel fest und sicher an und trifft den mutmaßlichen Verführer seiner Frau tödlich – womit zwar niemand geholfen, im Gegenteil, allen geschadet, der Ehre jedoch Genüge getan ist.

Der Unfug, der in ganz Europa mit dem Ehrbegriff getrieben, das Unheil, das damit angerichtet wurde, veranlaßten Schopenhauer, das ganze komplexe Thema einmal gründlich zu untersuchen. Das Ergebnis war der glänzende und geistvolle Essay über die Ehre in seinen »Aphorismen zur Lebensweisheit«. Nachdem er die verschiedenen Arten der Ehre, auch die Geschlechtsehre des Weibes und des Mannes, definiert und charakterisiert hat, kommt er auf den »Popanz« des neunzehnten Jahrhunderts zu sprechen, die sogenannte ritterliche Ehre, die jeder Schlingel, der sich »satisfaktionsfähig« dünkte, für sich beanspruchte, und schlägt ein Mittel zu ihrer Abschaffung vor: »für dessen Erfolg ich einstehe«, wie er schreibt, »und zwar ohne blutige Operationen, ohne Schafott, oder Galgen, oder lebenswierige Einsperrungen . . . vielmehr ist es ein kleines, ganz leichtes, homöopathisches Mittelchen: wer einen Anderen herausfordert, oder sich stellt, erhält, *à la Chinoise*, am hellen Tage, vor der Hauptwache, 12 Stockschläge vom Korporal, die Kartellträger und Sekundanten jeder 6 ... Vielleicht würde ein ritterlich Gesinnter mir einwenden, daß nach Vollstreckung solcher Strafe mancher Mann von Ehre im Stande seyn könnte, sich todtzuschießen; worauf ich antworte: es ist besser, daß so ein Narr sich selber todtschießt, als Andere ...«

Nun, der Instetten Fontanes ist kein Narr und greift nicht wie ein fanatischer jugendlicher Liebhaber aus dem Gefühl, die Welt sei zusammengebrochen, zur Pistole, um seinen Nebenbuhler zu beseitigen. Er fühlt sich nicht »so verletzt, beleidigt, empört, daß einer weg muß«. Und dennoch sieht er keinen anderen Ausweg. Seit sein Vertrauter, der Ministerialrat Wüllersdorf, von der Affäre weiß, seit Instetten ihm einen Zettel geschrieben und ihn gebeten hat, die Forderung an Crampas zu überbringen, »war das Spiel aus meiner Hand«, wie er sagt. Gegen sein besseres Gefühl unterwirft er sich der Konvention. Alles andere, nur nicht zur lächerlichen Figur werden, über die man hinter dem Rücken tuschelt. »Unser Ehrenkultus ist ein Götzendienst«, erkennt er, »aber wir müssen uns ihm unterwerfen, so lange der Götze gilt.« Gegen Götzen jedoch kämpft man – in Preußen bildete man sich sogar etwas darauf ein –, man schafft sie nicht aus der Welt, indem man ihren Geboten gehorcht; man kann sie nur stürzen, indem man sich über diese Gebote hinweggesetzt und sie ignoriert – freilich mit dem Risiko, sich gesellschaftlich unmöglich zu machen. Aber dazu fehlt dem einstigen, in preußischen Standesvorurteilen erzogenen Landrat die Kraft. So weit reicht sein moralischer Mut nicht. Er beugt sich dem Kodex der Ehre und lädt die Pistole mit dem tödlichen Blei. Aber die Kugel streckt nicht nur den Major Crampas nieder, sie geht auch ihm durchs Herz, und auch sein Töchterchen, das er Effi natürlich genommen hat, um ihr vor allen Dingen Ehrbarkeit einzuimpfen, wird von ihr getroffen; das Kind erstarrt dabei und wird zur Marionette.

Und Effi, die lebensfrohe Effi aus Hohen-Cremmen, die aus Furcht, etwas falsch zu machen und ihren Gatten der Lächerlichkeit preiszugeben, etwas viel Schlimmeres begeht und ihn in seiner Ehre kränkt? Weiß sie, daß in der Gesellschaftsschicht, der ihr Mann angehört, der Tod darauf steht? »Wir können Dir keinen stillen Platz ... anbieten, keine Zuflucht in unserem Hause«, schreibt ihr die Mutter, »... weil wir Farbe bekennen und vor aller Welt, ich kann Dir das Wort nicht ersparen, unsere Verurteilung Deines Tuns aussprechen wollen.« Ohne den geringsten Rechtfertigungsversuch nimmt Effi den Spruch hin; gegen das starre Schema von festen Richtlinien und Maßstäben, die für ihr Vergehen gelten, ist jede Auflehnung nutzlos. Es scheint, als hätte sie gegen die göttliche Weltordnung verstoßen, dabei hat sie nur das Sittengesetz ihres Jahrhunderts übertreten. Aber im Effekt ist es dasselbe. Und da sie im tiefsten Inneren nichts von einer schweren, nie wiedergutzumachenden Schuld empfindet, bleibt sie still und duldet, was man über sie verhängt. Aber was sie führt, ist kein Leben mehr. Es ist ein langsames Erlöschen. Die Verse Fontanes gelten auch für sie:

»Heute früh, nach gut durchschlafener Nacht,
Bin ich wieder aufgewacht.
Ich setzte mich an den Frühstückstisch,
Der Kaffee war warm, die Semmel war frisch,
Ich habe die Morgenzeitung gelesen,
(Es sind wieder Avancements gewesen).
Ich trat ans Fenster, ich sah hinunter,
Es trabte wieder, es klingelte munter,
Eine Schürze (beim Schlächter) hing über dem Stuhle,
Kleine Mädchen gingen nach der Schule –
Alles war freundlich, alles war nett,
Aber wenn ich weiter geschlafen hätt'
Und tät von alledem nichts wissen,
Würd' es mir fehlen, würd' ich's vermissen?

Auch Effi vermißt es nicht mehr; nicht was im Reichstag gesprochen wird, nicht was bei Kroll vor sich geht, nicht ob im Grunewald Holzauktion ist, ja nicht einmal die neuesten Moden bei Gerson interessieren sie mehr. Am liebsten hätte sie wieder »ein blau und weiß gestreiftes Kittelkleid mit einem losen Gürtel« getragen wie in ihren Mädchentagen. Und dazu soll sie bald Gelegenheit haben. Ihr Gesundheitszustand bereitet den Eltern Sorge, sie vergessen das Vergangene und nehmen die Tochter wieder zu sich nach Hause. Und nun wird alles immer leichter und unwirklicher, und es klingt schon fast wie aus dem Jenseits, wenn Effi kurz vor ihrem Ende die Worte spricht: ». . . es liegt mir daran, daß er erfährt, wie mir hier in meinen

Krankheitstagen, die doch fast meine schönsten gewesen sind, wie mir hier klar geworden, daß er in allem recht gehandelt. In der Geschichte mit dem armen Crampas – ja, was sollte er am Ende anders tun? Und dann, womit er mich am tiefsten verletzte, daß er mein eigen Kind in einer Art Abwehr gegen mich erzogen hat, so hart es mir ankommt und so weh es mir tut, er hat auch darin recht gehabt. Laß ihn das wissen, daß ich in dieser Überzeugung gestorben bin. Es wird ihn trösten, aufrichten, vielleicht versöhnen. Denn er hatte viel Gutes in seiner Natur und war so edel, wie jemand sein kann, der ohne rechte Liebe ist.«

Der Schluß ist reine Musik, Zauberflöte. Verzeihung und Verklärung. Ohne die »Hilfskonstruktion«, ohne die es in der Welt der Männer mit ihrer Ehre nicht geht. Ein unmerkliches Dahinschwinden und Verklingen, das Wiedereinswerden eines in der Gesellschaft nie recht heimisch gewordenen Menschen mit der Natur, der keine zweite Gestalt Fontanes so tief angehört wie Effi Briest.

# BERLINER ROMANE

In den siebziger Jahren des achtzehnten Jahrhunderts hatte der vielgeschmähte Friedrich Nicolai aus Berlin den ersten Roman mit Berliner Lokalkolorit herausgebracht: »Das Leben und die Meinungen des Herrn Magisters Sebaldus Nothanker«, ein Werk, ganz aus dem Geist der Aufklärung verfaßt, schwerfällig im Stil, ungelenk in der Charakterzeichnung, grob und eckig in der Form, aber doch bereits mit Ansätzen eines typisch Berliner Witzes durchtränkt, streitbar, kritisch, satirisch.

»Bei der schändlichen Seuche von Lesebüchern, womit uns Gott heimgesucht, ist Ihr Sebaldus eine wahre Schlange, die zur Genesung aufgerichtet ist«, schrieb der Mitherausgeber der »Frankfurter Gelehrten Anzeigen«, Johann Heinrich Merck, an den Verfasser und stellte sich damit in Gegensatz zu seinem Freunde Goethe, der das Werk verabscheute und verspottete.

Nicolai griff mit seinem Roman direkt in die sozialen Kämpfe ein, die seinerzeit unter theologischem Deckmantel ausgetragen wurden. Sein Sebaldus ist ein aufgeklärter Geistlicher, ». . . beständig beflissen, seinen Bauern zu predigen, daß sie früh aufstehn, ihr Vieh fleißig warten, ihren Acker und Garten auf's beste bestellen sollen, Alles in der ausdrücklichen Absicht, daß sie wohlhabend werden sollten.« Diesem Berliner Rationalismus, der alles vom Standpunkt der Nützlichkeit und der bürgerlichbäuerlichen Emanzipationsbestrebungen betrachtet, steht der orthodoxe Magister Stauzius gegenüber, dem Züge von Lessings Widersacher, dem Hamburger Hauptpastor Goeze, anhaften. Breit und umständlich schildert das Buch die religiösen Zustände der Zeit. Die Seiten sind erfüllt vom theologischen Gezänk der verschiedenen Richtungen und ihrer Vertreter. Der »Sebaldus« war ein erster Versuch, mit epischen Mitteln etwas vom kulturellen Leben der preußischen Hauptstadt einzufangen.

»Mein lieber Nicolai«, schrieb Lessing nach Erscheinen des Buches an den Autor, »Ihr Nothanker hat mir viel Vergnügen gemacht. Daß ich Ihnen aber meinen Dank dafür so lange schuldig geblieben, kommt daher, weil es das letzte *Buch-Vergnügen* war, das ich seitdem genossen . . .«

Damit war die Reihe Berliner Romane eröffnet. Überblickt man diese Reihe heute, so ist das meiste, was in der Nachfolge Nicolais entstand, verschollen, kaum noch in Bibliotheken auffindbar, und das wahre »Buch-Vergnügen«, das Lessing bei der Lektüre des »Nothankers« empfand, beginnt erst wieder mit Fontane und Gestalten wie der Witwe Pittelkow und der Kommerzienrätin Treibel.

Über die anderen vielen Berliner Romane, die in den hundert Jahren zwischen Nicolai und Fontane erschienen, ist Berlin hinweggegangen, nur das Idyll der Sperlingsgasse ist erhalten geblieben, Wilhelm Raabes Beitrag zur Berlin-Literatur des Jahrhunderts, das Philiströseste der Stadt in Poesie umgewandelt.

An Schriftsteller wie Julius von Voß, Alexander von Ungern-Sternberg und George Hesekiel erinnert sich kaum noch jemand. Ihre Bücher haben Berlin zwar teils zum Gegenstand, aber es ist, als hätte die Stadt sich ihnen entzogen, sie reden von Berlin, Voß sogar schon im Dialekt, doch es bleibt alles beiläufig und bis in die »Gefilde der Wannseeligen«, wie der Volksmund das erste Freibad taufte, ist keiner von ihnen vorgedrungen.

Von Hesekiel und seinen 135 Bänden ist nur geblieben, was Fontane über ihn schreibt, der mit ihm in der Redaktion der »Kreuzzeitung« saß und ihm gelegentlich im »Tunnel« begegnete: »Nach den Sitzungen lud er oft einige von den Jüngeren ein, im ›Großfürst Alexander‹ – Neue Friedrichstraße – seine Gäste zu sein. In Kolonne rückten wir nun in das vorgenannte Hotel ein, wo Hesekiel, ich weiß nicht woraufhin, unbeschränkten Kredit hatte. Mit Rotwein oder Mosel beginnen, wäre lächerlich gewesen; es gehörte zum guten Ton, mit schwerem Rheinwein, am liebsten mit Sherry, Port oder herbem Ungar einzusetzen ... Was an einem solchen Abend vertilgt wurde, war unglaublich, und noch unglaublicher war die Zeche, wenn man bedenkt, daß ein Mann von damals sehr bescheidenem Gehalt das alles auf seine Kappe nahm ...«

Der joviale und spendable Zecher hatte dann auch bald die entsprechenden Schulden – 10 000 Taler, eine enorme Summe für damalige Verhältnisse und Weinpreise. Er näherte sich den

Fünfzigern, als er, wie Fontane berichtet, »eines schönen Tages auf den gesunden Gedanken kam, seine Schulden abzuzahlen. Und dem unterzog er sich dann auch von Stund' an – auch darin seinem Vorbilde Walter Scott gleichkommend – mit eisernem Fleiß und in geradezu großartiger Weise ... Keiner dieser Romane hat sich bei Leben erhalten, und ihr literarischer Wert mag nicht sehr hoch sein, aber sie enthalten eine Stoffülle und sind für den, der Preußisch-Historisches liebt, eine unterhaltliche, lehrreiche Lektüre ... Er hinterließ sein Haus in bescheidenen, aber geordneten Verhältnissen« und, wie gesagt, 135 Bände, manches Berlinische darunter.

Der Kreis ist weiter gezogen bei ihm als bei Voß und Sternberg, neben Politischem und Sozialem nimmt das Literarische einen breiten Raum ein, aber Berlin in seiner Gesamtheit tritt nirgends hervor.

Auch von den vielen Schriften Heinrich Smidts, ebenfalls eines Tunnelbruders, hat kaum etwas die Zeiten überdauert. Er schrieb einen »Roman aus dem harmlosen Berlin«, doch auch er bezwingt die Stadt nicht, genauso wenig wie die Verfasserin vielbändiger und seinerzeit vielgelesener historischer Romane: Luise Mühlbach.

In all diesen Büchern bleibt das Berlinische Beiwerk, sie gelangen nicht über die Peripherie hinaus und bleiben gleichsam am Stadtrand stecken. Erst Willibald Alexis, von Fontane, der ihm einen seiner besten Essays widmete, hochgeschätzt, stößt bis ins Zentrum der Stadt vor. Erst bei ihm wird sie Mittelpunkt des staatlichen und sozialen Lebens, Hauptstadt, von der starke Impulse ausgehen, wird sie zur Schlagader und Hirnzelle Brandenburg–Preußens, wie in seinem großen Roman »Ruhe ist die erste Bürgerpflicht«.

Mit Adolf Glaßbrenner kommt der Berliner über sich selbst zum Bewußtsein und fängt an, das zu tun, was ihn von anderen deutschen Großstädtern unterscheidet: er fängt an zu räsonieren und seinen Witz als Waffe zu gebrauchen.

»Ich hörte hier«, schrieb Glaßbrenner anläßlich der Berliner Gewerbeausstellung vom Jahre 1844, »Kluge und Dumme sprechen, schrieb ihnen nach, ordne nun die Blätter ein wenig und gebe wieder ein Buch mit meinem Namen heraus, dessen Verfasser eigentlich das Volk selbst ist.«

Mit seiner Sozial- und Gesellschaftskritik geht er weit über das hinaus, was sich die Romanschriftsteller erlaubten, die über Berlin schrieben. Selbst bei Gutzkow findet sich keine derartig scharfe Kritik am Kapitalismus des neunzehnten Jahrhunderts wie bei diesem 1810 in der Leipziger Straße geborenen Urberliner: »Es ist eine von den vielen Nichtsnutzigkeiten unseres Zeitgeistes, daß er den Arbeitern einredet, sie seien ebenfalls vollgültige Menschen, Menschen, die, weil sie ihre Kräfte und Fähigkeiten der Welt opfern, auch Anspruch an ihren Freuden hätten. Arbeiter sind aber nur vereinzelte Maschinengegenstände, deren Verbindung noch nicht erfunden ist und die daher nur soviel Nahrungsstoff erhalten müssen, als zu ihrer ununterbrochenen Tätigkeit notwendig.«

Leider hat Glaßbrenner, dieser Xenienschreiber seiner Gegenwart, keinen Berliner Roman hinterlassen, und die Hoffnung auf ein preußisches Snob-Buch aus seiner Feder, einen sozialen Baedeker, einen Führer durch die Salons und Spelunken der Hauptstadt, blieb unerfüllt.

Der Anreiz, Berlin zum Thema zu wählen, wurde mit seinem Wachstum, seiner Ausdehnung, seiner immer komplizierter werdenden gesellschaftlichen Struktur stetig größer, aber damit auch schwieriger. Die Grenzen zwischen den einzelnen Gesellschaftsschichten waren nicht mehr so klar gezogen wie einst, das Kapital übte Funktionen aus, die zwar gespürt, aber nicht begriffen wurden und die sonderbarsten, oft verhängnisvollsten Auswirkungen auf das Denken hatten, die Technik veränderte nicht nur das Bild, sondern auch den Rhythmus des Lebens und führte zu neuen »Irrungen und Wirrungen« der Gedanken und Gefühle.

Paris hatte seinen Balzac gehabt, London hatte seinen Dickens. Aber was hatte Berlin? Nicht daß es an Versuchen gemangelt hätte, den ungeheuren Stoff künstlerisch zu bewältigen. Aber, schrieb Fontane 1886 bei Erscheinen von Paul Lindaus »Der Zug nach dem Westen« (dem Berliner Westen, versteht sich): »Es fehlt uns noch ein großer Berliner Roman, der die Gesamtheit unseres Lebens schildert, etwa wie Thackeray in dem besten seiner Romane, ›Vanity Fair‹, in einer alle Klassen umfassenden Weise das Londoner Leben geschildert hat. Wir stecken noch zu sehr in der Einzelbetrachtung. Glaßbrenner eröffnete den Reigen, aber er blieb im Handwerkertum stecken. Dann kam Stinde mit seinen Schilderungen des Berliner Kleinlebens. Er hat seine Aufgabe am glänzendsten gelöst, beinah vollkommen ... Aber auf die Frage: sind diese Schilderungen des Lebens ein Bild des Lebens von Berlin W, ein Bild unserer Bankiers-, Geheimrats- und Kunstkreise? muß ich mit einem allerentschiedendsten ›Nein‹ antworten ... Es sind alte Figuren, alte Bühnenkommerzienräte usw. ... nicht von der Lebens-, sondern von der Schaubühne heruntergelangt ...«

Noch kategorischer war seine Ablehnung eines anderen Buches, das Berlin von der entgegengesetzten Seite zeigte: von Max Kretzers Roman »Drei Weiber«: »Das ist die neueste Leistung dieses furchtbaren Menschen, der angestellt scheint, um Flaubert, Zola und den echten Realismus zu diskreditieren. Er hat ein äußerliches Schilderungstalent und kann das Treiben einer Berliner Straße, eines Nachtcafés, eines Tingeltangels, eines Tanzlokals mit öffentlichen Mädchen und ihren Louis' schildern. Ganz unfähig aber ist er, *Menschen und gesellschaftliche Zustände* zu schildern ... Alles, was er schildert, kommt vor (was kommt überhaupt *nicht* vor?), aber es kommt nicht *so* vor ... nicht in solcher Ausschließlichkeit. Es ist alles *zerrbildlich*, und was wahr sein will, ist so unwahr wie nur möglich ... Es ist ein Roman, der nicht die gemeine Gesellschafts-, sondern die gemeine Kretzer-Seele schildert.«

Nein, das alles war in Fontanes Augen nicht Berlin, höchstens fragwürdige Ausschnitte aus seinem Leben, das Proletarische bei Kretzer mit der Pikanterie der Unmoral durchsetzt, das Großbürgerliche bei Paul Lindau mit Rührseligkeit über das Elend.

In sein Tagebuch vermerkte Fontane über den »Drei-Weiber«-Roman Kretzers noch: »... eine Schweinerei. Dergleichen – ein Assessor lebt mit Mutter, Stieftochter und Dienstmädchen a tempo auf dem Liebesfuß; die Tochter, noch dazu an ihrem Verlobungstag, ist sogar Augenzeuge einer Liebesszene mit der Mutter – kommt vor, und ich will einem Dichter, der sittlicher Mensch und Genie zu gleicher Zeit ist, die Behandlung solcher Dinge gestatten, ja, es kann dann von erschütternder Wirkung sein. Kretzer aber ist bloß ein talentierter Saupeter.«

Auch in Berlin benahmen sich Assessoren privat nicht immer so, wie sie im Amt taten, und Fontane wäre der letzte gewesen, das zu leugnen, dazu lebte er viel zu lange in der Stadt und war ein viel zu scharfer Beobachter ihrer Sitten und Unsitten. »Wird die Panke zugeschüttet, oder, was so ziemlich dasselbe sagen will, wird die Friedrichstraße sittlich gereinigt? Offen gestanden«, erklärt der alte Treibel, »ich fürchte, daß unsere pikanteste Verkehrsader nicht allzuviel dabei gewinnen wird; sie wird um ein Geringes moralischer und um ein Beträchtliches langweiliger werden.«

Das war auch Fontanes Meinung. Nichts war ihm verhaßter als englische Heuchelei und preußische Prüderie. Aber ebenso verhaßt war ihm das Schwelgen in Zweideutigkeiten, das So-tun, als bestünde das Leben nur aus Perversitäten und Morast. Er wußte, daß der Naturalismus, der diese Seiten des Großstadtlebens gern überbetonte, eine unausbleibliche Reaktion auf die verlogene Komtessenliteratur der vorangegangenen Jahre war und schon deshalb seine Berechtigung hatte. Aber indem der Naturalismus das soziale und moralische Elend zur alles beherrschenden Frage erklärte, schüttete er das Kind mit dem Bade aus und wurde ebenso einseitig wie die Literatur, die er bekämpfte.

»Das wird der beste Roman sein«, bekannte Fontane, »dessen Gestalten sich in die Gestalten des wirklichen Lebens einreihen, so daß wir in Erinnerung an eine bestimmte Lebensepoche nicht mehr genau wissen, ob es gelebte oder gelesene Figuren waren, ähnlich wie manche Träume sich unserer mit gleicher Gewalt bemächtigen wie die Wirklichkeit.«

Hier liegt das Geheimnis seiner Berliner Geschichten, seiner Gestalten. Sie bemächtigen sich unser auf rätselhafte und dabei ganz selbstverständliche Weise, und wir stellen sie nicht einen Augenblick lang in Frage. Sie treten vor uns hin, und wir fühlen uns plötzlich in das Berlin ihrer Tage versetzt, in ein vergangenes Berlin, das auf magische Weise weiterlebt und uns mit seiner Atmosphäre umgibt und einhüllt. Und wir lassen uns ohne Widerstand davon einhüllen und stehen mit einemmal in der Keithstraße oder am Oranienburger Tor, und es ist, als hätten wir selber dort gewohnt und morgens den Sprengwagen gesehen und wären abends über den Leipziger Platz gegangen und bei Huth oder Habel eingekehrt. Wir sind wie zu Hause. Es ist wie eine Rückkehr in das Berlin unseres Heimwehs. Alles wirkt vertraut: die Menschen, die Straßenzüge, der Schutzmann und der Droschkenkutscher. Man fragt nicht: War es so? Denn es ist ja nicht vergangen, sondern Gegenwart, und eher sind wir die Gespenster. »Darauf kommt es an«, heißt es bei Fontane, »daß wir in den Stunden, die wir uns einem Buche widmen, das Gefühl haben, unser wirkliches Leben fortzusetzen, und daß zwischen dem erlebten und erdichteten Leben kein Unterschied ist als der jener Intensität, Klarheit, Übersichtlichkeit und Abrundung und infolge davon jener Gefühlsintensität, die die verklärende Aufgabe der Kunst ist.«

Fast alle Romane Fontanes haben Berlin zum Schauplatz. Es ist der Geist der Stadt selber, der sie schreibt. Sie sind von feinster Urbanität und Eleganz, voller Esprit, Lust am Wort, ja an Wortspielen, selbst den Kalauer nicht verschmähend, der nun einmal zu Berlin gehört. Im Berliner Leben haben sich immer wieder fontanische Szenen abgespielt. Berlin ist so sehr fontanisch, wie Fontane berlinisch ist. Nie zuvor war ein Schriftsteller so innig mit einer Stadt verwachsen und verbunden wie er mit Berlin. Entzückt wäre er gewesen, wenn er hätte miterleben können, wie Carl Fürstenberg nach 1918 auf die Sozialisierungsversuche der Anrede reagierte. Es war die Zeit, da ein jeder mit »Herr« angesprochen werden wollte, selbst die Lehrlinge und Volontäre, auch die seines Bankhauses. »Gewiß«, erwiderte er der Abordnung, die bei ihm vorsprach und ihm ihr Anliegen vortrug, »aber ich habe ooch eenen Wunsch, den Sie mir erfüllen müssen. Ab heute, meine Herren, nennen Sie mich Carl und sagen du zu mir! Wissen Se, so'n oller Knopp wie ich, siebzig Jahre, der hat sich nu mal an 'n bißchen Unterschied im Leben gewöhnt.«

Bei Fontane steht der Mensch in Abhängigkeit und gleichzeitig im Schutz der Gesellschaft, der er angehört. Daraus ergeben sich die Konflikte, daraus ergibt sich der Ton. Gesellschaft ist aber ohne Gespräch undenkbar, und so herrscht das Gespräch auch in den Romanen Fontanes vor, das Gespräch mit anekdotischen Einschiebseln, politischen Anspielungen und entzückenden

Frechheiten, wie es der Berliner liebt, veredelt gleichsam, nie bloßer Tratsch und Klatsch. Fontane ist kein Naturalist, sondern ein Künstler, der eine sehr delikate Auswahl trifft, auch in dieser Hinsicht Gourmet. »Das Geistreiche (was ein bißchen arrogant klingt)«, schrieb er an seine Tochter, »geht mir am leichtesten aus der Feder. Ich bin – auch darin meine französische Abstammung verratend – im Sprechen wie im Schreiben ein Causeur; aber weil ich vor allem ein Künstler bin, weiß ich genau, wo die geistreiche Causerie hingehört und wo nicht . . .«

Was seine Menschen sagen – und Fontane hat sich sehr genau überlegt, was er sie sagen läßt –, dient entweder zu ihrer Selbstcharakteristik, zur Bestimmung ihres Standortes, politisch, moralisch, konfessionell, geschäftlich und gesellschaftlich, oder zur Veranschaulichung und Durchleuchtung des sozialen Zeitgefüges und vor allem Berlins. Solche Dialoge, wie sie in seinen Büchern geführt werden, waren nur in Berlin möglich; es ist eine ganz spezifisch Berlinische Art von Causerie – scharf, sarkastisch, aber nie eigentlich frivol, nie die Grenzen des guten Geschmacks überschreitend. Seine Gestalten sind Gesellschaftswesen, mit allen Fasern ihres Seins an bestimmte Vorurteile gebunden oder über bestimmte Vorurteile hinaus.

Mit »Schach von Wuthenow« begann es. 1883, nach einem Vorabdruck in der »Vossischen Zeitung«, als Buch erschienen, bildet der kleine Roman einen »einsamen Gipfel der deutschen historischen Erzählungskunst«, wie Georg Lukacs es ausdrückt. Das Buch spielt in der Zeit kurz vor der Schlacht bei Jena und Auerstedt. Schach ist ein preußischer Rittmeister in einem feudalen Regiment, das in Berlin in Garnison liegt. Er ist überzeugt, die Welt ruhe »nicht sicherer auf den Schultern des Atlas als der preußische Staat auf den Schultern der preußischen Armee«. Sein erster verhängnisvoller Irrtum – seiner und seines ganzen Standes, aus dem das Offizierkorps hervorging, das, wie der Frondeur Bülow in der Erzählung sagt, »statt der Ehre nur noch den Dünkel und statt der Seele nur noch ein Uhrwerk hat – ein Uhrwerk, das bald genug abgelaufen sein wird«. Neben seinem Dienst macht Schach einer schönen Witwe, der Frau von Carayon, den Hof. Doch während er der Mutter huldigt, verführt er nebenbei die Tochter und wird, nachdem die Sache ruchbar geworden ist, vor den König zitiert, der ihm befiehlt, das Mädchen zu heiraten. Schach gehorcht – etwas anderes hat er nicht gelernt –, »aber nur, um im Moment des Gehorchens den Gehorsam in einer allerbrüskesten Weise zu brechen«, indem er sich am Tage der Eheschließung erschießt, weil er in seinem Dünkel den Spott der Kameraden fürchtet.

»Da haben Sie das Wesen der falschen Ehre. Sie macht uns abhängig von dem Schwankendsten und Willkürlichsten, was es gibt, von dem auf Triebsand aufgebauten Urteile der Gesellschaft, und veranlaßt uns, die heiligsten Gebote, die schönsten und natürlichsten Regungen eben diesem Gesellschaftsgötzen zum Opfer zu bringen ... Wir werden an derselben Welt des Scheins zugrunde gehen, an der Schach zugrunde gegangen ist.«

Das alte Preußen ging zugrunde, doch die Prätentionen und falschen Ehrbegriffe blieben und wurden vom emporkommenden Bürgertum übernommen. Das gesellschaftliche Leben Berlins geriet immer stärker unter die Diktatur von Börse und Bourgeois. Jetzt hatten auch Kommerzienräte ihre Ehre und besonders ihren Dünkel, und die Kommerzienrätinnen, die den Titel ihrer Gatten führen durften, waren noch ängstlicher darauf bedacht als ihre Ehemänner, daß ihre Töchter oder Söhne keine Mesalliance schlossen. So nahm die Komödie der Standesvorurteile ihren Fortgang, sehr zur Erheiterung des alten Fontane, der die Vorgänge in den Häusern der van Straatens, der Treibels und wie sie alle hießen lächelnd beobachtete und zusah, wie die Neureichen sich noch stolzer und standesbewußter gebärdeten als die altadligen Familien, die, teils verarmt, immer noch auf Vorfahren zurückblicken konnten, die bei Hochkirch und Kunersdorf dabeigewesen waren. Hier ergaben sich für den kritischen Betrachter der Gesellschaft ungeahnte Möglichkeiten. Die Palette war jetzt um viele Farbschattierungen reicher, das Bild bunter, und die feinste Bosheit war gerade fein genug, dieses Treiben einzufangen und es der Welt vorzuführen, das Liebenswürdige ebenso wie das Absurde daran. Hier war Fontane ganz in seinem Element. Mit einem Stilgefühl sondergleichen, ohne je die Karikatur zu streifen, schildert er dieses Berlinertum, das eine Satire verdient hätte, so nachsichtig und liebevoll, daß das böse Lachen ausbleibt und nur ein warmes Lächeln von innen her aufsteigt. Aber die Schärfe des Blickes ist ungetrübt, kein Fältchen in der Zeitgarderobe entgeht ihm, wie ein Seismograph nimmt er die feinsten Schwingungen in der Gesellschaft auf, und was er wiedergibt, ist eine gleichsam verzauberte Realität.

Es geschieht nicht viel in diesen Büchern, die Türen zu den

eigentlichen Schreckenskammern des Daseins bleiben geschlossen. Es geht alles diskret und bürgerlich zu, auch wenn die bürgerliche Moral verletzt wird. In »L'Adultera« verläßt eine junge, reiche, verwöhnte Frau ihren älteren Mann und beginnt an der Seite ihres Geliebten ein neues Leben, jenseits von Lüge und Verstellung und Heuchelei. In »Irrungen, Wirrungen« verliebt sich ein unverbildetes Mädchen in einen adligen Offizier, und nach einem kurzen Idyll heiraten beide innerhalb ihres Standes, er eine reiche Kusine, sie einen Werkmeister. Alles so nüchtern und unromantisch wie nur möglich. Eine Kommerzienrätin – »Frau Jenny Treibel« –, die in ihrer Jugend Grünkram verkauft hat und jetzt mit Hamburger Großbürgern versippt ist, für das Wahre und das Schöne schwärmt und dabei praktisch wie eine Waschfrau denkt, verhindert die Heirat ihres Sohnes mit der Tochter ihres einstigen Verehrers. Das ist die ganze Fabel. Aber was wird unter seinen Händen aus diesen nicht weiter interessanten Vorkommnissen! Durch seine Kunst werden sie zu hohen und breiten Gesellschaftsspiegeln, die die Dinge, die Allüren des Adels, die Anschauungen des Bürgertums und die Beschränktheit der Bourgeoisie, in lebendigstem Lichte zurückwerfen.

»In meinen Schreibereien«, sagt Fontane in einem Brief an Theodor Wolff, »suche ich mich mit den sogenannten Hauptsachen immer schnell abzufinden, um bei den Nebensachen liebevoll, vielleicht zu liebevoll, verweilen zu können. Große Geschichten interessieren mich in der *Geschichte*; sonst ist mir das Kleinste das liebste ...« Nicht weil es das Kleinste ist, sondern weil es das ist, was die Menschen hauptsächlich beschäftigt und bewegt. Zum Besten, was er auf diesem Gebiet geschaffen hat, gehören die Interieurs aus dem Berliner Leben, die in seinen Romanen einen so breiten Platz einnehmen, die Schilderungen des Drinnen und Draußen, immer in engster Beziehung zu den handelnden Personen. Ein Morgenritt nach Treptow, eine Kahnfahrt über die Spree nach Stralau, zweispännig nach Tempelhof, ein Gartenlokal mit Ausflüglern, eine Nachmittagspartie nach Halensee und ein Stück zu Fuß durch den Grunewald, wo sich schon so viele Liebesverhältnisse angebahnt und ihr Ende gefunden haben, eine Vorstadtgärtnerei, eine stille Tiergartenvilla mit dem Zoo im Hintergrund oder die Pittelkow'n aus der Invalidenstraße und was eine Nachbarin über sie bemerkt: »... Wie sie man bloß wieder dasteht und rackscht und rabatscht! Und wenn es noch Abend wär, aber am hellen, lichten Mittag, wo Borsig und Schwarzkoppen seine grade die Straße 'runterkommen. Is doch wahrhaftig, als ob alles Mannsvolk nach ihr 'raufkucken soll; 'ne Sünd' und 'ne Schand'.«

Überhaupt die Frauengestalten aus dieser Stadt, die eigentlichen Trägerinnen des Gesellschaftlich-Geselligen, der jeweiligen Mode und herrschenden Moral am tiefsten verhaftet! Er hat sie mit unendlichem Charme ausgestattet: seine L'Adultera, seine Cécile, das Tantchen aus dem Hause Carayon, und mit der Witwe Pittelkow, seiner Lene Nimptsch und den beiden köstlichsten Figuren von allen, seiner Frau Jenny Treibel und ihrer Gegenspielerin Corinna Schmidt, die Berlinerin neu gesehen und gezeichnet. Sie verkörpern die Lebenstüchtigkeit dieser Stadt, sie sind praktisch und nüchtern und stehen mit beiden Füßen fest auf der

Erde, und selbst wenn sie sich poetischen und sentimentalen Anwandlungen hingeben wie die Kommerzienrätin Treibel, wissen sie genau, was sie wollen, und setzen ihren Willen resolut durch. Mit ihnen hat Fontane seinem Berlin das tiefste Geheimnis abgelauscht, und was die Stadt an Herz und Verstand, an praktischer Vernunft und gelegentlicher Überheblichkeit besitzt, ist in ihnen Fleisch und Blut geworden.

# BISMARCK, BORSIG, BEBEL

Die geschichtliche Entwicklung im Deutschland des neunzehnten Jahrhunderts führt vom Deutschen Zollverein zum Deutschen Kaiserreich, von der Zersplitterung zur Einheit, von Bismarck, der das Reich schuf, zu Wilhelm II., der es verlor, vom Bürger, der noch ein Verhältnis zum humanistischen Geist hatte, zum Bourgeois und zum Untertan, zum Protzentum und zur Servilität, von Borsig mit seinen Lokomotiven und Krupp mit seinem Stahl zur Schwerindustrie, zu Bebel, einer organisierten Arbeiterschaft und zum Sozialistengesetz, zum alten Fontane mit seiner Skepsis über diese Entwicklung, die er miterlebt hatte und die sich in seinen blauen Augen spiegelte, diesen Augen, die, nach einem Wort Maximilian Hardens, »wie ein Band Goethe in einer Feldwebelstube« in seinem Gesicht standen.

Bismarck, Borsig, Bebel – sie waren die Repräsentanten des Zeitalters, über das Fontanes Romane einen letzten verklärenden Schimmer werfen und das sich rascher änderte, als er mitzuschreiben vermochte.

Manchmal sann er den Zusammenhängen nach und wie das alles gekommen war, der Deutsche Zollverein, 1848, 1870/71, und sah den tragischsten aller Deutschen am Anfang dieser Entwicklung stehen: Friedrich List. Bismarck war damals noch ein Knabe, Borsig bereits in Berlin und Schüler der neugegründeten »Technischen Schule«, Bebel noch nicht geboren, als der damalige Deutsche Bundestag den Professor Friedrich List wegen politischer Unzuverlässigkeit seines Amtes an der Universität Tübingen enthob und den klarblickendsten Wirtschaftspolitiker der Zeit zur Auswanderung nach Amerika zwang. Man hatte ihm besonders eine Schrift verübelt, eine Eingabe an das Parlament, eine Mahnung an die Volksvertreter, endlich volkswirtschaftlich zu denken und die Voraussetzungen für ein einheitliches Zollgebiet zu schaffen. In seiner klaren, maßvollen Weise hatte List geschrieben:

»Vernünftige Freiheit ist die erste Bedingung aller physischen und geistigen Entwicklung des Menschen. Wie der menschliche Geist niedergehalten wird durch Bande des Gedankenverkehrs, so wird der Wohlstand der Völker gebeugt durch Fesseln, welche der Produktion und dem Verkehr materieller Güter angelegt werden ... Um von Hamburg nach Österreich, von Berlin in die Schweiz zu handeln, hat man zehn Staaten zu durchschreiten, zehn Zoll- und Mautordnungen zu studieren, zehnmal Durchgangszoll zu bezahlen ... Und so geht denn die Kraft derselben Deutschen, die zur Zeit der Hansa Welthandel trieben, durch 38 Zoll- und Mautsysteme zugrunde.«

Wunderbare Worte, aber die Eingabe kam nicht weiter als bis

zu den Akten, die große Idee blieb unverwirklicht, bis ein deutscher Dichter mit politischem Weitblick und ein preußischer Staatsmann mit volkswirtschaftlicher Einsicht, Goethe und Heinrich von Motz, sie aufgriffen.

Fontane schlug den Eckermann auf und las, was Goethe im Oktober 1828 gesagt hatte: »Mir ist nicht bange, daß Deutschland nicht eins werde; *unsere guten Chausseen und künftigen Eisenbahnen werden schon das ihrige tun.* Vor allem aber sei es eins in Liebe untereinander, und immer sei es eins, daß der deutsche Taler und Groschen im ganzen Reich gleichen Wert habe; eins, daß mein Reisekoffer durch alle sechsunddreißig Staaten ungeöffnet passieren könne. Es sei eins, daß der städtische Reisepaß eines weimarischen Bürgers von den Grenzbeamten eines großen Nachbarstaates nicht für unzulänglicher gehalten werde, als der Paß eines Ausländers. Es sei von Inland und Ausland unter deutschen Staaten überhaupt keine Rede mehr. Deutschland sei ferner eins in Maß und Gewicht, in Handel und Wandel, und hundert ähnlichen Dingen, die ich nicht alle nennen kann und mag.«

Und dann dachte Fontane an die Worte aus der Denkschrift Heinrich von Motz', die der Minister 1829 seinem König überreichte:

»Wenn es staatswissenschaftliche Wahrheit ist, daß Zölle nur die Folge politischer Trennung verschiedener Staaten sind, so muß es auch Wahrheit sein, daß Einigung dieser Staaten zu einem Zoll- und Handelsverbande zugleich auch Einigung zu einem und demselben politischen System mit sich führt . . .«

Staatswissenschaftliche Wahrheit, gewiß, aber erst fünf Jahre später war das Gründungsprotokoll des Deutschen Zollvereins unterzeichnet worden, und Hoffmann von Fallersleben hatte ein paar Verse geschrieben und es auf humorvolle Weise begrüßt, daß Waren jetzt ohne Abgaben über die Landesgrenzen verfrachtet werden durften, alles:

»Schwefelhölzer, Fenchel, Bricken,
Kühe, Käse, Krapp, Papier . . .«

aus freudigem Herzen darüber, daß der erste schwierige Schritt zu einer deutschen Einheit endlich getan war.

Bald darauf war die erste deutsche Eisenbahn in Betrieb genommen worden, und das »Stuttgarter Morgenblatt« hatte geschrieben: ». . . Ja, es möchte wohl keiner, der nicht völlig phantasielos ist, ganz ruhigen Gemütes und ohne Staunen beim ersten Anblick des wunderwürdigen Phänomens bleiben.«

Dieses »wunderwürdige Phänomen«, die Lokomotive, kam jedoch aus dem Ausland, war teuer, wies Konstruktionsfehler auf, und wenn sie von größerer Bedeutung für Deutschland, den Handel, den Fracht- und Passagierverkehr und damit auch für die Politik werden sollte, mußte sie im Lande selber hergestellt werden. Niemand hatte das klarer erkannt als dieser August Borsig, ein gebürtiger Schlesier wie so viele Berliner. 1836 war er plötzlich aus der Anonymität aufgetaucht und hatte draußen vor dem Oranienburger Tor mit der Errichtung einer Maschinenfabrik begonnen. Fontane entsann sich des Ereignisses, das damals in Berlin viel besprochen wurde, noch sehr genau. Er, Fontane, war gerade als Lehrling in die Schwanenapotheke eingetreten und auf seinen Streifzügen zu den verschiedenen Stadttoren hinaus ein paarmal an der Baustelle auf dem Gelände an der Chausseestraße vorübergekommen. Fünf Jahre später war aus diesem Werk die erste deutsche Lokomotive hervorgegangen und hatte sich auf einer Probefahrt zwischen Anhalter Bahnhof und Jüterbog gegen ein ausländisches Fabrikat glänzend bewährt. Das erforderliche Schmiedeeisen hatte der junge Unternehmer bisher aus England bezogen. Um sich von dieser Einfuhr unabhängig zu machen, legte er im Stadtteil Moabit, der unwirtlichsten Gegend Berlins, einen Eisenhammer an und erwarb die Maschinenbauanstalt und die Eisengießerei der Seehandlung, ebenfalls am Moabiter Spreeufer gelegen, brachte oberschlesische Bergwerke in seinen Besitz und verhüttete und verarbeitete alsbald ausschließlich einheimisches Roheisen. Damit hatte das eisenschmelzende Jahrhundert, das auf den Landsmann Borsigs und den Tunnelfreund Fontanes, den Maler Adolph Menzel, eine so tiefe Faszination ausüben und das Leben von Grund aus verändern sollte, auch für Brandenburg-Preußen begonnen. 1854 war die Fertigstellung der fünfhundertsten Borsig-Lokomotive mit einem Belegschaftsbankett bei Kroll festlich begangen worden. Die »Nationalzeitung« hatte ausführlich darüber berichtet:

»Da das Wetter ungünstig war, so waren alle Droschken der nächsten Reviere vor dem Oranienburger Tor in Beschlag genommen, und von sechs Uhr ab sah man Wagen an Wagen auf dem Wege zu Kroll. Nach acht Uhr waren alle versammelt, und Herr Borsig eröffnete das Mahl mit einer Einleitungsrede, worin er bemerkte, daß, als im Jahre 1846 die hundertste Lokomotive ausgegangen sei, er das Versprechen gegeben habe, den Ausgang der fünfhundertsten durch eine allgemeine Feier zu bezeichnen. Herr Borsig brachte den ersten Toast auf den König, ein Beamter des Handelsministeriums den zweiten Toast auf den Handelsminister aus, dem der Toast auf Herrn Borsig folgte. Am Schlusse ging der Vorhang in die Höhe und zeigte Herrn Borsigs Büste in kolossaler Größe auf einer Säule stehend; dem zur Seite standen, als Repräsentanten der Eisenfabrikation und des Maschinenbaues, zwei lebensgroße Figuren, einen Puddler und einen Eisenarbeiter darstellend, und der Hintergrund gab die Ansicht der hiesigen Maschinenbauanstalt in größter Naturtreue. Gegen ½11 Uhr war das Mahl beendet und folgte hiernach ein Ball, welcher die Gesellschaft bis zum Morgen zusammenhielt.«

Borsig und Berlin waren längst ein Begriff. Neben seinen Werkhallen hatte sich Borsig eine Villa gebaut, mit ihren Gartenanlagen eine Berliner Sehenswürdigkeit, eine Art industrielles Herrenhaus, das von dem patriarchalischen Verhältnis des Fabrikherrn zu seinen 2000 Arbeitern zeugte. Seit dem Regierungsantritt Friedrich Wilhelms IV. und den Tagen der Bürgerwehr, an deren Kämpfen um das Zeughaus Borsig als Major und Bataillonskommandeur teilgenommen, war das Unternehmen ständig gewachsen und hatte Weltgeltung erlangt. Am 28. April 1854 stattete der Monarch den Borsig-Werken einen Besuch ab, der romantische Hohenzoller kam zu dem Lokomotivbauer, dem inzwischen zum Geheimen Kommerzienrat ernannten Zimmermannssohn aus Breslau, und sagte, als er vor der Villa des Fabrikherrn stand: »So wie Sie, mein lieber Borsig, möchte ich wohnen.«

Die Anekdote hatte Fontane schon immer gefallen, und er konnte den Wunsch des Königs durchaus begreifen. Auf seinen Gängen hatte er die Borsig-Villa oft genug inmitten ihrer Gärten liegen sehen und sich gefreut, was der Natur- und Schönheitssinn des Maschinenbauers diesem mageren und öden Landstrich abgewonnen hatte. Nun, damals hatte der König an derselben Stelle gestanden und nach einer Weile stummen Betrachtens der vielen einheimischen und exotischen Pflanzen und Blumen und der gepflegten Anlagen etwas resigniert hinzugefügt: »Das alte Vorrecht der Könige, Schlösser und Gärten zu bauen, scheint ihnen von den Fabrikherren entrissen worden zu sein«, und hatte dabei einen Blick auf das am anderen Spreeufer, hinter Bäumen versteckte Schloß Bellevue geworfen.

Ja, dachte Fontane, mit dem Heraufkommen dieser Großindustriellen waren noch ganz andere Vorrechte der Könige ins Wanken geraten, und in dem Ausspruch des kranken Monarchen kündigte sich bereits das Bebelsche Zeitalter mit Lohnkämpfen, Streiks und gewerkschaftlichen Forderungen an.

Aber dieser erste Berliner Borsig, wie er da zwischen seinen Maschinen und Arbeitern stand, was für ein Mann! Aus einem Guß, schlackenlos aus dem großen Umschmelzungsprozeß des Jahrhunderts hervorgegangen, menschlich sympathisch, reell, nichts von Schwindlertum oder Poseur, mit der Landschaft, die er in eine unfruchtbare Großstadtgegend hineinverpflanzt hatte, durch seine Herkunft verbunden, bis zuletzt in seinem Werk aufgehend, mit einem König und seinem Handelsminister genauso unbefangen sprechend wie mit den Schmieden, Schlossern, Drehern aus seinen Hallen, vom eigenen Wert erfüllt, voller Bürgerstolz auf die vollbrachte Leistung.

Als er am 1. Juli 1854 plötzlich starb, herrschte in Berlin so etwas wie Landestrauer. Er wurde wie ein Patriarch beigesetzt, unter Teilnahme aller Bevölkerungsschichten, dabei war er nur fünfzig Jahre alt geworden, unerwartet aus seiner rastlosen Tätigkeit herausgerissen, zeitlebens sein eigener Konstrukteur, Betriebsleiter, Gärtner und kaufmännischer Direktor, ein Mann ganz nach Fontanes Geschmack.

Zu ihm in ein klares Verhältnis zu treten, war leicht. Er war eine feste Größe. Man konnte ihn und seine Maschinen nur ablehnen oder anerkennen. Anders stand es mit Bismarck, diesem ostelbischen Junker voll dämonischer Genialität, diesem »schweren Wagner« Preußens, der mit einemmal an der Spitze des bürokratischen Staatswesens stand, mit seinen drei Kriegen Europa aus den Fugen hob, um erst einmal Deutschland zu schaffen und Deutschland dann in Europa einzugliedern. Er hatte alle gegen sich: den Hof, die Geheimräte, oft sogar die eigene Partei. Niemand traute ihm, dem Mann, der sich selbst als »ehrlichen Makler« bezeichnete, wozu Bleichröder, sein Bankier, der Bismarcks Kriege finanziert hatte und auch sonst eng mit ihm zusammenarbeitete, nur bemerkte: »Einen ehrlichen Makler gibt es nicht.« Und so dachten sie alle, die Politiker und die fremden Diplomaten. Man hielt Bismarck für einen Opportunisten, einen rücksichtslosen Machtmenschen. »Eisern« lautete das Attribut, das man seiner Kanzlerschaft zulegte. Aber dieser eiserne Kanzler verfiel in Weinkrämpfe und wurde hysterisch wie ein Dandy, wenn der Kaiser ihn einmal warten ließ. Welthumor und kleinlichste Gehässigkeit sprachen aus seinen hinreißenden Reden. Ohne Staatssozialismus gehe es überhaupt nicht, bekannte der große Konservative, zerschlug die Sozialdemokratie und schuf seine Sozialversicherung. Widerspruch auf Widerspruch – für die anderen, nicht für ihn, denn er war kein Dogmatiker, kein Ideologe, und verachtete Prinzipien, der größte politische Realist, unbeeinflußt von den spätromantischen Nebelschwaden des Jahrhunderts. »Er versicherte sein Reich, und das Gefüge der Reiche . . .«, schrieb Heinrich Mann in seiner großartigen Besichtigung eines Zeitalters. »Er baute vor, der Krankheit, dem Unfall, die auf seinem internationalen Gebiet nur den einen Namen – Krieg – haben. Der märkische Junker und große Europäer legte Bresche in die Alleinherrschaft des Liberalismus – der ihm widerwärtig war durch seine Selbstzufriedenheit, seinen Hochmut, als wäre er endgültig. – Der Liberalismus, wirtschaftlich verstanden, ist der Absolutismus des Besitzes: eines ungeregelten, ungesicherten, abenteuerlichen Besitzes, der im Notfall – noch vor dem Notfall, wie es seither geschehen – zur Gewalt greifen wird. Nun behält Bismarck das Äußerste, die Gewalt, sich selbst vor. Das Trachten Bismarcks ist, sie überflüssig zu machen.«

Aber wer hätte das damals erkennen sollen in dieser mit Affekten geladenen Atmosphäre, im ersten Taumel der Gründerjahre und dem darauffolgenden Börsenkrach, der Krise? Bismarck selber machte es den Zeitgenossen nicht leicht, zu einem klaren Bild über ihn zu gelangen. Noch ehe die Kurse ins Bodenlose zu fallen begannen, stieß er seine Aktien auf Anraten Bleichröders ab, entledigte sich seines Paketes und warnte die Öffentlichkeit erst dann vor der drohenden Katastrophe, als es für die meisten Spekulanten zu spät war. Er gönnte ihnen den Verlust. Wieder ein Schandfleck auf seinem Namen, und nicht der letzte. Vor einer solchen Erscheinung, die sich vorurteils- und anteilslos über alle hergebrachten Prinzipien hinwegsetzte, mußte das Urteil schwanken.

Auch Fontane wurde durch das Verhalten des Kanzlers zwischen Abscheu und Bewunderung hin und her gerissen. Anfangs überwog die Bewunderung, die sich bis zur begeisterten Zustimmung steigerte, später der Abscheu. Am 24. Februar 1891, ein Jahr nach der schmählichen Entlassung Bismarcks, wurde er dem Fürsten im »Habsburger Hof«, Berlin, vorgestellt und stand dem entlassenen Deichhauptmann des Reiches anläßlich eines Empfanges gegenüber, einem grollenden, auf seinen Stock gestützten Riesen, der die Dämme errichtet hatte, die das Ganze zusammenhielten, fast ganz allein, aus eigener Machtvollkommenheit, was vielleicht sein größter Fehler gewesen war; denn jetzt war niemand da, »das Spiel mit den fünf Kugeln« fortzusetzen, er hatte es niemand gelehrt. Jetzt begann das Verspielen des Erbes, und er sah die Deiche schon brechen.

Nachdenklich ging Fontane an jenem Abend nach Hause, die ruhige Potsdamer Straße entlang. Der Fürst hatte sich seiner erinnert, natürlich: der Wanderer durch die Mark Brandenburg. Die Huldigungsgedichte an ihn: »Jung-Bismarck« und »Zeus in Mission«, zu des Kanzlers siebzigstem Geburtstag geschrieben.

waren zum Glück unerwähnt geblieben. Sie taugten auch nicht viel, nicht mehr und nicht weniger als die vielen Einzugsgedichte, die er, Fontane, bei passender Gelegenheit auf den alten Kaiser verfaßt und die ihm weder Gunst noch Geld eingetragen. Das schönste, bleibende Bismarck-Gedicht sollte er erst nach dem Tode des Fürsten schreiben.

Auf diesem nächtlichen Heimweg kam ihm sein zwiespältiges Verhältnis zu den Hohenzollern und zu Bismarck noch einmal voll zum Bewußtsein. Schon Jahre zuvor, als die Arnim-Affäre im In- und Ausland Aufsehen erregte, hatte ihn Bismarcks kleinliche Rachsucht abgestoßen und den Glauben an seine menschliche Größe erschüttert. Damals hatte sich gezeigt, daß Bismarck nicht gewillt war, eine andere Meinung neben seiner zu dulden, und vor nichts zurückschreckte, um einen politisch Mißliebigen zur Strecke zu bringen. Auf sein Betreiben war der Botschafter des Deutschen Reiches in Paris, sein früherer Freund, der Graf Harry von Arnim, wegen angeblicher Aktenunterschlagung aus dem diplomatischen Dienst entlassen und wegen einer ihm zugeschriebenen Broschüre des Landesverrats und der Majestätsbeleidigung angeklagt und in Abwesenheit zu fünf Jahren Zuchthaus verurteilt worden. Unter dem Eindruck von Bismarcks unnachsichtigem Vorgehen gegen den einstigen Freund, der die Frankreich-Politik des Kanzlers mißbilligte, hatte Fontane an den Grafen Philipp zu Eulenburg geschrieben:

»... Gegen Bismarck braut sich allmählich im Volk ein Wetter zusammen. In der Oberschicht der Gesellschaft ist es bekanntlich lange da. Nicht seine Maßregeln sind es, die ihn geradezu ruinieren, sondern seine Verdächtigungen. Er täuscht sich über das Maß seiner Popularität. Sie war einmal kolossal, aber sie ist es nicht mehr. Es fallen täglich Hunderte, mitunter Tausende ab. Vor seinem Genie hat jeder nach wie vor einen ungeheuren Respekt, auch seine Feinde, ja diese mitunter am meisten. Aber die Hochachtung vor seinem Charakter ist in einem starken Niedergehn. Was ihn einst so populär machte, war das in jedem lebende Gefühl: ›Ah, ein großer Mann‹. Aber von diesem Gefühl ist nicht mehr viel übrig, und die Menschen sagen: ›Er ist ein großes Genie, aber ein kleiner Mann.‹ Dadurch, daß er seine mehr und mehr zutage tretenden kleinlichen Eigenschaften mit einer gewissen Großartigkeit in Szene setzt, werden die kleinlichen Eigenschaften noch lange nicht groß. Wenn ich einen um einen Sechser verklage und nicht eher ruhe, als bis ich ihn im Zuchthaus habe, so ist der Apparat zwar sehr groß, aber der Sechser bleibt ein Sechser . . .«

Oh, er, Fontane, hatte in seinem Unmut noch ganz andere Worte gebraucht und dort am schärfsten verdammt, wo er gern am rückhaltlosesten verehrt hätte. Aber gerade der Mann, der zeitweilig so etwas wie ein Idol für ihn darstellte, hatte immer wieder durch seine Politik und seine Persönlichkeit zur entschiedensten Gegnerschaft herausgefordert. Als es schließlich zu dem unvermeidlichen Bruch zwischen ihm und dem jungen Kaiser gekommen war, als der Kanzler all seine Ämter niedergelegt und das Ruder aus der Hand gegeben hatte, empfing Friedlaender bald darauf einen Brief Fontanes, in dem es hieß: »Bismarck hat keinen größeren Anschwärmer gehabt als mich, meine Frau hat mir nie eine seiner Reden oder Briefe oder Äußerungen vorgelesen, ohne daß ich in ein helles Entzücken geraten wäre, die Welt hat selten ein größeres Genie gesehen, selten einen mutigeren und charaktervolleren Mann und selten einen größeren Humoristen. Aber eines war ihm versagt geblieben: Edelmut, das Gegenteil davon, das zuletzt die häßliche Form kleinlichster Gehässigkeit annahm, zieht sich durch sein Leben ... Es ist ein Glück, daß wir ihn los sind ...«

War es wirklich ein Glück? Ein halbes Jahrhundert politischer Erfahrung war nicht so leicht zu ersetzen, auch wenn man sich von dem Mann, der sie gesammelt, gelegentlich mit den Worten abwandte: »... Diese Mischung von Übermensch und Schlauberger ... von Heros und Heulhuber, der nie ein Wässerchen getrübt hat, erfüllt mich mit gemischten Gefühlen und läßt eine reine helle Bewunderung in mir nicht aufkommen. Etwas fehlt ihm und gerade das, was eigentlich die Größe leiht ...«

Ja, Größe! Der ganzen Epoche fehlte es daran. »Kunst ist nichts, Geheimrat ist alles«, notierte Fontane. Und nun der gefährdetste und haltloseste aller Hohenzollern an der Spitze des Reiches, Wilhelm II., der seine körperlichen Gebrechen hinter militärischer Forschheit und Schneid zu verbergen suchte, Hof-Theater spielte, einen Wagnerischen Wotan mimte, bald in der Rolle eines mittelalterlichen Kreuzritters, bald in der Pose eines modernen Nationalökonomen auftrat und die Welt durch seine Widersprüche in Erstaunen und durch seine Drohungen in Schrecken versetzte!

»Was mir am Kaiser gefällt«, überlegte Fontane, »ist der totale

Bruch mit dem Alten, und was mir an dem Kaiser *nicht* gefällt, ist das im Widerspruch dazu stehende Wiederherstellenwollen des Uralten ... Er will, wenn nicht das Unmögliche, so doch das Höchstgefährliche mit falscher Ausrüstung ... die Rüstung muß fort, und ganz andre Kräfte müssen an die Stelle treten ... Über unsern Adel muß hinweggegangen werden; man kann ihn besuchen wie das Ägyptische Museum und sich vor Ramses und Amenophis verneigen, aber das Land *ihm* zu Liebe regieren, in dem Wahn: *dieser Adel sei das Land* – das ist unser Unglück ... Worin unser Kaiser die *Säule* sieht, das sind nur *tönerne Füße*. Wir brauchen einen ganz andren Unterbau ...«

Ja, aber wer sollte das neue, tragfähige Fundament legen? Die Sozialdemokratie? Gestärkt und verjüngt war die Partei Bebels und Liebknechts aus der Illegalität hervorgegangen, in die Bismarck sie getrieben, nicht mehr zu ignorieren und schon gar nicht durch Verbote auszuschalten. Dort war zumindest eine Idee vorhanden, eine neue, kühnere Auffassung von Leben und Kunst. Längst war erwiesen, daß die Sozialdemokratie nichts mit den beiden Attentätern, Hödel und Nobiling, zu tun gehabt hatte, für deren Mordanschläge man sie verantwortlich zu machen versuchte. In ihren Reihen marschierten weder Mordbrenner noch Mädchenschänder; vielleicht würden ihre Anhänger einmal auf die Barrikaden gehen und das nachholen, was 1848 versäumt worden war – man konnte es nur hoffen –, auch daß sie imstande sein würden, sich gegen Kaiser und Junkertum durchzusetzen, sonst sah die Zukunft trostlos aus.

»Indem der Sozialismus sich auf den Standpunkt der allgemeinen Menschenliebe und Brüderlichkeit stellt«, hatte Bebel in seiner großen Leipziger Rede verkündet, »indem er dafür kämpft, daß die nationalen Kriege und Verhetzungen aufhören, daß die Nationen in friedlicher Arbeit und Kulturförderung zusammengehen, vertritt die Sozialdemokratie die höchste Kulturidee, die überhaupt denkbar ist.«

Nur mit einer solchen Idee konnte Deutschland der fürchterlichen Verflachung und Veräußerlichung entgehen, die sich überall zeigten – »der Exstirpation des deutschen Geistes zugunsten des deutschen Reiches« –, alles andere war Säbelgerassel und Kathedergeschwätz.

Selbst dem greisen Bismarck schienen zuweilen Ahnungen zu kommen, daß seine alten Gegner, die Sozialdemokraten, eine geschichtliche Aufgabe zu erfüllen hatten und nicht die Horde von bloßen Unruhestiftern waren, als die er sie gern ausgegeben.

»Es kann sein«, hatte er in Hinblick auf den politischen Dilettantismus Wilhelms II. erklärt, »daß Gott für Deutschland noch eine zweite Zeit des Verfalls und darauf eine Ruhmeszeit vor hat: dann freilich auf der Basis der Republik.«

Ähnlich mochte Fontane empfinden, als er an seinem letzten Roman, dem »Stechlin«, arbeitete und ihn in einem Brief »auch patriotisch« nannte und fortfuhr: »aber er schneidet die Wurst von der andern Seite an und neigt sich mehr einem veredelten Bebel- oder Stöckertum als einem alten Zieten- und Blüchertum zu . . .« – einer sozial und geistig neugeordneten Welt, die er mit seinem realistischen historischen Sinn kommen sah.

# SKEPSIS UND GLAUBE

An einem Februar-Abend des Jahres 1854, desselben Jahres, da man bei Borsig die Fertigstellung der fünfhundertsten Lokomotive feierte, fand im Hause des Kunsthistorikers Franz Kugler eine kleine Gesellschaft zu Ehren des größten deutschen Romantikers statt, des Freiherrn Joseph von Eichendorff, der – »übrigens schon ganz weiß« – den Anbruch des Maschinenzeitalters noch miterlebte. Zu den geladenen Gästen gehörten neben Paul Heyse, Kuglers künftigem Schwiegersohn, auch Theodor Storm und Fontane.

»Paul Heyse, damals kaum zweiundzwanzig«, erinnerte sich Fontane später, »hielt . . . eine improvisierte Toastansprache in Versen« auf den Dichter des »Taugenichts« und war so erregt dabei, daß Fontane »durch den zwischen uns befindlichen Tischfuß sein Zittern fühlte«. Und in einem schwärmerischen Brief erzählt Theodor Storm, Eichendorff in seiner stillen, schlichten, vornehmen Art habe an diesem Abend einen solchen Eindruck auf Fontane gemacht, daß dieser auf dem Heimweg plötzlich in die Worte ausgebrochen sei: »Es ist doch etwas Famoses um einen alten Poeten, wenn er ein echter ist!«

Das war lange her, und jetzt war er, Fontane, selber solch ein alter Poet, dessen Echtheit, außer seiner Frau, kaum jemand anzweifelte. Und wer seiner ansichtig wurde, mochte mit Franz Servaes sagen: »Da stand er ... allein und blickte halb über das Gewühl hinweg, mehr in der Stellung eines Lauschenden als eines Schauenden. Fast erschrak ich ein wenig, als ich ihn so sah: so alt schien er plötzlich geworden, so nahe dem Verfall. Um so mehr lag etwas ungemessen Ehrwürdiges in der ganzen Erscheinung. Er schien völlig in Sinnen verloren, beinahe der Welt schon entrückt. Etwas wie ein kindliches, seliges Staunen, wie dankesfrohes Mitgenießen lag auf seinen Gesichtszügen, in denen die Augen einen eigenen, gleichsam verklärten Glanz zeigten.«

Er war jetzt hoch in den Siebzigern und konnte auf fast ein volles Jahrhundert intensiver Teilnahme am Zeitgeschehen zurückblicken, auf ein langes Schriftstellerleben voller Enttäuschungen, Kränkungen und seltsamerweise auch kleiner Ehrungen wie der Verleihung einiger Orden, der Doktorwürde und des Schillerpreises, der ihm allerdings nur zur Hälfte zugefallen war. Aber gerade diese Ehrungen waren mit die schlimmsten Kränkungen gewesen. Mit Schaudern dachte er an den Verlauf seines siebzigsten Geburtstages, und ihm fielen die Worte Lessings beim Ableben seiner Frau und beim Tod seines Kindes ein: »... diese Erfahrung habe ich nun auch gemacht. Ich freue mich, daß mir viele dergleichen Erfahrungen nicht mehr übrig sein können zu machen; und bin ganz leicht ...«

Wie gut er dieses verzweifelte »und bin ganz leicht« verstand! Man hatte ihn aufgefordert, eine Einladungsliste zusammenzustellen, und er hatte geantwortet: »Ach, ich bin in einer grenzenlosen Verlegenheit, denn ich soll ja nun sagen: wer wohl aufzufordern ist. Ja, ich weiß keinen. Ich kenne keinen, von dem ich mich nicht überzeugt hielte, daß er bei ergehender Aufforderung zur Beteiligung in Verlegenheit oder Ärger oder in Spott geriete ... wer sieht einen denn für voll an? Wer erklärt einen ehrlich, aufrichtig und gern für Fest-berechtigt? ... Also, was soll der Unsinn? Der Kerl ist schon so eingebildet, und eigentlich ist es doch ein Jammer mit ihm; er hat nicht mal studiert...«

Zwei Tage danach war er den Veranstaltern gegenüber noch deutlicher geworden: »... Ich erwarte keine Liebe. Ich will einsam begraben sein. Ich will auch keine Kränze haben und verzichte auf den ganzen Klimbim ... Und nun gar bei dem Vorspiel, das ›Siebzigster Geburtstag‹ heißt...«

Trotz aller Vorbehalte hatte er schließlich doch an der Feier teilgenommen, in dunklem Anzug, nicht mehr neu, aber sauber ausgebürstet, ein alter Poet, bereit, einen Toast auf sich und sein Werk entgegenzunehmen, eine Antwort zu stammeln und dann Wein und Kaffee zu trinken, »was das angenehmste von der Sache ist«.

Aber selbst seine schlimmsten Erwartungen und Befürchtungen waren von der Wirklichkeit noch übertroffen worden. Etwa vierhundert Personen hatten sich eingefunden, um ihn, den unfeierlichsten Menschen des Jahrhunderts, zu feiern – »durch die Vertilgung teurer Speisen und noch viel teurerer Weine«, wie es hinterher jemand ausdrückte. Und von diesen vierhundert Vertretern des geistigen Berlin hatte die Hälfte nicht einmal seinen »Archibald Douglas« gekannt, der sogar schon in den Schullesebüchern seinen Platz hatte; mitten im Vortrag hatte man angefangen, Beifall zu klatschen, nicht etwa weil die Ballade die Leute hinriß, sondern weil man glaubte, sie wäre bereits zu Ende. Komödie, gut gemeint, aber nichts im Verhältnis zu seinen Leistungen. Doch was stand in dieser Welt, besonders der preußisch ausgerichteten und regierten, die er wie kein anderer durchwandert und geschildert hatte, in einem richtigen Verhältnis? Ein Droschkenkutscher und sein Gaul vielleicht, Leben und Literatur dagegen, Gesellschaft und Geist schlossen sich aus und beruhten auf groben Mißverhältnissen – die alte preußisch-deutsche Tragödie. Und wenn man nicht völlig verzweifeln wollte, mußte man seinen Pessimismus »in rot, ja in zeisiggrün kleiden und ihn auf Heiterkeit abrichten«. Und wenn das nicht gelingen wollte – »eine Viertelstunde auf dem Lichterfelder Friedhof rückt einen immer zurecht«.

Ja, seine Gräber, alle in märkischem Sand, am alten Ruppiner Wall das der Mutter, an einer Berglehne – unten strömte träg und langsam die Oder vorbei mit gelben Mummeln drauf – der Stein des Vaters, und

»Der Dritte, seines Todes froh,
Liegt auf dem weiten Teltowplateau . . .«

George, der älteste Sohn, Offizier und Kavalier, vierunddreißigjährig an Blinddarmentzündung gestorben. Und ein anderer Sohn war schließlich im merkwürdigen Labyrinth der Lebensläufe Verleger geworden, ein Fontane, der mit Büchern Geld verdienen wollte, auch so ein Kuriosum, über das der Alte manchmal lächeln mußte. Zuerst hatte er sich dagegen gesträubt, dem Sohn seine Manuskripte zur Veröffentlichung zu überlassen, und ihm geschrieben: »Ich begreife, daß Du den Wunsch hast, meine Bücher zu verlegen; Du mußt aber auch begreifen, daß *ich* den Wunsch habe, bei meinem alten Verleger zu bleiben. Ich will kein Geld von Dir oder irgendeinem meiner anderen Kinder in die Tasche stecken ... Ich hatte Dir noch eine Berliner Geschichte zugedacht, aber dies ist auch das Äußerste, was ich leisten kann und will. Im übrigen nur das noch: Es wäre ja fürchterlich, wenn die gesunde Basis eines Verlagsgeschäfts immer ein bücherschreibender Vater sein müßte ...«

Das alles war erheiternd, Tod und Ruhe dort, Leben und Bewegung hier, aber das Erheiterndste, beinah Komische war, wenn einem das Preußische Kultusministerium zum fünfundsiebzigsten Geburtstag eine lebenslängliche Ehrenpension gewährte. Was würde ihnen dort erst zum achtzigsten einfallen, falls man ihn noch erlebte? Man konnte sich nur immer wieder fragen: Was soll der Unsinn? Und er mußte so laut und herzlich lachen wie damals, als man ihm die Anekdote, die mit dieser seiner Lieblingswendung schloß, zum erstenmal erzählt hatte. Ein Kolonialwarenhändler stürzt aufgeregt aus seinem Laden auf einen davorstehenden Jungen zu, packt ihn und verabreicht ihm eine Tracht Prügel. Gefragt, was der Junge ausgefressen habe, erklärt der Händler, rot im Gesicht: »Jeden Tag steht der Bengel, wenn er von Schule kommt oder hinjeht, hier beim Keller still und paßt uff. Wenn dann keiner von uns jrade hinsieht, stellt er sich an das Faß Sauerkohl und pißt rin. Nu schad't det ja dem Sauerkohl nischt – aber wat soll der Unsinn?« Das war das Beste, was Berlin zu geben hatte – seinen unfreiwilligen Vorstadt-Humor. Mit seinem aus England mitgebrachten Gefühl für »understatement«, für gedämpftes Saitenspiel und Selbstironie, fand Fontane immer wieder inniges Vergnügen daran. Als echt berlinisch empfunden hätte er das in unseren Tagen von Berlinern geprägte Wort »Zitterprämie«, das eine öffentliche Zuwendung für den einzelnen persifliert und zugleich den trostlosen Zustand einer ganzen Stadt umreißt. Unsympathisch war ihm der Berliner nur, wenn er sich von der feierlichen Seite zeigte und seine Kaisertreue mit einer Kornblume im Knopfloch demonstrieren wollte. Oder wenn er sich auf den Standpunkt des Bierbürgers stellte, den schon Lortzing in einer Kantate verspottet hatte:

»Mögen Völker revoltieren,
Mag die Welt zugrunde gehn,
Das soll mich nicht sehr genieren,
Schmeckt die Weiße doch so schön.«

In solchem Falle blieb nur die Korrespondenz, der Brief, die Aussprache über Gesellschaft, Politik, Zeitereignisse mit entfernten Freunden, dem klugen Londoner Arzt Dr. James Morris oder dem prächtigen Amtsgerichtsrat Friedlaender in Schmiedeberg am Fuße des Riesengebirges. Mit ihnen konnte man Kulturkritik treiben, sie hatten denselben Sinn, dasselbe Gefühl für die »fragwürdige Gestalt«, in der die meisten Dinge auftraten, man selber auch, und so war fast jeder Brief, der an diese beiden Männer abging, ein kleines weltanschauliches Testament, ein letztes Wort zur Zeit und ihren verhängnisvollen Tendenzen, die schließlich zum ersten Weltkrieg führten.

1897, als in Indien der schlimmste Aufstand ausgebrochen war, den die Engländer dort niederzukämpfen hatten, schrieb Fontane an Morris: ». . . Die englische Herrschaft in Indien *muß* zusammenbrechen, und es ist ein Wunder, daß sie sich bis auf den heutigen Tag gehalten hat. Sie stürzt, nicht weil sie Fehler oder Verbrechen begangen hätte – all das zählt wenig in der Politik. Nein, sie stürzt, weil die Uhr abgelaufen ist . . . Die Konquistadorenzeit, wo zwanzig Räuber, weil sie Knallbüchsen hatten, viel gesittetere Leute zu Paaren trieben und die Könige dieser besseren Leute auf den Rost legten – diese brutale Zeit ist vorbei, und gerechtere Tage brechen an. Die ganze Kolonisationspolitik ist ein Blödsinn . . . Mit Schaudern lese ich jetzt täglich von den verzweifelten Anstrengungen, die England machen will, um den alten Zustand à tout prix zu bewahren. Bis jetzt konnte man sich, wenn man auf England sah, daran aufrichten, daß es wenigstens *ein* Volk in Europa gab, das noch an ein anderes Ideal als an eine ›Million Soldaten‹ glaubte. Wenn England sich dieses kolossalen Vorzugs, der gleichbedeutend ist mit gesundem Menschenverstand, freiwillig begibt und nun auch anfängt, jedem Menschen eine Flinte in die Hand zu zwingen, so steigt es von der Höhe herab, die es bis heute innehatte . . . Das aber, womit am ehesten (weil unerträglich geworden) gebrochen werden muß, ist der Militarismus . . .«

Aber nicht nur in Briefen, auch in privaten Äußerungen griff er das Kolonialsystem der Großmächte an, die schon jetzt in Indien, Afrika und Ostasien nach der Methode verfuhren, die Wilhelm II. nicht viel später seinen Truppen empfahl, als er die deutsche Strafexpedition zur Niederwerfung des chinesischen Boxeraufstandes in Bremerhaven verabschiedete: »Pardon wird nicht gegeben, Gefangene werden nicht gemacht.«

In der Januarnummer des »Pan« vom Jahre 1896 veröffentlichte Fontane ein Gedicht: »Die Balinesenfrauen von Lombok«, das sich gegen die Holländer und ihr Vorgehen in ihren überseeischen Besitzungen richtete:

»Unerhört,
Auf Lombok hat man sich empört,
Auf der Insel die Balinesen
Sind mit Mynheer unzufrieden gewesen.
Und die Mynheers faßt Zürnen und Schaudern:
›Aus mit dem Brand, ohne Zögern und Zaudern!‹
Und allerlei Volk, verkracht, verdorben,
Wird von Mynheer angeworben,
Allerlei Leut mit Mausergewehren
Sollen die Balinesen bekehren ...«

In großartigen, einfachen Bildern – literarische Grobschmiedearbeit, höhnte die Presse – schildert das Gedicht, wie die Männer niedergemetzelt werden und die Frauen den aussichtslosen Kampf weiterführen:

»Die Hälfte fällt tot, die Hälfte fällt wund,
Aber jede will sterben zu dieser Stund,
Und die Letzten, in stolzer Todeslust,
Stoßen den Dolch sich in die Brust.
Mynheer derweilen, in seinem Kontor,
Malt sich christlich Kulturelles vor.«

Die Verse wurden im ganzen Ausland als Angriff auf die Kulturmission der europäischen Völker empfunden, die sich samt und sonders anschickten, der farbigen Welt die Segnungen ihrer Zivilisation zu bringen und diese Welt gehörig auszuplündern.

Dabei wußte das offizielle kaiserliche Deutschland nicht einmal, daß der alte Zieten-Schwärmer Fontane sich mit dem Gedanken trug, einen neuen Roman zu schreiben: ». . . einen ganz famosen Roman, der von allem abweicht, was ich bisher geschrieben habe, und der überhaupt von allem Dagewesenen abweicht . . . Er heißt, ›Die Likedeeler‹ (Likedealer, Gleichteiler, damalige – denn es spielt Anno 1400 – Kommunisten), eine Gruppe von an Karl Moor und die Seinen erinnernden Seeräubern, die unter Klaus Störtebeker fochten und 1402 auf dem Hamburger Grasbrook en masse hingerichtet wurden . . .«

Es blieb jedoch bei dem Plan, das große historisch-soziale Epos blieb unausgeführt, vielleicht weil Fontane spüren mochte, auf welches Unverständnis er bei seinen Zeitgenossen und schon gar bei der zeitgenössischen Kritik mit diesem Stoff stoßen würde. Hatte man doch sogar seine »Poggenpuhls« abgelehnt, dieses entzückende Genrebild einer verarmten Offiziersfamilie, »weil der Adel in dem ganzen eine kleine Verspottung erblicken könne – totaler Unsinn«.

Aber was war nicht totaler Unsinn in dieser Zeit, von der er sagte: »... am besten ist es mir in der Gefangenschaft ergangen«, das Wort freilich im Hinblick auf seine Auslandsreisen gemeint, was behagte und gefiel ihm denn überhaupt noch? War er verbittert wie Bismarck in seinen Friedrichsruher Jahren, dessen letzte Liebe den Bäumen galt? Nein, ihn freute bei aller Misere der öffentlichen Zustände noch mancherlei, und er sagte es den Leuten; es waren lauter einfache Dinge, die andere vor Politik und Moral schon nicht mehr zu würdigen und zu genießen wußten:

»Jedes Frühjahr das erste Tiergartengrün
Oder wenn in Werder die Kirschen blühn ...
Kuckucksrufen, im Wald ein Reh,
Ein Spaziergang durch die Lästerallee,
Paraden, der Schapersche Goethekopf
Und ein Backfisch mit einem Mozartzopf.«

Ja, und dann waren da noch die Bücher dieses Friedrich Nietzsche, tiefe Gedanken, glänzender Stil, Kulturkritik in seinem, Fontanes, Sinn. »Das Wort von einer immer nötiger werdenden ›Umwertung‹ aller unserer Vorstellungen ist das Bedeutendste, was Nietzsche ausgesprochen hat«, schrieb er an seinen alten Tunnelfreund Karl Zöllner. Und an Ernst Heilborn:

»Wenn man so Umschau hält, kann einen der Menschheit ganzer Jammer anfassen. Ich spreche natürlich nur von Deutschland. Seit Keller und Storm tot sind, welche Dürftigkeit! Und so wenig Aussicht auf Besserwerden!« Und an diesem deutschen Wesen sollte die Welt genesen? Was für ein sträflicher, beinah schon schwachsinniger Hochmut! Zum Glück regten sich unter den Jüngeren noch andere Kräfte: Hauptmann mit seinen Dramen und Männer wie Schlenther und Brahm in seinem Gefolge, Liliencron, der Fontane seine Gedichte geschickt hatte – »trotzdem ich nicht wenig erwartete, sah ich meine Erwartungen übertroffen« – und Max Liebermann, der ihn gemalt und ihm dabei Anekdoten von Bismarck erzählt hatte. »Sitzungstage, Maltage«, hatte Fontane damals an die Tochter geschrieben, »ich freue mich aber darauf, einmal, weil es nun doch mal ein richtiger Maler ist, dem ich in die Hände falle, dann, weil Liebermann ein ebenso liebenswürdiger wie kluger Mann ist.« Was Menzel angefangen hatte, war bei Liebermann gut aufgehoben. Es war kein Grund, völlig zu verzweifeln, ganz in Pessimismus zu versinken, der bei ihm ja immer nur Kulturpessimismus, kein Lebenspessimismus war. Morris in England hatte ihm auch dafür wieder die treffenden Worte entlockt: »Ich kann mit Ausnahme des Technischen und Naturwissenschaftlichen ... nirgends einen Weltfortschritt wahrnehmen. Die Kanonen und Gewehre werden immer besser und scheinen die Fortdauer europäischer ›Zivilisation im Pizarrostil‹ vorläufig noch verbürgen zu wollen. Aber es geht auch damit auf die Neige. Die nichtzivilisierte Welt wird sich ihrer Kraft bewußt werden, und der große Menschheitsauffrischungsprozeß wird seinen Anfang nehmen. Eigentlich sind wir schon in der Sache drin ...«

Also was sollte die Schwarzseherei? Er brachte seine Resignation in Verse, ironisch natürlich, wie immer, wenn es um Dinge ging, die ihm zu groß für große Worte waren:

»So banne dein Ich in dich zurück
Und ergib dich und sei heiter;
Was liegt an dir und deinem Glück?
Es kribbelt und wibbelt weiter.«

Dafür sorgten schon die Backfische, mit und ohne Mozartzopf.

Und nun galt es, Abschied zu nehmen. Die Grenze, wo Traum und Realität sich berühren, war erreicht. Abschied mit einem Buch, wenn die Kräfte dazu noch ausreichten. Er schrieb es in kurzer Zeit, dieses Buch, sein »Altershausen« – den »Stechlin«, das jugendfrischeste und altersweiseste Werk des sich in Dekadenz auflösenden und sich auf gewaltige militärische Machtproben vorbereitenden Jahrhunderts. Und schilderte in der Hauptperson, dem alten Dubslav, noch einmal sich selber – sein eigenes Wesen ins Landjunkerliche transponiert, einen großen, amüsanten Dialog über das Leben und die Gesellschaft seiner letzten Jahre, eine »Gegenüberstellung von Adel, wie er bei uns sein *sollte* und wie er *ist*«. Und schrieb sich damit auch gleich die eigene Grabrede:

»Sah man ihn, so schien er ein Alter, auch in dem, wie er Zeit und Leben ansah; aber für die, die sein wahres Wesen kannten, war er kein Alter, freilich auch kein Neuer. Er hatte vielmehr das, was über alles Zeitliche hinaus liegt, was immer gilt und immer gelten wird: ein Herz ... Er war recht eigentlich frei ... Er war die Güte selbst ... Er war das Beste, was wir sein können, ein Mann und ein Kind ...«

Sehr schön hat Mario Krammer diese Worte ergänzt:

»... wie er ein unängstlicher und mutiger Mensch war, so ist er auch nicht aus Furcht vor dem Andrängen und Heraufkommen neuer Schichten für gewaltsame Abwehr und Niederhaltung des Volkes eingetreten. Er war zu klug, um nicht zu wissen, daß alle derartigen Versuche die Herrschaft einer privilegierten Schicht doch höchstens nur beschränkte Zeit fristen, nie dauernd stabilisieren können. Vielmehr gilt seine ganze Sympathie denjenigen Völkern und Menschen, die wie er sich nicht unterdrükken und bevormunden ließen, die da, wo es zum Äußersten kam, wo Freiheit und Ehre auf dem Spiel standen, lieber Gut und Blut daran setzten, statt auf jene geistigen Besitztümer zu verzichten ...«

Und dann kam sein letzter Tag auf Erden, der 20. September 1898. Er stand auf wie immer, ohne zu ahnen, daß ihm nur noch wenige Stunden vergönnt waren. Seine Frau war verreist, am übernächsten Tag wurde sie zurückerwartet, und der unermüdliche Briefschreiber setzte sich noch einmal hin und schrieb an sie. Und ganz von selber floß ihm, dem großen Liebhaber kleiner Geschichten, wieder eine Anekdote in die Feder:

»Gestern mittag ging ich eine Stunde spazieren und traf P.; er erzählte mir vom Tode seiner Frau und welchen ›goldenen Humor‹ sie gehabt habe; er sei ganz gebrochen, alles habe jedes Interesse für ihn verloren, auch sein Geschäft, und dabei weinte er beständig. Er sei, um sich rauszureißen, in England gewesen und habe mit zwei englischen Nichten seiner Frau eine Reise nach Schottland gemacht. Die jüngere sei heiter und ausgelassen und habe den ›goldenen Humor‹ seiner Frau. Die ältere, die jetzt bei ihm sei, sei aber ernster. Ich glaube, er war ganz aufrichtig in seiner Trauer, und doch habe ich nie so stark den Eindruck gehabt: ›Dieser Trauernde wartet das Trauerjahr nicht ab‹; eine der beiden Nichten muß es werden. Wohl die mit dem ›goldenen Humor‹ seiner Frau. So geht es, und die Witwen sind noch flinker als die Witwer.«

Als Emilie diese Zeilen erhielt, war er tot. Ganz fontanisch, mit einer Anekdote auf den Lippen, still und ruhig aus der Welt gegangen, unfeierlich, voller Skepsis, aber auch voller Glauben.

»Am 20. Sept. hat Theodor Fontane die Augen für immer geschlossen«, schrieb das »Literarische Echo« in seiner Oktober-Nummer, »am 24. Sept. ist er zur letzten Ruhe bestattet worden, draußen im Norden Berlins, auf dem Kirchhof der französischen Gemeinde, wölbt sich jetzt sein Hügel. Das Leben der Weltstadt Berlin, von dem er wie kein anderer erzählt hat, flutet hier unaufhaltsam vorüber; hier ist die Stätte, mit der viele seiner Gestalten unlöslich verbunden sind. Lärm und hastiges Getriebe, Unruhe und ein Grau des alltäglichen Lebens sind das Charakteristische dieses Viertels der Reichshauptstadt ... In diesem Stadtteil liegt Th. F. begraben, der wie kein anderer die verborgene Poesie des Alltagslebens empfunden und erschlossen hat ...«

# LITERATUR

*Fontane, Th.:* Gesammelte Werke. Berlin 1905–1908. Serie 1: Romane und Novellen. Bd. 1–10, 1905. Serie 2: Gedichte, Autobiographie, Reisebücher, Briefe. Bd. 1–11, 1908

*Fontane, Th.:* Sämtliche Werke. München: Nymphenburger Verlagshandlung, 1959 ff. Abt. 1: Das gesamte erzählerische Werk. Bd. 1–8. Abt. 2: Wanderungen durch die Mark Brandenburg. Bd. 9–13. Abt. 3: Fontane als Autobiograph, Lyriker, Kritiker und Essayist. Bd. 14

*Fontane, Th.:* Werke. Bd. 1–3 ff. München: Hanser, o. J.

*Fontane, Th.:* Plaudereien über Theater. 20 Jahre Königl. Schauspielhaus (1870–1890). Berlin 1926

*Fontane, Th.:* Schriften zur Literatur. Berlin 1960

Fontane damals und heute. Auswahl aus »Wanderungen durch die Mark Brandenburg«. Berlin 1958

*Fontane, Th.:* 89 bisher ungedruckte Briefe und Handschriften. Herausgegeben von R. v. Kehler. Berlin 1936

*Arnim, B. von:* Dies Buch gehört dem König. Berlin 1921

*Bebel, A.:* Aus meinem Leben. Bd. 1–3. Stuttgart 1910–1914

*Bismarck, O. von:* Gedanken und Erinnerungen. Berlin 1951

*Böttger, F.:* Theodor Storm in seiner Zeit. Berlin o. J.

*Eberty, G. F.:* Jugenderinnerungen eines alten Berliners. Berlin 1878

*Erman, H.:* Weltgeschichte auf berlinisch. Berlin 1960

*Ettlinger, E.:* Fontane (Die Literatur, Bd. 18). 1905

*Eulenberg, H.:* Schattenbilder. Berlin 1919

*Fricke, H.:* Theodor Fontane. Chronik seines Lebens. Berlin 1960

*Fricke, H.:* Familie Fontane. Rathenow 1937

*Friedell, E.:* Kulturgeschichte der Neuzeit. Ungekürzte Ausgabe in einem Band. München o. J.

*Gubitz, F. W.:* Erlebnisse. Bd. 1–3. Berlin 1868

*Gutzkow, K.:* Rückblick auf mein Leben. Berlin 1885

*Knudsen, R. R.:* Der Theaterkritiker Th. F. Berlin 1942

*Krammer, M.:* Theodor Fontane. Berlin 1922
*Krammer, M.:* Theodor Fontanes engere Welt. Berlin 1920
*Kricker:* Fontane. Berlin 1921
*Krieger, B.:* Berlin im Wandel der Zeiten. Berlin o. J.
*Lazarus, M.:* Lebenserinnerungen. Berlin 1906
*Lindau, P.:* Nur Erinnerungen. Stuttgart u. Berlin 1917
*Lübke, W.:* Lebenserinnerungen. Berlin 1891
*Maassen, C. G. von:* Weisheit des Essens. München 1928
*Mendelssohn, P. de:* Zeitungsstadt Berlin. Berlin 1959
*Meyer, R.:* Erinnerungen an Th. F. Aus dem Nachlaß. Berlin 1936
*Muret, E.:* Geschichte der französischen Kolonie in Brandenburg-Preußen. Berlin 1885
*Ostwald, H.:* Kultur- und Sittengeschichte Berlins. Berlin o. J.
*Pachtner, F.:* Lokomotivkönig August Borsig. München 1953
*Pietsch, L.:* Wie ich Schriftsteller geworden bin. Bd. 1–2. Berlin 1898
*Radbruch, G.:* Th. Fontane oder Skepsis und Glaube. Leipzig 1948
*Roch, H.:* Deutsche Schriftsteller als Richter ihrer Zeit. Berlin 1947
*Rodenberg, J.:* Bilder aus dem Berliner Leben. Berlin 1899
*Roquette, O.:* Siebzig Jahre. Geschichte meines Lebens. Bd. 1–2. Darmstadt 1894
*Seidel, H. W.:* Fontane. Stuttgart 1940
*Spiero, H.:* Fontane. Wittenberg 1928
*Uhlmann, A. M.:* Theodor Fontane. Sein Leben in Bildern. Leipzig 1958
*Wandrey, C.:* Theodor Fontane. München 1919